ЗВЕЗДНЫЙ

ЛАБИРИНТ

ЛАБИРИНТ

ЗВЕЗДНЫЙ

ЕВГЕНИЙ
ЛУКИН

WITHDRAWN

АЛАЯ АУРА
ПРОТОПАРТОРГА

ИЗДАТЕЛЬСТВО АСТ • МОСКВА

2000

ББК 84 (2Рос-Рус) 6
Л84

Серия основана в 1997 году

Серийное оформление А. Кудрявцева

Художник А. Дубовик

Лукин Е.
Л84   Алая аура протопарторга: Фантастический роман. — М.:
ООО «Фирма «Издательство АСТ», 2000. — 400 с. — (Звездный
лабиринт).

ISBN 5-237-04531-6

Кого только нету на Руси — колдуны-демократы, митрозамполиты, космобогомольцы. И у каждого своя нечисть. У кого заморские гремлины, у кого — родные домовые.

Домовым на Руси всегда жилось несладко, но бедняге Анчутке пришлось уж настолько солоно, что порешил он бежать за кордон. Короче, эмигрировать. В сомнительной компании протопарторга Африкана, невинной жертвы гнусных политических интриг.

Но... попали наши беженцы из огня да в полымя. За кордоном-то — дела еще почище. Тут вам и криминальные местные домовые, балующиеся на досуге рэкетом, и нахальные гремлины на крутых «шестисотых», и лихая террористическая организация «Ограбанкъ». А Африкана так и просто считают засланным спецагентом. Но несмотря ни на какие вражьи происки, все непобедимее реет над протопарторгом, как гордое красное знамя, таинственная алая аура...

АЛАЯ АУРА ПРОТОПАРТОРГА

С каким наслаждением перевешал бы я всех политиков, не будь это политической акцией!

Великий Нгуен

Но знаешь ли, чем сильны мы, Басманов?
Не войском, нет, не польскою подмогой,
А мнением: да! мнением народным.

Александр Пушкин

Глава 1. АНЧУТКА,

ВОЗРАСТ НЕИЗВЕСТЕН, БЕЖЕНЕЦ

А вот любопытно, жилось ли когда-нибудь сладко русскому домовому? Ой, нет... Разве что до Крещения Руси, но о тех замшелых временах никто уже и не помнит — столько даже домовые не живут.

При царе попы зверствовали: нагрянет гривастый с кадилом, всю избу ладаном отравит, углы святой водой пометит — из вредности, а от нее шерстка портится и сила пропадает... Спасибо советской власти: постреляли извергов, посажали, а те, что убереглись, тихие **стали**, безвредные.

Ну, думали, заживем... Куда там! При Луначарском-то оно вроде бы и ничего было, а вот как передали всю нечистую силу из Наркомпроса в НКВД — мать моя кикимора! Такое началось! До сих пор совестно: хозяев, бывало, сдавать приходилось...

Ничего, перетерпели, обвыклись... Опять же оттепель подкатила хрущевская. Чем не жизнь? Главное: от календарика отрывного по красным дням держись подальше и под пионерский салют как-нибудь там случайно не влети... Ох, люди, люди! И надо же им было опять все вверх дном перепрокинуть! Зла не хватает...

Анчутка заставил себя отвлечься от скорбных раздумий — и огляделся. Кругом сиял разлив. Вода и суша лежали, можно сказать, на одном уровне, так что оставалось лишь гадать, почему вон тот участок затоплен, а этот, к примеру, нет...

А ведь придется возвращаться — явно забрел не туда: вода с трех сторон, брода не видать, мостка — тем более. Умей Анчутка плавать... Но плавать Анчутка не умел. Как и всякий порядочный домовой, об этой таинственной способности он и думать не мог без содрогания.

Тихонько вздохнул и заковылял обратно. Привыкши к плоским поверхностям людских жилищ, Анчутка горестно дивился почве, через каждые пять шагов обязательно подстраивающей какую-нибудь каверзу: то рытвину подложит, то хворостину...

Вообще дикая природа вела себя враждебно и насмешливо.

Вдобавок выяснилось, что вне человеческого жилья нехитрое Анчуткино колдовство полностью утрачивает силу: невидимкой — и то не пройдешь. Он понял это еще в черте города, когда, пробира-

ясь через кустарники, услышал изумленный маль-
чишеский возглас:

— Йех! Гля, какой котяра крутой!..

В другой бы раз Анчутка обиделся...

Теперь для полного счастья не хватало только
нарваться на кого-нибудь из леших, с которыми
домовые враждовали издавна. То-то было бы им
радости обойти родственничка, чтобы вдоволь
наплутался, фраер городской, в трех соснах... Да,
но ведь он и так уже плутает...

Внезапно на округу лег плотный натужный гул
турбин. Над поймой, содрогая и морщиня гладь
заливных лугов, хищно и лениво разворачивалось
«крыло» американских самолетов. По-нашему, по-
лыцки — «звено». Впереди шел разведчик, бере-
менный подвесными баками и контейнерами с аппаратурой. Его сопровождала группа прикрытия.
Акульи морды, черно-желтые стабилизаторы...
Реакционный и богопротивный блок НАТО, на-
уськанный баклужинской демократией, настойчи-
во искал повод нанести удар по православному со-
циалистическому Лыцку.

Анчутка вскинулся на задние лапки и встрево-
женно повел личиком. В какой он хоть стороне,
этот блокпост?.. Вроде бы вон там...

Впереди на нежно-зеленом бугорочке маячило
нечто родное и знакомое, а именно: две отвесно
врытые трубы, к которым в незапамятные еще времена приварен был жестяной щит, ныне вылиняв-
ший с лица и ржавый с изнанки. «ИЗОБИЛИЕ —
ПУТЬ К ОРОШЕНИЮ!» — значилось на нем.

Видимо, какое-то старое, утратившее силу заклинание...

Добравшись до исторического памятника, Анчутка присел на корточки и в изнеможении привалился круглой спинкой к теплой рыжей трубе. Пусть не жилище, но все-таки что-то, сделанное человеческими руками... Кстати, Анчутка уже отдыхал под этой древней конструкцией, причем совсем недавно.

«Если и впрямь водит, — уныло мыслил он, — ой, не выбраться... Нет, не люблю я леших... Дураки какие-то, даром что родня...»

А впрочем... Времена-то ведь меняются — и, как водится, к худшему. Всей лыцкой нечисти нынче трудно. Так что, может, и смилуется лесная братва: поводит-поводит, а там, глядишь, проникнется сочувствием, к блокпосту дорогу укажет...

Хотя Анчутка — тоже домовой с понятиями: он бы и сам не принял помощи от леших...

Вновь смежил веки и припомнил с тоской тот неладный день, после которого все вокруг снова пошло кувырком. Было это вроде бы на излете лета, а год Анчутка, как водится, запамятовал... Людское это дело — годы считать...

Началось с того, что на чердак к нему заявился рыжий, не внушающий доверия кот и пригласил в подвал, где должна была состояться какая-то там сходка. Анчутка, понятно, удивился. Обычно коты держатся независимо и посторонних лиц в дрязги свои не посвящают. Тем более домовых, представляющих, по их мнению, прямую угрозу кошачьей вольнице. Видимо, стряслось нечто неслыханное...

Количество котов в подвале — ошеломляло. Не иначе — со всех окрестных дворов набежали. Анчутке тут же вспомнилось, что три последних дня были какие-то беспокойные. Снаружи то и дело лязгало, громыхало, стены подрагивали, да и жильцы вели себя несколько странно: лаялись до матерного хрипа, а из-за чего — даже и не поймешь...

Черный облезлый котяра бандитского вида бесшумно махнул на сочащуюся влагой трубу и победно оглядел собрание.

— Когда мы стенали под игом Янаева... — завел он навзрыд.

Кто такой Янаев, Анчутка не знал, но ему стало настолько страшно, что часть воплей он пропустил. Услышанное чем-то неуловимо напомнило те жуткие надрывные речи, которых он вдоволь наслушался в годы репрессий.

А кот продолжал кликушески:

— ...Девятнадцатого августа я дважды перебежал дорогу полку КГБ! Рискуя жизнью! Мурка — свидетель! Причем второй раз — в непосредственной близости от гусениц! На меня даже заорали: «Брысь, зараза черная!» А где, позвольте спросить, был в это время Маркиз из двадцать третьей квартиры? Почему он не возвысил свое «мяу» до гневной ноты протеста против неконституционного переворота?..

Да-да, именно так оно все и начиналось...

Рядом с Анчуткой зашумели тяжелые крылья, и он брезгливо приподнял левое веко. В двух шагах от него головастая серая ворона с подозрительно невинным видом выклевывала что-то из травки, причем как бы невзначай подступала все ближе и ближе к трубе, возле которой прикорнул сам Анчутка. Явно пыталась зайти с тыла. Надо полагать, тоже не разобралась и приняла домового за необычно крупного кота. А известно, что нет для вороны доблести выше, чем подкрасться к кошке и клюнуть ее в хвост.

— Пшла!.. — прошипел Анчутка, оскорбленный до глубины души. Он вообще терпеть не мог ворон — за скандальный нрав и склонность к левому экстремизму.

Ворона подскочила от неожиданности и, забив крыльями, с хриплым заполошным карканьем отпрыгнула сразу шага на три. Людских, естественно...

На шоссе перед блокпостом Анчутка выбрался лишь во второй половине дня. Каким образом ему это удалось, он, по правде сказать, и сам не уразумел. Ясно было одно: никакой его леший по бесчисленным мысам, полуостровкам и перешейкам не водил — от лешего скоро не вырвешься.

Где-то за леском натруженно выли турбины. Чувствуя себя в безопасности, американцы разгуливали на пренебрежительно малых высотах. Ладно, пусть их...

А вот кто и впрямь то и дело угрожал Анчутке сверху — так это вороны... Картавая весть о том, что в округе бродит заплутавший домовой, подняла в воздух весь личный состав — штук пять бандформирований во главе с полевыми командирами. Вороны ложились на крыло и с гортанным карканьем по очереди пикировали на цель, причем делали это скорее всего из соображений хулиганских, нежели политических. Откуда им, в самом деле, было знать, какая такая у Анчутки платформа!

Время от времени он останавливался, приседал и, вздув шерстку, вскидывал навстречу воздушной атаке остервенелое личико. Ворона пугалась и, истошно вопя, шарахалась от греха подальше. Пусть даже лишенный колдовских способностей, домовой вполне мог перехватить ее на лету и свернуть поганке шею.

Нет, самих ворон Анчутка не боялся. Он боялся, что орущая и клубящаяся подобно бумажному пеплу стая привлечет к нему излишнее внимание. Погранцам, допустим, домовые и прочая там нечисть — до фени, таможенникам — тем более, а вот мимо острого взора отморозков из миграционного контроля, пожалуй, и не проскочишь...

Перед блокпостом вороны рассеялись, что, однако, нисколько Анчутку не обрадовало. Уж больно поспешно они это сделали. Постанывая от нехороших предчувствий, он с опаской выглянул из-за пригорка.

Странное зрелище представилось ему: оба берега Чумахлинки располагались примерно на одном уровне, и тем не менее все обозримое пространство, принадлежащее Лыцку, было затоплено, съедено водой, в то время как баклужинская территория лежала сухая и теплая. Река разлилась в одну сторону. Удивляться, впрочем, тут было нечему: то, что Баклужино и Лыцк живут по разным календарям, тайной ни для кого не являлось.

Мост через Чумахлинку был уставлен бетонными блоками и снабжен шлагбаумами. По эту сторону похаживали рослые парни в широких брезентовых плащах колоколом и в глубоких касках. Ни лиц, ни рук — одни лишь подбородки наружу. И автоматный ствол из-под полы.

Кроме того, неподалеку от гусеничной бронечасовенки с навершием в виде креста, увенчанного пятиконечной звездой, маячила парочка черных ряс. Худо дело! Безошибочным зрением домового Анчутка ясно различал светлую дымку, окутывающую каждого человека. Он даже знал, что называется она аурой, и неплохо разбирался в ее оттенках... Так вот у этих двоих аура была красного цвета с коричневатым отливом. Попадешься таким в руки — пощады не жди...

Беженец затосковал и с надеждой поднял глаза на противоположный берег. Там за полосатым шлагбаумом вызывающе безмятежно прогуливались молодые люди в голубеньких рубашечках с короткими рукавами, в разномастных брючках, все без оружия. Улыбчиво жмурясь, они подставляли гладкие физии ласковому солнышку и вообще наслаждались жизнью. Конечно, чего им!.. Вон их какие акулы с воздуха охраняют...

Может, дождаться ночи, найти досточку да и переправиться где-нибудь неподалеку?.. Нет, страшно. Вот если бы Анчутка умел летать... Хотя что толку! Редкая птица долетит до середины Чумахлинки — снимут влет. А пули-то наверняка освященные...

По мосту тоже не прошмыгнешь... А под мостом?..

А под мостом запросто мог обитать мостовой. Встреча, конечно, тоже не слишком приятная, но все-таки не леший — в строении ютится, не в буреломе... Кстати, о строениях. Если достичь моста, колдовские способности должны, по идее, к Анчутке вернуться. То есть под полотно он уже поднырнет невидимкой...

Тем временем двое в черных рясах, о чем-то, видать, переговорив, подступили к бронечасовенке и один за другим скрылись в люке. Крышка за ними захлопнулась.

Анчутка выскочил из-за пригорка на обочину, ужаснулся собственной дерзости и галопцем припустился к мосту, пряча личико и стараясь как можно сильнее походить на необычно крупного дымчатого кота с отрубленным хвостом.

К счастью, и по ту, и по другую сторону Чумахлинки все в этот миг запрокинули головы — над кордоном проплывал очередной стервятник с акульим рылом и черно-желтыми стабилизаторами...

Мост был бетонный, неуютный, без единого тихого закутка. Внизу все продувалось насквозь. От воды веяло холодом — особенно здесь, вблизи левого берега, где она плескалась в каком-нибудь полуметре от шершаво-скользкой изнанки бетонных плит. Бедный мостовой... Как же он тут живет? Впрочем, живет ли?..

Анчутка жевал ноздрями воздух, как кролик. Пахло старым бетоном, плесенью и смертью. Весь дрожа, он двинулся дальше — благо что бегать по потолкам и прочим опрокинутым поверхностям домовой был навычен сызмальства. Хлюпала вода, играли блики. В неглубокой нише одной из опор Анчутка нашел скорчившийся трупик мостового. Рядом с высохшим и словно бы спекшимся тельцем лежал одноразовый шприц с последними каплями святой воды.

Самоубийство?.. Поскуливая от жалости и ужаса, Анчутка обнюхал соседние ниши и вскоре обнаружил пару игл, а потом и осколки еще одного шприца. Стало быть, ширялся мостовичок... При одной только мысли об этом шерстка поднялась дыбом. Когда-то в черные времена ежовщины Анчутка и сам от большого отчаяния подкуривал втихаря ладан. Потом, правда, нашел в себе силы завязать... Да, но колоться святой водой... Это же верная смерть! Бывает, что за месяц сгорают... Зато глюки, говорят, сильнейшие: кое-кто даже ангела видел...

А ведь, судя по всему, городской нечисти придет скоро один большой аминь. Да и сельской тоже... Водяные все травленые: привыкли за годы химизации к промышленным отходам, а теперь вот, по слухам, сами дозу ищут — за литр кислоты реку остановят...

Оглашая гулкую подмостную полость тихими причитаниями, Анчутка добрел почти до середины полотна (причем водная гладь внизу все удалялась и удалялась) — потом вдруг замер и попятился. Впереди во всю ширь зернистого бетонного дна была туго натянута бельевая веревка, пропитанная елеем. Ну не изверги, а? Одно слово — люди! И тут дорогу перекрыли... Домовой всмотрелся и приметил, что на той стороне, отступя шага на три от первой преграды, кто-то размашисто нанес на бетон коричневой масляной краской еще и магические знаки запрета.

Стало быть, и под мостом не пробраться... Беженцы-то, они, видать, никому не надобны: ни Лыцкой Партиархии, ни Баклужинской Лиге Колдунов...

Поскольку лыцкое левобережье по идейным соображениям переходить на летнее время отказалось, вечер здесь наступал на час раньше. Зеркала заливных лугов отражали золотисто-розовый закат. Меж корней сухого пня, намертво вцепившегося корявой пятерней в пригорок, при желании можно было заметить кое-что, пням, как правило, не свойственное. Некий, короче, шар, покрытый то ли мхом, то ли пухом. Время от времени этот округлый комок шевелился и удрученно вздыхал, что позволяло сделать осторожный вывод о при-

надлежности его к царству животных — и уж ни в
коем случае не растений.

В вышине по-прежнему ныло и скрежетало.
Время от времени с небес падал американский
штурмовик и с тупым бычьим ревом проходил на
бреющем полете над дальним пастбищем. Вконец
распоясавшиеся милитаристы гоняли коров...

Анчутку поднабливало. Возле старого, высох-
шего до сердцевины пня беглый домовой чуство-
вал себя в относительной безопасности. А вот к
живым деревьям лучше даже не прислоняться. Бе-
резы — патриоты, дубы — коммуняки... Хорошо
хоть травка по молодости дней своих зелена, всем
довольна и в политику пока не лезет. Лезет к солнышку...

Стало быть, в Баклужино Анчутке не попасть...
Даже если завтра он сумеет пробраться к терми-
налу и проникнуть тайком в какую-нибудь машину, направляющуюся за бугор, — все равно ведь
блокпоста не минуешь. А там досмотр... И возвращаться некуда...

Ох, люди, люди... Сначала страну развалили,
теперь вот до области очередь дошла... Да и нечисть тоже хороша!.. Эти, к примеру, катакомб-
ные... Откуда они вообще взялись? До путча про
них никто и не слыхивал... С виду домовой как домовой, а туда же — задается почище лешего!.. Вы,
говорит, советской власти задницу лизали, с орга-
нами сотрудничали... Ну, допустим, сотрудничали! А ты в это время где был?.. А я, говорит, в это
время в катакомбах сидел...

Ну, укажите в Сусловской области хотя бы одну катакомбу!

Анчутка завозился, устраиваясь поудобнее меж двух корней, и вскоре накрыло его сновидением, да таким, что хуже не придумаешь. Приснился ему старый, будь он неладен, знакомец — следователь НКВД Григорий Семенович Этих. Сибиряк, наверное...

— Ах ты, вражина... — с каким-то даже изумлением оглядев затрепетавшего во сне Анчутку, вымолвил он. — Существуешь, контра? Материализму перечишь, прихвостень поповский?.. Ты же хуже Врангеля, пр-роститутка!..

Анчутка попытался ему объяснить, что все не так, что никакой он не прихвостень — сам, если на то пошло, от попов натерпелся при царском режиме... На коленочке вон до сих пор шрамик — кадилом огрели...

Глаза Григория Семеновича просияли нежностью.

— В попутчики набиваешься? — вкрадчиво осведомился он. — Ах ты, с-сукин кот, подкулачник... Думаешь, не знаем, в чьей ты избе обитал до семнадцатого года?.. Ну ничего — дай срок, покончим с троцкистами, а там и до вас, чертей леших, доберемся! Все ваше семя потустороннее под корень выведем... — Потом вроде как смягчился, смерил оком, спросил ворчливо: — Ну и что он там, этот твой новый жилец?.. Так целыми днями и молчит?.. Может, хоть во сне бормочет?.. Ну там про Карла Радека, например?..

* * *

Внезапно домовой почувствовал опасность — и проснулся. Противоположный берег был еще позолочен закатом, а по этой стороне уже воровато крались от дерева к дереву сумерки лиловых денатуратных оттенков. Прямо перед Анчуткой глыбой мрака квадратилась приземистая фигура в черной рясе. Но что самое жуткое — вокруг фигуры, как солнечная корона в момент полного затмения, сияла косматая, нечеловечески мощная аура алого цвета...

— Кто таков? — прозвучало сверху.

— Анчутка... — прошептал домовой, понимая, что пропал. Уж лучше бы он на лешего нарвался...

Незнакомец помолчал, недоумевая. Действительно, встреча озадачивала: домовой — и вдруг на лоне природы...

— Дом, что ли, сгорел?..

— Нет... — безрадостно отвечал Анчутка. — Сам ушел...

Слова гулко отдавались над вечерней водой.

— А-а... — Незнакомец понимающе покивал. — Беженец... А чего сидишь? Собрался бежать — беги...

Анчутка всхлипнул:

— Плавать не умею...

Кажется, незнакомец усмехнулся.

— Вот и я тоже... — неожиданно признался он и, кряхтя, присел рядом. Изумленно скрипнул от внезапной тяжести старый корень. Алая аура накрыла Анчутку, обдав не то жаром, не то холодом. Домовичок обомлел, потом осторожно скосил робкий выпуклый глазик. В теплом прощальном полусвете, наплывающем с баклужинского берега, он теперь мог разглядеть своего соседа в подробностях.

Был этот человек сутул и грузен. Пегая борода — веником, волосы на затылке собраны в хвостик. Обширная выпуклая плешь, лицо — мрачное и в то же время брюзгливо-насмешливое. От рясы будоражаще веет ладаном и прочей наркотой. На правой стороне груди приколот деревянный орден, почему-то внушающий невольный трепет.

— А ты кто? — отважился Анчутка.

Незнакомец хмыкнул, покосился весело и грозно:

— Про Африкана — слышал?..

Анчутка только ойкнул и вжался спиной в трухлявую кору пня. Слышал ли он про Африкана? Да кто ж про него в Лыцке не слышал?.. Его именем бесов изгоняли, не говоря уже о прочей мелкой нечисти...

— Ну, не дрожи, не дрожи... — Огромная ладонь грубовато огладила вздыбленный загривочек Анчутки, и домовой наконец рискнул открыть глазенки. — Или это ты от холода так?..

— Ага!.. — соврал Анчутка.

— А вот мы сейчас костерок разведем, — утешил страшный собеседник и поднялся, хрустнув суставами. — А то и меня тоже что-то пробирать начинает... Ну-ка, посторонись...

Анчутка поспешно отскочил от пня шага на четыре. Африкан же насупился, воздел широкие ладони и невнятно пробормотал нечто такое, от чего домовой в страхе попятился еще дальше. Разобрать ему удалось всего несколько слов: «Из искры — пламя», — ну и, понятно: «Во имя отца и сына...»

Сухой пень громко треснул и полыхнул — да так яростно, будто солярой на него плеснули.

— Увидят!.. — ахнул Анчутка, испуганно тыча лапкой в сторону моста, наполовину утонувшего в сумерках.

— Да и пес с ними... — равнодушно отозвался Африкан, присаживаясь перед пламенем прямо на траву. — Они ж еще ничего не знают... Может, я сюда на рыбалку приехал... Так, значит, говоришь, Анчутка, выжили тебя из Лыцка?

Анчутка вконец оробел — и потупился. Спрашивал-то не кто-нибудь — спрашивал первый враг всей лыцкой нечисти. Не жаловаться же, в самом деле, Африкану на Африкана... Ой!.. А вдруг никакой он не Африкан?.. Мог ведь и нарочно соврать! У людей это запросто... Нет, все-таки Африкан!.. Вон аура какая... с протуберанцам... Аж обжигает...

— Выжили... — с судорожным вздохом признался домовой.

— Вот и меня выжили... — задумчиво молвил Африкан. Помолчал и подбросил в костер обломок гнилой хворостины. — Так что оба мы теперь, выходит, беженцы...

Бедная Анчуткина головенка пошла кругом... Да что же это творится на белом свете? Ну ладно, домовой, допустим, сошка мелкая... Но чтобы самого Африкана?.. Этак, пожалуй, скоро и сатану из пекла выживут...

Анчутка хотел со страхом взглянуть на внезапного товарища по несчастью, но со страхом — не получилось. Вместо этого домовой ощутил вдруг такой прилив доверия, что даже слегка задохнулся.

— А под мостом нарочно веревку натянули... — тут же наябедничал он от избытка чувств. — И елеем пропитали...

— Ну а как ты хотел?.. — покряхтывая от неловкости, ответил ему Африкан. — Борьба идет с вашей братией... Борьба...

— Да-а... — обиженно распустив губешки, протянул Анчутка. — Борьба! Ну вот и открыли бы границу, раз борьба. Мы все тогда разом и ушли бы... Или уж уничтожьте нас, что ли, совсем, чтоб не мучиться... — Последнюю фразу домовой скорее прорыдал, нежели произнес. Пригорюнился — и умолк.

Сумерки к тому времени успели перебраться и на территорию суверенной Республики Баклужино. Темнело быстро. Потрескивал, приплясывал костер. На мосту включили пару прожекторов и принялись шарить ими вверх и вниз по течению: не пытается ли кто пересечь государственную границу вплавь. Пламя на левом берегу, надо полагать, вызывало сильнейшие подозрения и у лыцких, и у баклужинских прожектористов. Обоих беженцев то и дело окатывало ушатами света.

— Наивный ты, Анчутка... — промолвил наконец Африкан после продолжительного молчания. — Бороться и уничтожать — далеко не то же самое. Я тебе больше скажу: у нас в политике — это вообще понятия прямо противоположные... — Подбросил в огонь еще одну гнилушку и, мудро прищурившись на пляшущее пламя, продолжал с ядовитой усмешкой: — Надо тебе, скажем, споить народ... Ну и объяви борьбу с алкоголизмом... Надо расшатать дисциплину — объяви борьбу за ее укрепление... А уничтожают, Анчутка, по-другому... Уничтожают так: бац — и нету!.. Никакого шума, никакой борьбы... Была нечистая сила — нет нечистой силы. Не веришь — поди посмотри, вон на стенке Указ висит: нетути... Отменена с сегодняшнего дня. Число и подпись...

Он опять закряхтел, нахохлился и, низко надвинув пегие брови, уставился в костер.

— Или, скажем, так... — сдавленно примолвил он как бы про себя. — Был чудотворец Африкан — нет чудотворца Африкана... М-да...

Анчутка слушал — и помаргивал. Из сказанного он мало что уразумел, поскольку в высокой политике не разбирался. Одно было ясно: плохо сейчас Африкану. Может быть, даже хуже, чем самому Анчутке.

Внезапно по костру — будто палкой ударили. Прогоревший почти уже насквозь пень ахнул и развалился, осыпав беженцев искрами и раскаленными добела угольками. Анчутка подскочил, отряхивая шерстку. Африкан медленно повернул

голову и тяжко воззрился в исполосованный про-
жекторами сумрак.

— Ох, вы у меня там сейчас достреляетесь... —
проворчал он, и до Анчутки дошло наконец, что
кто-то из пограничников пальнул по их костру из
снайперской винтовки.

— У них пули освященные... — торопливо предупредил он.

— Да знаю... — вздохнул Африкан. — Сам и
освящал...

Согнулся, став еще сутулее, и зачем-то принялся
медленно расшнуровывать высокие ботинки солдатского образца. Разулся, скрепил шнурки единым уз-
лом и со вздохом поднялся на ноги. Повесил обувь
на плечо, а потом вдруг склонился к Анчутке и, рас-
крыв как бы через силу глубокие усталые глаза, заглянул домовому в самую что ни на есть душу.

— Так что, дружок, дорога нам теперь с тобой —
одна...

Эти произнесенные хрипловатым шепотом слова почему-то бросили Анчутку в дрожь. Веяло от них
жутью... Африкан взял домового в большие ладони
и, оступаясь, направился вниз, к воде. Да, но он же
сам сказал, что тоже не умеет плавать!.. Значит, где-
то лодку припрятал в камышах... Обрадоваться этой
своей мысли Анчутка так и не успел, поскольку в следующий миг луч прожектора обмахнул берег, не обо-
значив нигде ни лодки, ни даже камышей...

«Топиться идет!» — грянула догадка, и Анчуткино сердечко неистово заколотилось.

Ну конечно! Назад пути нет, вперед — тоже... Сейчас ведь утопит! Анчутка зажмурился и, вцепившись всеми четырьмя лапками в пахнущую ладаном рясу, уткнулся в нее мордочкой, словно надеясь оглушить себя хотя бы этим слабым дурманом.

Внизу зачавкало, потом захлюпало, потянуло холодом. Вода, надо полагать, подступала все выше и выше. Берег — крутой, стало быть, еще шаг — и скользкое дно уйдет навсегда из-под косолапых ступней Африкана... Но тут в отдалении грянули, отразились от речной поверхности истошные человеческие крики — и любопытство превозмогло. Анчутка не выдержал, осторожно приоткрыл один глаз — и, к изумлению своему, обнаружил, что они с Африканом почти уже достигли середины Чумахлинки.

Упрямо склонив плешь и уперев бороду в грудь, опальный чудотворец пересекал государственную границу по воде аки посуху. Оба прожектора давно уже держали его сутулую грузную фигуру в перекрестье лучей. Из-под босых косолапых ступней Африкана при каждом шаге разбегались по наклонной речной глади сверкающие концентрические круги... Если верить слуху, на мосту творилось нечто невообразимое: беготня, суматоха... Потом, как бы спохватившись, с левого берега забил пулемет. Первая очередь вспорола воздух совсем рядом, и Анчутка, ойкнув, снова зарылся личиком в рясу.

Африкан недовольно мотнул головой — и пулемет заклинило. Оплетенный древесными корнями баклужинский берег был уже в десятке шагов от нарушителя...

Глава 2. ИСТОРИЧЕСКАЯ СПРАВКА,

ВОЗРАСТА НЕ ИМЕЕТ, ДОКУМЕНТ

Соперниками Лыцк и Баклужино чувствовали себя с незапамятных времен. Хаживали бесперечь стенка на стенку, а то и учиняли прелютые дрекольные бои, доходящие во дни гражданских распрей до сабельных. Однако уже за годы первых пятилеток грамотность населения заметно возросла, кулачных и прочих физических расправ стало поменьше, сведение счетов приняло форму доносительства в письменном виде, а там и вовсе переродилось в социалистическое соревнование... Теперь же, после распада Сусловской области, противостояние двух бывших районов, а ныне — держав, обрело четко выраженный идеологический характер. Если в Лыцке к власти пришли православные коммунисты, то на выборах в Баклужино победу одержало общественно-политическое движение «Колдуны за демократию».

И это вполне естественно. Не зря ведь при царском режиме всех лыцких обывателей дразнили богомольцами, а баклужинцев — знахарями да шептунами.

Перебирая архивные документы, постоянно ловишь себя на мысли, что Лыцк и Баклужино больше всего на свете опасались как-нибудь случайно оказаться по одну сторону баррикады. В исторических памятниках первое упоминание об их вражде совпадает по времени с воцарением дома Романовых, когда Лыцк единодушно признал законным государем Михаила Федоровича, а Баклужино столь же решительно поддержало какого-то там по счету Лжедимитрия... Погожим летним днем ватаги воровских казаков Заруцкого и еретицы Маришки перешли Чумахлинку и осадили бревенчато-земляные стены Лыцка. По одним данным, вел их атаман Неупокой-Карга, по другим (менее достоверным) — атаман Баловень. Однако все без исключения источники утверждают, что мятежников на Лыцк навели именно баклужинцы.

Пощады ждать не приходилось. Обычай атамана Баловня (да и прочих атаманов) забивать пленникам порох во все интимные места, а затем его поджигать, был в ту пору общеизвестен. Отразить приступ также не представлялось возможным в связи с общей ветхостью городских стен и подавляющим преимуществом противника. Кроме того, кто-то из баклужинских знахарей, приставших к воровским казакам, применил разрыв-тра-

ву и с ее помощью сбил засовы с крепостных ворот...

И тогда, совершенно справедливо рассудив, что
заботиться пора уже не столько о бренных телах,
сколько о бессмертных душах, жители причасти-
лись, исповедовались и вышли навстречу гибели с
чудотворным образом Лыцкой Божьей Матери.

Дальнейшее известно. Как только шествие с пе-
нием и плачем показалось на гребне покатого зем-
ляного вала, кто-то из разбойников (тоже скорее
всего баклужинец) выпалил в икону из пищали и,
что самое страшное, попал. Осаждающими тут же
овладело безумие, с оружием в руках кинулись они
друг на друга и, понеся крупные потери, расточи-
лись сами собой...

Впрочем, известный русский историк Костомаров сомневался в достоверности этой легенды, ука-
зывая, что нечто подобное ранее имело место при
осаде Новгорода суздальцами. Не стоит упрекать
его за это. При всей своей проницательности ученый просто не мог предвидеть, что в 1919 году чудо
повторится. А оно повторилось. Только на этот
раз чудотворная рассеяла уже не воровских казаков еретицы Маришки, а — боязно молвить! —
красногвардейский полк имени товарища Мара-
бу (возможно, Мирабо). К сожалению, опираться
здесь приходится лишь на устные предания, поскольку документов, подтверждающих это ошело-
мительное событие, в архиве обнаружить не удалось. Скорее всего бумаги чуть позже были изъяты

и уничтожены по личному распоряжению Лаврентия Павловича Берии...

Непонятно, правда, почему малое время спустя чудотворная не обратила в бегство трех баклужинских чекистов, пришедших изымать ее из храма. Видимо, батюшка просто побоялся вынести икону им навстречу...

В годы социалистического строительства борьба двух райцентров свелась в основном к тому, что Лыцк и Баклужино всячески помогали советской власти ущемлять друг друга. И советская власть, как правило, шла навстречу: то с религией борьбу начнет, то с вредными суевериями...

Единственное, что объединяло подчас давних соперников, — это глубокая неприязнь к областному центру. Собственно, все началось с того, что Павел Первый со свойственной ему внезапностью разжаловал Баклужино с Лыцком в селения и отдал первенство — кому?.. Даже вспомнить неловко, что это был за городишко и как он в ту пору назывался!..

Впрочем, в данном случае все ограничилось неприязнью — до ненависти не дошло. Город Суслов был всегда настолько зауряден, что отнестись к нему всерьез соперники не могли при всем желании... Достаточно сказать, что, когда ликующие россияне, развалив социалистическую державу, кинулись на радостях возвращать градам и весям их исконные имена, Суслов даже переиначить не удалось. До 1982 года он, оказывается, звался Бонч-Бруевичи, а предыдущее имечко, нареченное ему в сердцах Петром Первым, звучало просто непристойно. Тогда привлекли краеведов. Те подняли документы — и обнаружили, что городок известен еще с XV века и что именовался он в ту пору опять-таки Сусловым, но только уже не в честь видного идеолога и члена Политбюро ЦК КПСС, а в честь самого обыкновенного сусла...

Два столетия подряд Лыцк и Баклужино скрепя сердце признавали первенство этого убогого населенного пункта — и ждали своего часа. И вот час настал... Теперь уже ни Москва, ни областной центр, ни даже Павел Первый не могли помешать двум суверенным государствам расквитаться друг с другом за прошлые обиды.

И первейшей из обид являлось пребывание в Баклужинском краеведческом музее чудотворной иконы Божьей Матери Лыцкой, изъятой в свое время тремя антихристами в кожанках.

Православные коммунисты вот уже несколько раз требовали немедленного возврата святыни, на что Лига Колдунов отвечала неизменным отказом, мотивируя свое решение тем, что в момент распада области данное произведение искусства находилось на территории Баклужино и, стало быть, является достоянием Республики.

Танковое сражение возле хутора Упырники (ныне — колхоз «Светлый путч»), где, по слухам, с одной стороны участвовало девять машин, с другой — семь, ничего в судьбе иконы не изменило. Как, кстати, и артобстрел Чумахлы...

Хотя вот тут, честно говоря, как-то все сомнительно. Ну, обстрел — это ладно, поверим, но откуда, скажите, в бывших райцентрах взяться танкам? В Суслове — да, стоит там до сих пор на окраине какая-то танковая часть, однако все машины — на месте. Американцы тоже, говорят, не продавали... Никто не продавал! Откуда же бронетехника?..

Может, не было никакого сражения?.. А с другой стороны — как это не было? Висит же вон в Лыцком Эрмитаже батальное полотно художника Леонтия Досюды «Подвиг протопарторга», где пламенный лидер правых радикалов Лыцка Африкан в развевающейся рясе на фоне полуобрушенной водонапорной башни мечет бутылку со святой водой в заговоренную гусеницу вражеской машины! Танк, правда, изображен нечетко, в облаке пыли, и вообще чувствуется, что художник с военной техникой не в ладах. Судя по очертаниям башни и ствола, на Африкана скорее всего наезжает самоходное орудие «фердинанд», что, конечно же, маловероятно...

Короче, было оно или не было, но только танковое сражение возле хутора Упырники вызвало сильнейший международный переполох, и вскоре в аэропорту бывшего областного центра приземлился лайнер со специальной комиссией ООН на борту.

Православные коммунисты ее, однако, в Лыцк не пустили, утверждая, что комиссия прислана с целью промышленного шпионажа, а упомянутый выше протопарторг Африкан, заслышав о предстоящем визите, призвал уничтожить богопротивных империалистов еще в воздухе, причем не поленился съездить и освятить все шесть ракет заброшенного комплекса ПВО...

И это в то время, когда очередной Президент Соединенных Штатов, вдряпавшись в очередную амурную историю, ползал с лупой по карте полушарий, не зная, кого бы еще разбомбить!

Над бывшей Сусловской областью нависла реальная угроза стать новой горячей точкой планеты, тем более что после вступления Астрахани в НАТО и введения шестого флота США в Каспий американская палубная авиация легко могла дотянуться до любых интересующих ее целей. Вскоре с борта десантного вертолетоносца «Тарава», полным ходом идущего к Лыцку по Воложке Куропатке, поднялся и произвел посадку на столичном баклужинском аэродроме «летающий вагон». Местные дамы испятнали американцев помадой с ног до головы и забросали их цветами. А на следующий день у совершавшего разведывательный полет «ночного призрака» черт знает с чего вышли из строя восемь бортовых компьютерных систем — и машина рухнула в Чумахлинку...

Теперь уже возликовали в Лыцке. Прослышав о случившемся, народ, смеясь и плача от радости, хлынул на украсившиеся флагами проспекты. Совершенно незнакомые люди обнимались и поздравляли друг друга. Единственное, что омрачало всеобщее торжество: пилот «ночного призрака» остался в живых и был, как это принято у американцев, подобран с вертолета...

В беседе с иностранным корреспондентом протопарторг Африкан заявил, будто разведчика уничтожили лыцкие средства противовоздушной обороны, а когда журналист осведомился не без ехидства, какие именно, лидер правых радикалов надменно изрек, что была бы вера, а сбить можно из чего угодно...

Средства массовой информации США, равно как и суверенной Республики Баклужино, хранили смущенное молчание. Результаты расследования, проведенного совместно капелланами шестого флота и баклужинской Лигой Колдунов, по некоторым причинам не были предъявлены прессе...

Контакты нечистой силы вообще штука опасная — особенно когда оба вида долгое время развивались изолированно. Если наши домовые — это, согласно преданию, обрусевшие черти, то американские гремлины, судя по наколкам на предплечьях, перебрались в авиацию с флота, причем сделали это относительно недавно — в самом начале XX века. Сперва они специализировались на двигателях, а затем занялись и бортовыми приборами...

Однако в данном случае поразительно другое: ведь всего два часа стоял «летающий вагон» на бывшем выпасе (ныне — военном аэродроме Баклужино)! И этих-то двух часов гремлинам шестого флота вполне хватило, чтобы разжиться у местных домовых контрабандным ладаном! А к ладану, между прочим, тоже привычка нужна. Дозу опять же знать надо... Так что пилот «ночного призрака», можно сказать, спасся чудом.

Естественно, что разведка будущих целей была временно приостановлена, любые посадки на баклужинской территории (за исключением вынужденных) категорически запрещены, а протопарторг Африкан под горячую руку объявлен международным политическим террористом...

Глава 3. ГЛЕБ ПОРТНЯГИН,

СОРОК ЧЕТЫРЕ ГОДА, ПРЕЗИДЕНТ

Л евое переднее колесо отвалилось прямо на проспекте — в аккурат напротив краеведческого музея. Обретя независимость, оно еще какое-то время бежало рядышком с лимузином, шедшим, кстати, под горку и на приличной скорости, а затем стало помаленьку забирать влево, явно намереваясь пересечь белую осевую черту и выскочить на встречную полосу движения.

Лимузин почуял потерю не сразу и захромал на утраченное колесо лишь несколько секунд спустя. Металлическая культяпка легонько чиркнула по асфальту, брызнули радужные искры — и водитель спешно затормозил.

Сталь с визгом въелась в полотно, искры (теперь уже не радужные, но ослепительно белые) ударили, как опилки из-под циркулярной пилы. Льдистый тормозной след был похож на штрих конькобежца.

Впереди раздался смачный хруст стекла. Сбежавшее колесо все-таки лобызнулось со встречным транспортом и устремилось вспять — по прежней траектории и с прежней скоростью.

Шофер лимузина сидел ни жив ни мертв.

— Гриша... — послышался сзади мягкий укоризненный голос Президента. — Я в качестве кого тебя на работу брал?

Шофер молчал. Он смотрел на неотвратимо приближающееся колесо.

— Колдунов, Гриша, мне в гараже не надо... — все так же неторопливо и раздумчиво продолжал Президент. — У меня вон их в Парламенте — как собак нерезаных...

Колесо каким-то чудом миновало похилившийся лимузин — и сзади раздался аналогичный хруст. Не иначе вмазалось в джип с охраной.

— Ну, ладно... — с недоумением промолвил Президент. — Засомневался ты, допустим, в какой-то гайке, заговорил ее... Гриш! Но ты ж ведь знал, что мимо краеведческого поедем! На что ж ты рассчитывал, не пойму...

В салоне потемнело. Снаружи к пуленепробиваемым стеклам припали, тревожно гримасничая, наводящие оторопь хари. Одна другой краше. Секьюрити...

— Ну и денек... — вздохнул Президент, открывая дверцу лимузина. Будучи рослым дородным мужчиной, он не любил замкнутых пространств и всегда веселел, покидая автомобиль, о чем, кстати, прекрасно знали его приближенные. С видимым наслаждением распрямившись во весь свой изрядный рост, глава Лиги Колдунов Баклужино ополоснулся изнутри энергией и прочистил чакры. Поверх отлично сидящего костюма на нем была раскидистая аура золотистых тонов, видимая, впрочем, далеко не каждому.

— Вы целы, Глеб Кондратьич?.. — с почтительным страхом выдохнул референт, кое-как протиснув личико меж крутых плеч мордоворотов из охраны.

Не отвечая и даже не взглянув на юношу, Президент окинул недовольным оком окривевшую на левую фару малолитражку и столбенеющего неподалеку владельца с монтировкой в упавшей от изумления руке. Да, ошалел мужик... Не каждому, согласитесь, дано вот так запросто поцеловаться с левым передним колесом президентского лимузина.

— Ущерб — возместить... — негромко повелел Глеб Портнягин и огляделся с самым рассеянным видом.

Рассеянность, впрочем, была кажущейся. В отличие от нас, простых избирателей, глава Баклужинской Лиги Колдунов подмечал все — в том числе и незримое. Шагах в десяти от лимузина прямо на тротуаре неопрятно лежал кем-то выдавленный из себя раб... Портнягин поморщился. Вообще-то Чехов рекомендовал по капле выдавливать, а не вот так, разом... Надо будет сказать, чтоб убрали...

По той стороне проспекта шла девушка выше человеческого роста и с таким надменным лицом, что ее невольно хотелось назвать красавицей. Черное вечернее платье, в руке кулек с семечками... Заклятие, что ли, на эти семечки наложить?.. Ну куда это годится: тут специальная комиссия ООН вот-вот прибудет, а проспект — в шелухе!..

Завидев припавший на переднее колесо лимузин, прохожая остановилась и в восторге уставилась на Президента. Тот в свою очередь присмотрелся и обратил внимание, что девушка щеголяет в попереч- но-полосатой ауре... Однако! Ох уж эти модницы... Сколько же она должна была закатить беспричинных скандалов своим родным и сколько бескорыстных услуг оказать заклятым врагам, чтобы создать такую вот чересполосицу?.. Самое забавное, что девушка не была ведьмой, то есть даже не имела возможности полюбоваться своей «тельняшечкой»...

В небе заныло, заворчало, и Президент все с тем же рассеянным видом поднял голову. Над столицей разворачивалось звено оскалившихся по-акульи боевых самолетов. Блок НАТО готов был в любой момент защитить баклужинскую демократию от посягательств лыцкого мракобесия.

Хорошо бы намекнуть Матвеичу, чтобы он действовал в Чумахле поаккуратнее, а то сверху-то оно — как на ладони... Вон у них контейнеры какие... и все ведь с аппаратурой... со шпионской...

Президент отвернулся и с пристальным вниманием оглядел напоследок здание краеведческого музея.

— А давненько я сюда не захаживал... — задумчиво молвил он и, подойдя к широкому парадно-

му крыльцу, двинулся вверх по лестнице. Тело-
хранители последовали за ним с полным равнодушием на мордах. Они давно привыкли к неожидан-
ным решениям своего беспокойного патрона.
Собственно, великий человек и должен быть не-
предсказуем...

В просторном и несколько сумрачном вестибюле музея белел мраморный бюст... Нет-нет, только не Глеба Портнягина. Во-первых, Президент
был скромен, низкопоклонства — не терпел, а во-
вторых, какой же нормальный колдун позволит
себя ваять? Страшно даже помыслить, что будет,
попади его скульптурный портрет в чужие руки!
Готовое орудие для наведения порчи...

Не следует также забывать и о тех случаях, когда порча наводится через памятники как бы сама
собой. Давным-давно вычислена и неоднократно
уточнена так называемая критическая масса при-
жизненных изваяний, превышение которой чревато параличом, слабоумием и быстрым политическим крахом — даже без вмешательства каких-либо
враждебных сил.

Однако вернемся в вестибюль...

На обрубке гранитной колонны ехидно ухмы-
лялась мраморная голова старого и вроде бы не
слишком трезвого сатира. Именно так выглядел
когда-то учитель Глеба, известный баклужинский
чародей Ефрем Нехорошев. Вот его уже можно
было и лепить, и высекать хоть в полный рост,
поскольку двадцать четыре года назад он благо-

получно скончался в наркологическом отделении областной больницы им. Менделеева.

Глеб Портнягин приостановился перед бюстом и со скорбным упреком взглянул в молочно-белые зенки учителя. Рано, рано ушел ты, Ефрем... Вот она, водка-то... Помнится, когда Глеб, наивный, недавно освободившийся юноша, пришел набиваться в ученики к Нехорошеву, чародей как раз выходил из очередного запоя.

— Сколдовать любой дурак сможет... — мрачно изрек он, выслушав сбивчивые речи гостя. — Тут главное — отмазаться потом... Природа — она ж дотошней прокурора! Так и норовит, сука, под вышку подвести...

На всю жизнь запомнил Глеб эти пророческие слова и всегда соблюдал осторожность. Например, ставши Президентом, он, к изумлению Лиги, отменил далеко не все запреты — даже из тех, что наложены были еще советской властью, хотя полномочия имел. Саперам, правда, разрешил ошибаться дважды, но этим и ограничился. Поэтому вечные двигатели первого рода в Баклужино до сих пор изымались точно так же, как и в Лыцке, а штрафовали за это дело, пожалуй что, и покруче...

Правоту Президента осознали, когда мировая общественность была потрясена известием о Царицынском феномене. Как позже выяснилось, тамошний мэр личным распоряжением приостановил в черте города действие закона о сохранении энергии... Нашел, понимаешь, лекарство от энергетического кризиса!.. Всем мегаполисом в черную дыру загремели — шутка?

Вот американцы в этом плане молодцы. Что бы ни случилось — и дух соблюдают, и букву. Там у них за нарушение закона Ома или, скажем, закона всемирного тяготения высшая мера в ряде случаев светит — и никакая реанимация не отмажет...

Постояв перед бюстом, Глеб Портнягин двинулся дальше.

Позади изваяния на задней стене отсвечивало свежим лаком обширное полотно, изображающее знаменитое танковое сражение возле хутора Упырники. Композиционным центром картины, несомненно, являлась исполненная нечеловеческого напряжения фигура неизвестного чародея, преградившего путь вражеской армаде. Между воздетых ладоней героя рождалась ветвистая молния, жалящая несколько целей сразу. Определить, что это были за цели, опять-таки затруднительно, поскольку башни бронированных чудовищ буйно полыхали...

Краски — ничего себе, яркие, а вот энергетика, честно говоря, так себе... Отдать полотно на подзарядку? Да нет, бесполезно. Как только вернут в вестибюль — тут же опять и подсядет...

Крупные губы Портнягина пренебрежительно скривились, чуть не уложив в обморок директрису музея. Впрочем, старушенция и так что ни день по малейшему поводу билась в истерике...

Над дерганым вихлявым плечиком страдалицы бледнела унылая физия референта. Мальчуган был

в отчаянии. По его мнению, Президент зашел в краеведческий исключительно ради того, чтобы лишний
раз продемонстрировать окружающим редкое свое
самообладание. Но ведь встречи-то уже назначены!
Люди-то — ждут!.. Черт бы драл это расколдовав-
шееся колесо вместе с шофером Гришей!..

Однако в данном случае побуждения высокого
начальства референт истолковал неправильно в
корне. Дурацкая на первый взгляд история со сбе-
жавшим колесом насторожила Президента настолько, что он уже готов был отменить все на-
значенные на сегодня встречи и вечернее заседание
Лиги в придачу.

Глава баклужинских колдунов привык доверять
интуиции. А интуиция нашептывала ему что-то не-
хорошее... Он еще раз зорко оглядел вестибюль.
Помещение было совершенно пустым, если, конечно, не принимать в расчет присутствующих здесь
людей. Всего лишь единожды в распахнутых дверях левого крыла мелькнул прозрачный страшок —
и тут же спрятался... Надо полагать, низшая поту-
сторонняя живность сюда вообще не заглядывает.
Да оно и понятно...

Портнягин и сам давно уже ощущал биение
некой необоримой силы, исходящей из правого
крыла здания. Как всегда, не заботясь о том, что о
нем скажут или подумают окружающие, глава баклужинских чернокнижников воздел длань и, поше-
велив пальцами, присмотрелся... Золотистая аура,
окутывавшая руку, заметно выцвела, полиняла...

Неприятно сознавать, но то, что хранилось в правом крыле, гасило колдовские способности Президента с той же легкостью, с какой разрушило недавно наивное заклятие шофера Гриши, столь неумело заговорившего переднее колесо лимузина.

Преодолевая враждебные ему флюиды, Портнягин приблизился к дверям, ведущим направо, тронул скважину, шевельнул ручку.

— А косяки зачаровать не пробовали?.. — задумчиво спросил он.

— Шептуна вызывали... — простонала нервная старушенция, комкая морщинистые лапки перед кружевной грудью. — Тоже не смог...

Президент мрачно кивнул и проследовал в первое помещение, посвященное первобытному колдовству, родиной которого, как известно, являлось Баклужино. Выморочная анфилада комнат гулко отзывалась при каждом шаге особым эхом, доступным лишь слуху колдуна. Пусто было в музее. Ни угланчика, ни страшка, ни барабашки...

И наконец возглавляемая Президентом группа остановилась перед тупиковой стеной, на которой одиноко висел тот самый экспонат, что распугал низшие потусторонние силы, обесцветил золотистую ауру первого чародея страны, а десять—пятнадцать минут назад лишил президентский лимузин левого переднего колеса...

Да уж, достояньице... Кому б его только сбагрить!..

Лыцку икону отдать нельзя — это однозначно! Хотя бы из соображений престижа и национальной безопасности. А то вынесет ее тот же Африкан на поле боя — и готово дело! Все, считай, заговоренные колеса поотваливаются...

А уничтожить — скандал... Причем международный... В кощунстве обвинят, в варварстве... Даже в сатанизме...

Хотели американскому президенту подарить — не принял. Сказал: и так уже всем известно, что Баклужино в НАТО просится... Дескать, за взятку сочтут... А скорее всего усомнился в подлинности шедевра. Что-то, видать, заподозрил.

Однажды глава Лиги Колдунов уже провернул с этой иконой совершенно блистательный политический ход, а теперь чуял нутром, что можно провернуть второй. Однако пока он еще не знал, что это за ход, и поэтому был очень собой недоволен.

Излучаемые иконой ало-золотистые флюиды продували ауру насквозь, бросая то в жар, то в холод. Склонив нахмуренное чело и слегка выпятив нижнюю челюсть, Глеб Портнягин стоял перед образом — и мыслил.

Доска доской — а вот поди ж ты!.. Хотя в общем-то источник чудотворной силы известен... Икона подпитывается чувствами верующих — прямиком из Лыцка, где стараниями дважды уже не к ночи будь помянутого Африкана религиозно-партийный фанатизм достиг предельной черты...

Да, но такой резкий скачок... Раньше благодать в радиусе пробивала метров на двадцать максимум, а Гриша гнал лимузин почти по осевой... То есть колесо расколдовалось, когда от иконы его отделяло метров тридцать с гаком... Нет-нет, тут не влияние Лыцка, тут другое...

— А что, много было посетителей за последний месяц?.. — как бы невзначай обратился Глеб к директрисе.

Та ахнула и отшатнулась.

— Где? Здесь?.. — взявшись за сердце, переспросила она.

— Здесь-здесь...

— Трое... — Старушенция порылась в кружевах на птичьей груди и с судорожным жеманством извлекла сложенную вчетверо бумажку. — Вот...

Президент вынул список из трепещущей лапки и изучил его внимательнейшим образом. Два интуриста и один провокатор... Причем настолько засвеченный, что непонятно, за каким вообще лешим генерал Лютый с ним возится... Нет, явно не то...

Молча повернулся — и приближенные поспешно расступились. Крупным шагом миновав стенд с муляжами ритуальных палиц, Глеб Портнягин направился к выходу, уже точно зная, о чем он сегодня будет говорить с шефом контрразведки — сразу же после вечернего заседания Лиги.

Так он, во всяком случае, полагал...

Замечено, что колдуны никогда не держат аквариума и не разводят рыбок. Многие считают, что это связано с какими-то высшими запретами, но на самом деле все объясняется довольно просто.

Ну что, скажите, за интерес возиться со стеклянной емкостью, когда любая комната — тоже в своем роде аквариум, в котором обитают мириады прелюбопытнейших тварей!.. Простые избиратели вроде нас с вами их, правда, не видят, однако дела это не меняет нисколько. Что ж теперь, и рыбок не разводить, если ты зрячий?..

Наверное, каждый замечал, что от сильной усталости перед глазами начинают плавать крохотные полупрозрачные пузырьки. Прямолинейно и равномерно движутся они, никогда не меняя выбранного направления. Не пугайтесь. Просто ваши утомленные хрусталики расслабились, и вы нечаянно проникли взглядом в астрал. А полупрозрачные пузырьки (обычно они плывут целыми гроздьями) — это всего-навсего угланчики, безобиднейшие и, кстати, весьма полезные для нас существа, поскольку питаются они отрицательной энергией. Нечто вроде потустороннего планктона...

С ними даже можно поиграть. Угланчики приковывают взгляд, заставляя следить за своим перемещением, но при этом и сами оказываются как бы у вас в плену. Резко поверните голову — и гроздь пузырьков, словно по волшебству, окажется именно в той точке, куда вы посмотрели, после чего снова двинется прежним путем. Забавляться так можно часами, но долго мучить их, право, не стоит. Пусть себе плывут куда плыли...

Другая форма пограничной астральной фауны — страшки. По сравнению с угланчиками это довольно высокоорганизованные энергетические сущности, связавшие свою жизнедеятельность с человеком. При желании их можно заподозрить в умышленном издевательстве над людьми: они передразнивают нас, подражают мимике, жестам, походке... Гримасы и кривляния страшков — преуморительны, но злого умысла с их стороны, поверьте, нет ни малейшего. Просто они таким вот образом переваривают наши чувства и воспоминания. В подавляющем большинстве страшки совершенно прозрачны, за исключением двух-трех довольно редких разновидностей, слегка мутнеющих от перенасыщения... Именно им мы обязаны многочисленными легендами о призраках, шаровых молниях и неопознанных летающих объектах...

А вот барабашек и болтунцов еще никто из простых избирателей разглядеть так и не смог (глюки, разумеется, не в счет!). Кстати, это два совершенно разных вида, лишь по ошибке слитых воедино нашими не слишком-то грамотными экстрасенсами. Болтунец (иногда его еще называют внутренним голосом) — отнюдь не барабашка. Он не колеблет стен, не гремит посудой и не льет воду с потолков. Болтунец питается слабыми токами, возникающими у нас в мозгу во время речевой деятельности. Смысла фраз он, понятно, не ухватывает и воспроизводит их потом как попало — безбожно перевирая и перетасовывая отдельные слова. Очень любит окутывать собой коммуникационные кабели и висит на них месяцами, лакомясь телефонной трепотней... Вспоминается один такой прискорбный случай: кто-то довольно долго стучал в КГБ по телефону, а проверили потом — выяснилось, что и человека такого нет, и номера, и адреса... А заложить успел многих...

Принято думать, что в жилище колдуна царит всегда жуткий бедлам. Ну, с внешней, материальной стороны, может быть, так оно и есть... Но вот что касается астрала, порядок у них, поверьте, идеальный. Зато у нас: у-тю-тю-тю-тю, салфеточки, скатерочки, нигде ни пылинки, полировка сияет... А угланчики все — позаморены!.. А под кроватью, страшно подумать, хыка завелась!.. Лярвы какие-то крутятся, как на вокзале!.. Серпентарий, короче, а не комната...

Вот если кто чародея к себе приглашал (ну там порчу снять или отсушить кого) — обратил, наверное, внимание, что гость постоянно морщится, в углы поглядывает... Бардак у нас там, господа, самый настоящий бардак!

Так что лучше бы уж молчали...

Как правило, оперативные работники из колдунов выходят хреновенькие. Может быть, именно поэтому шефом контрразведки суверенной Республики Баклужино был назначен генерал Лютый, вполне нормальный человек, одолевший, впрочем, специальные курсы прикладной магии. Допуск в ближний астрал у него, понятно, имелся, но ограниченный и без права вмешательства. Угланчики в глазах Лютого бегали постоянно, а вот вся прочая энергетика, увы, как была — так и осталась недоступна острому генеральскому взору. Это обстоятельство сплошь и рядом причиняло шефу контрразведки сильнейшие неудобства. Не в силах говорить на равных с чернокнижниками, старый служака Лютый, направляясь на встречу с Президентом, делал всегда каменное лицо, хотя и знал заранее: каменей не каменей — все равно раскусит.

Вот и сейчас, прикрыв за собой дверь, он не увидел, что следом в кабинет проникли два матерых гримасничающих страшка — прямо сквозь дверное полотно. Оба, понятно, в штатском — как и сам генерал... Оказавшись в экологически идеальном аквариуме президентского кабинета, страшки малость ошалели и вроде даже заколебались, прикидывая: а не убраться ли им, пока не поздно, восвояси...

— Присаживайся, — сказал Президент.

В разрезе гардин беззвучно полыхал неоном проспект имени Ефрема Нехорошева.

Генерал сел. Страшки помедлили и тоже сели, то есть зависли в сидячих позах. Тот, что слева, — под самым потолком, в непосредственной близости от яростно сияющей люстры. Хорошо еще, что колдуны и политики напрочь лишены чувства юмора. Будь Глеб Портнягин простым избирателем, он бы неминуемо расхохотался, наблюдая, с какими ужимками располагаются в воздухе два полупрозрачных генерала.

— Ну и что у нас плохого? — задушевно осведомился он, чуть откидываясь назад, чтобы получше видеть всю троицу.

Лицо контрразведчика осталось безупречно ка-
менным, чего, к сожалению, нельзя сказать о фи-
зиономиях его энергетических двойников. Эфир-
ная мордень правого страшка выразила крайнюю
растерянность, а левый и вовсе схватился за голову. Стало быть, спросив о плохом, Президент, как
всегда, попал в самую точку...

— Н-ну... что касается подготовки к встрече специальной комиссии ООН... — недовольно начал
было шеф контрразведки.

Но тут Президент предостерегающе поднял ладонь, и генерал умолк, не выразив ни малейшей
досады. Зато оба страшка за спиной Лютого, уловив тайное желание генерала, вскочили, ощерились
и беззвучно изрыгнули матерное ругательство.
Глеб Портнягин поморщился. По губам он умел
читать не хуже глухого.

— Короче!.. — бросил Президент. — С подго-
товкой — порядок? В общих чертах...

— В общих чертах — порядок, — нехотя согласился Лютый.

— Тогда давай прямо к делу... Что стряслось?

Лютый ответил не сразу. На лицах его страшков выразилось тупое недоумение. Один из них
даже вывалил язык, приняв вид полного кретина.

— Имел место факт нелегального перехода государственной границы по реке Чумахлинке... —
сухо сообщил генерал. — Со стороны Лыцка.

— Та-ак... — заинтригованно протянул Президент и на всякий случай оглянулся. Его собствен-
ные вышколенные страшки сидели, как положено,

за гардиной, но можно было поспорить, что вид у них сейчас тоже слегка озадаченный... Нелегальный переход границы? Чепуха какая-то! Беженцем больше, беженцем меньше... Что за событие?.. — Кто? — отрывисто спросил Президент.

— Пока не знаем. Перехватить не удалось...

— Погоди... Что тебя, собственно, беспокоит?

— По воде перешел, — несколько сдавленно пояснил Лютый.

Глеб Портнягин моргнул.

— Это в смысле... аки посуху?

Генерал Лютый угрюмо кивнул. Два прозрачных генерала за его спиной сделали то же самое.

— Когда?

— Полтора часа назад.

— Оч-чень интересно... — Президент нахмурился и подался поближе к столу. — Ну-ка, давай подробнее...

— Около двадцати пятнадцати по баклужинскому времени, — начал генерал, — на принадлежащем Лыцку берегу был разведен необычно большой костер. Браконьеры таких не разводят — слишком приметно. Затем приблизительно в двадцать тридцать пять по костру с лыцкой стороны произвели предупредительный выстрел из снайперской винтовки. После чего имел место сам факт перехода...

— Внешность нарушителя... — процедил Президент, искоса взглянув на кислую физию одного из генеральских страшков.

— Фигура плотная, коренастая, — по-прежнему не меняясь в лице, деловито принялся перечислять приметы генерал Лютый. — Одет в рясу. Борода широкая, окладистая. Волосы длинные, собраны на затылке хвостом. В руках держал какого-то зверька с пушистой шерстью... С лыцкой стороны был открыт пулеметный огонь. После второй очереди ствол заплавило... Со стороны Баклужино подняли по тревоге заставу. Нарушителя обнаружить не удалось... пока...

— А что за зверек? — перебил Президент.

Генерал помедлил. Страшки смутились.

— Трудно сказать... Таможенники утверждают: домовой... Причем дымчатый, лыцкий...

— Домовой?.. — не поверил своим ушам Глеб Портнягин. — Как домовой? Почему домовой? В рясе — и с домовым на руках?

Ответа не последовало.

— Думаешь, кто-то из наших, из баклужинских, вертался? — с сильным сомнением осведомился Президент сквозь зубы. — Ну-ка, давай прикинем... Водоходцев у нас в Лиге — четверо. Я границу не переходил... То есть остаются трое... — Глеб Портнягин впился глазами в Лютого. Генерал молчал. Оба страшка со страдальческими гримасами разминали виски. — Ну, не молчи, не молчи... Что предлагаешь?

Лютый вздохнул:

— Что тут предлагать, Глеб Кондратьич?.. Проверить всех троих. Кто успел подготовить алиби — взять на подозрение...

Президент поиграл бровью, подумал.

— Хорошо, — буркнул он наконец. — Колдунами я займусь сам... А по Лыцким Чудотворцам данные есть?

Генерал утвердительно склонил седой проволочный ежик и открыл уже было рот, однако доложить так ничего и не успел.

— Нет, не понимаю!.. — с искренним недоумением снова заговорил Президент. — На кой дьявол чудотворцу переться через кордон?.. На это вообще-то шпионы существуют... Да еще и с домовым за компанию! Бред какой-то!.. Ты согласен?..

Генерал был согласен. На всякий случай Портнягин взглянул на эфирных двойников Лютого. Страшки откровенно тосковали. Правый нервно зевал во весь рот. Президент посопел, поиграл желваками, потом негромко хлопнул ладонью по столу:

— Ладно... Извини, что отвлек. Дальше давай...

— Насколько нам известно, — скучным официальным голосом продолжил генерал, — из всего Лыцкого Политбюро только три чудотворца обладают правом хождения по водам: сам Партиарх и двое протопарторгов: Африкан и Василий...

Крупное, рельефно вылепленное лицо Глеба Портнягина стало вдруг тревожным и задумчивым. Как бы в рассеянности первый колдун Баклужино коснулся пальцами лба, прикрыл веки... То ли медитировал, то ли соображал.

— Партиарх Порфирий в данный момент, по нашим сведениям, находится в агитхраме имени

Путяты Крестителя, — докладывал тем временем генерал, — где освящает обновленный иконостас красного уголка. Местонахождение Африкана и Василия пока не установлено...

— Неужели Африкан?.. — негромко произнес Президент, не открывая глаз, и такое впечатление, что с затаенным страхом.

— Либо Африкан, либо Василий, — кряхтя, уточнил Лютый. — Они, Глеб Кондратьич, и внешне, кстати, похожи...

— Да провались он, этот Василий!.. — внезапно рявкнул Президент, жутко раскрывая глаза.

От прилившей крови лицо его из бронзового стало чугунным. Воздух в кабинете вдруг отяжелел, как перед грозой. По углам испуганно заклубились угланчики и прочая мелкая проглядь. Под пылающей люстрой треснул ветвистый разряд, а за всколыхнувшейся гардиной поднялась яростная толкотня. Глава Лиги Колдунов на несколько секунд полностью утратил контроль над собой и над своим аквариумом.

— Успокаиваешь?.. — загремел он, широко разевая львиную пасть опытного парламентария. — Какой, к чертям, Василий?.. Что он вообще может, твой Василий? По воде пройтись — до первой волны?..

Далее Президент нечеловеческим усилием воли взял себя в руки — и надолго умолк. Генерал Лютый сидел чуть ли не по стойке «смирно». Страшков его нигде видно не было. Надо полагать, удрали в ужасе сквозь закрытую дверь. А может, и вовсе распались...

— Значит, так... — тяжело дыша, проговорил Президент. — Ищи Африкана. Василий меня, сам понимаешь, не интересует. И вот тебе еще одна наводка: чудотворная икона в нашем краеведческом...

Генерал позволил себе слегка сдвинуть брови.

— Предположительно: новая попытка похищения?

— Не знаю! — глухо отозвался Президент. На его высоком выпуклом лбу проступала испарина. — Но икона почуяла, что Африкан собирается перейти границу. Еще днем почуяла, учти! На Василия она бы так не реагировала...

— А чем нам конкретно может сейчас навредить Африкан? — прямо спросил генерал.

Президент через силу усмехнулся.

— Если Африкан — здесь, — тихо и внятно выговорил он, глядя Лютому в глаза, — это конец всему... В том числе и нашему вступлению в НАТО... Короче, иди работай...

Генерал Лютый молча встал и направился к двери, потирая с болезненной гримаской старый шрам на запястье — явно след от собачьих челюстей. Внезапно трубка одного из телефонов на столе Президента подпрыгнула и, перекувыркнувшись, вновь возлегла на корпус аппарата, причем неправильно. Уже взявшийся за сияющую медную ручку генерал обернулся на звук.

— Ничего-ничего... — сдавленно успокоил его Глеб Портнягин. — Это я так, случайно...

Дождавшись, когда дверь за генералом закроется, он грозно сдвинул брови и заглянул под стол.

— Ох, дуну сейчас на тебя... — пригрозил он в сердцах. — Вот попробуй только еще раз так сделай!..

Этого крупного рукастого барабашку Президент совершенно случайно обнаружил в подвале здания МВД Республики, где тот опасно развлекался, бренча браслетами, пугая сотрудников и прикидываясь их давними жертвами. Создание привлекло Глеба редкой даже среди барабашек красотой, и он забрал его к себе в кабинет... Как и всякая одичавшая энергетика, тварь приручалась с трудом и все время норовила нашкодить.

Глава 4. НИКОЛАЙ ВЫВЕРЗНЕВ,

ТРИДЦАТЬ ЛЕТ, ПОДПОЛКОВНИК

— М-милая... — с бесконечным терпением промычал Николай Выверзнев в телефонную трубку. — Это не главное... Главное, что я тебя люблю... И, может быть, женюсь... Но не сейчас... Со временем... Сейчас я занят...

Наушник взволнованно защебетал, но Николай уже дал отбой. За окном кабинета черной глухой стеной стоял первый час ночи по баклужинскому времени. Подполковник Выверзнев отсоединил рассекреченный телефон и, повернувшись к компьютеру, вновь озадаченно сдвинул брови. Содержимое файла, мягко говоря, обескураживало...

Оказывается, Президент суверенной Республики Баклужино Глеб Портнягин и Никодим Людской, принявший при пострижении партийную кличку Африкан, в детстве были друзьями. Размолвка у них произошла после неудачного взлома продовольственного склада. Кстати, ни тот, ни другой подельник этого события впоследствии не отрицали и честно писали в анкетах: «Был репрессирован за экономический подрыв тоталитарного режима».

Причиной неудачи Глеб Портнягин полагал шумное поведение проникшего на склад Никодима Людского. Никодим же в свою очередь обвинял Глеба в невнимательности на стреме. Словом, некоторый срок спустя оба вышли на свободу с чистой совестью и лютой ненавистью друг к другу. Трудно сказать, в какой мере это определило их политическую ориентацию, но только Никодима сразу же после освобождения резко повело в левый экстремизм (считавшийся тогда правым), а Глеба, соответственно, в правый (считавшийся левым).

Неистово борясь друг с другом, оба довольно быстро обрели известность, а тут как раз Содружество Независимых Государств области приказало долго жить. В районе — да и повсюду — грянули погромы, незаметно переросшие затем в предвыборную кампанию, и два бывших подельника внезапно обнаружили, что уже тягаются — ни много ни мало — за президентское кресло. На выборах в Баклужино, как известно, верх взяли демократически настроенные колдуны, и протопарторг Африкан, спешно перешедший на нелегальное положение, был вскоре объявлен ими лыцким шпионом, каковым, возможно, и являлся.

Погорел он на попытке похищения образа Богоматери Лыцкой из Баклужинского краеведческого музея. Все старания колдунов зачаровать в помещении замки и оконные решетки к успеху не привели. Однако протопарторга опять выдал шум, что наводит на мысль о невиновности Глеба Портнягина в той давней совместной неудаче. Видимо, взломщик из Африкана изначально был никудышный.

О случившемся доложили Президенту, и тот приказал завтра же утром доставить задержанного в свой кабинет. Однако встретиться бывшим друзьям было не суждено, поскольку на рассвете протопарторг поистине чудесным образом бежал прямо из камеры предварительного заключения. На охранников напал необоримый сон, решетки и двери отверзлись, и некий светлый муж, личность которого так и не удалось установить, вывел Африкана за руку из темницы, после чего оба исчезли на глазах у потрясенных свидетелей...

Подполковник Николай Выверзнев вздохнул и потянулся к внутреннему телефону.

— Слушаю... — недружелюбно отозвалась трубка голосом шефа.

— Толь Толич! А ты уверен, что мы его не завербовали?

— А в чем дело?

— Да знаешь ли, побег у него какой-то подозрительный...

В наушнике сердито посопели.

— Никто его не завербовывал, — буркнул наконец генерал Лютый. — Сам бежал...

— Точно?

— Точно...

— Ладно, извини...

Подполковник Выверзнев положил трубку и, недоверчиво покачав головой, снова обратился к монитору. Следующий файл был посвящен деятельности Африкана за кордоном и никаких неожиданностей не преподнес.

Когда и где незадачливый взломщик пересек государственную границу — неизвестно, но Лыцкая Партиархия встретила его с распростертыми объятиями. Будучи с ходу введен в Политбюро, немедленно призвал к уничтожению светофоров, экстрасенсов и лично Глеба Портнягина. Основал и возглавил движение правых радикалов, организовал группу СМЕРК («Смерть колдунам!»), принял персональное участие в танковом сражении близ хутора Упырники. Далее шли подробности знаменитого подвига протопарторга, которые подполковник со спокойной совестью просросил, поскольку сам являлся одним из соавторов этого легендарного сражения...

Совсем недавно стараниями Глеба Портнягина протопарторг был объявлен международным политическим террористом, после чего любовь лыцкого народа к чудотворцу воспылала сильнее прежнего, а Партиарх Всего Лыцка Порфирий назначил Африкана своим преемником...

Николай снова снял трубку.

— Толь Толич, а ты уверен, что это вообще Африкан?

— Я — нет... — ворчливо ответил Лютый. — А Кондратьич — уверен...

— Какой смысл Африкану возвращаться в Баклужино? Да еще вот так, в открытую! Он что, самоубийца?

— А хрен его знает! — с досадой откликнулся генерал. — Работай давай...

Третий файл содержал характеристики и подробное описание всех чудес, совершенных протопарторгом, — с выкладками и чертежами. Хотя в данный момент Николая интересовало всего одно чудо, а именно — сегодняшнее... нет, уже вчерашнее пересечение пограничной реки Чумахлинки...

Тут ожил и замурлыкал второй городской телефон. Выверзнев не глядя снял трубку, однако стоило ей только оторваться от корпуса, как из наушника посыпался знакомый взволнованный щебет. Лицо красавца подполковника выразило смятение, затем — беспощадность и наконец — стоическую покорность судьбе.

— М-милая... — с бесконечным терпением в голосе молвил он. — Как ты меня нашла?..

Дело в том, что по этому номеру с Николаем поддерживали связь исключительно осведомители.

— Великолепен!.. — пронзительно зачирикало в наушнике. — Ты был просто великолепен!..

— Я не о том... — с трудом сдерживаясь, процедил он. — Кто тебе дал этот номер?..

— Песик!.. Мой песик!.. Ты дал мне не только номер!.. Ты дал мне...

Николай негромко чертыхнулся и, отложив щебечущую трубку на стол, вырубил компьютер. Запер кабинет и, пройдя гулким пустым коридором, рванул узкую окованную железом дверь.

— Мышей не ловите! — сурово сказал он встрепенувшемуся и крепко заспанному сотруднику. — Там болтунец на проводе повис! Второй раз уже врезается... Специалисты хреновы!..

Сотрудник испуганно заморгал, раскрыл чемоданчик и начал торопливо раскладывать рамки, прутики, прочие колдовские причиндалы... Николай прикрыл дверь и недовольно оглядел пустой коридор. Кабинет генерала Лютого был в двух шагах.

— Присутствовать — разрешишь?..

Генерал Лютый был в кабинете не один — с Матвеичем. Подготовка к встрече специальной комиссии ООН шла полным ходом. Столица заранее сияла чистотой, а в пограничную с Лыцком Чумахлу направили два гусеничных крана с гирями — для сноса частного сектора на восточной окраине.

— Проходи, садись, — буркнул генерал и снова повернулся к ответственному за акцию. — Значит, ты понял, Матвеич?.. Главное — осколков, осколков побольше накидать...

Подполковник Выверзнев огляделся и присел на один из расставленных вдоль стены стульев, сильно надеясь на скорое окончание беседы.

— Да осколки уже на месте... — чуть ли не позевывая, отвечал генералу видавший виды Матвеич. — С полигона еще вчера полторы тонны завезли...

— Ржавые? — с подозрением спросил Лютый.

— Ну зачем же ржавые? — слегка обиделся тот. — Когда это Матвеич ржавь поставлял?.. Первый сорт осколочки — чистенькие, аж скрипят...

— Ладно, верю. Теперь — в-шестнадцатых... Работа с населением... Протестов не было?

Матвеич пожал мятыми плечами и возвел скучающие глаза к высокому потолку — то ли припоминая, то ли дивясь наивности начальства.

— Да какие там протесты, Толь Толич?.. — молвил он с ленивой укоризной. — Как услышали, что американцы заново все отстроят, сами чуть ломать не принялись. Еле удержали...

— Вот это правильно, — подумав, одобрил генерал. — Это ты, Матвеич, молодец, что удержал... И чтобы впредь никакой самодеятельности... Да скажи: пусть не жадничают! Нам же еще наверняка гуманитарную помощь подкинут... А то, не дай Бог, мебель, утварь начнут вывозить... И — в-семнадцатых. Когда мы ооновцев этих туда доставим, надо, понимаешь, организовать сломанную песочницу и чтобы в ней маленькая девочка с чем-нибудь этаким играла... Ну, не с боеголовкой, конечно... С обломком стабилизатора, что ли...

— Организуем... — со вздохом согласился покладистый Матвеич. — Дело нехитрое...

Без особого интереса разглядывая большой портрет Ефрема Нехорошева, что висел над столом генерала, Николай рассеянно подумал, что разговор пора бы уже и закруглять... Матвеич — мужик надежный. Вон сколько властей пережил — и ни одного серьезного нарекания. Только вот без легкой выволочки его все-таки отпускать не следует...

— Золотой ты работник, Матвеич, — как бы подслушав мысли подполковника, подвел итог генерал Лютый. — А пьешь много.

— Норму знаю... — равнодушно отозвался тот, нисколько не удивившись внезапному повороту беседы. Подобные упреки он опять-таки слышал при всех властях.

— Норму он знает!.. — усмехнулся шеф контрразведки. — А у кого чертик зеленый из правого кармана выглядывает?

Матвеич недоверчиво взглянул на генерала, потом, видать, вспомнил, что у Лютого есть допуск в пограничный астрал, и с тревогой проверил правый карман пиджака.

— Не, нету... — с облегчением сообщил он.

— Есть, есть... — сказал генерал. — Просто ты его пока не видишь, а я уже вижу... Ладно, иди... И уменьшай рацион, Матвеич, уменьшай... Сгоришь ведь на работе... И креститься прекращай... публично... Ты ж не в Лыцке, ты в Баклужино!..

Не выразив ни малейшего волнения на помятом и ношеном — под стать пиджаку — личике, Матвеич поднялся с кресла и неспешно двинулся к выходу. Уменьшать рацион пошел...

— Запугал мужика... — не без иронии заметил Выверзнев, когда дверь за Матвеичем закрылась.

— Его запугаешь... — ворчливо откликнулся Лютый. — Что у тебя?

Николай пересел на теплый стул, только что освобожденный Матвеичем, и проникновенно взглянул на шефа:

— Толь Толич! Ну ты установку хотя бы уточнить можешь?

— Не могу.

— Нет, ну вот что я должен конкретно сделать?.. Уничтожить Африкана? Арестовать Африкана?

— Прежде всего найти Африкана.

— Хорошо. Нашел. Дальше!

— Ты найди сначала...

— Да Толь Толич! Мне же сейчас ребят в засаду сажать! Их же проинструктировать надо... Ну вот появляется Африкан в краеведческом, лезет прямиком к чудотворной. Вязать его?

— Вязать.

— Ладно. Стали вязать. Не вяжется... Открывать огонь на поражение?

— Стоп! Почему не вяжется?

— Н-ну... чудотворец ведь... Опять же икона рядом...

— Но ведь в прошлый-то раз — повязали.

— Сравнил! В прошлый раз! Да кем он тогда был? Главарем подполья... Ни авторитета, ни поддержки... А теперь?.. Чуть ли не первый чудотворец региона! Ну ты сам прикинь...

Генерал Лютый с крайне утомленным видом отер сначала одну бровь, потом — другую.

— Достал ты меня, Коля... — искренне признался он. — Чего ты хочешь-то?

Подполковник Выверзнев поскучнел, закручинился:

— Может, подойти еще раз к Кондратьичу, уточнить...

— А кто подходить будет? — с живым любопытством спросил генерал Лютый.

— Ну не я же!..

— Значит, я, да? — Ласково глядя на Николая Выверзнева, генерал покивал мудрой седеющей головой. — Не, Коль, не прокатит, даже не надейся... Не в духе сейчас Кондратьич, а на часах уже, глянь, начало второго... Еще, не дай Бог, опетушит спросонья — одним заклинанием... Другие вопросы есть?

Страдальчески сморщась, Выверзнев почесал переносицу.

— Знаешь, если честно... В гробу я видал этого Африкана! А вот Кондратьич... Они ж ведь в детстве друганы были...

— Мало ли что были! Теперь-то — враги...

— Враги... Вражда — это, знаешь, продолжение дружбы иными средствами. Шмальнешь ненароком — потом всю жизнь не отмоешься... Толь Толич! Нутром чую: что-то здесь не то... Ну на кой ему ляд было устраивать весь этот цирк на воде?.. Рядом с мостом! На свету... А домовой? Вот ты можешь себе представить второе лицо Лыцкой Партиархии с домовым на руках?..

Генерал Лютый посмотрел на расстроенного вконец Николая, вздохнул, поднялся и, обогнув стол, ободряюще потрепал по плечу.

— Коль, — жалобно сказал он, — ну ты сам подумай: кого мне еще бросить на Африкана?.. Только тебя. Дело-то, видишь, сложное, ответственное... — Как-то незаметно он поднял подполковника со стула, приобнял дружески и, продолжая заговаривать зубы, повел к дверям. — Вот, послушай: ловили мы однажды маньяка-террориста... Представляешь, взрывал скрипичные квартеты! Причем заряды, гад, закладывал — крыши с театров сносило... И с кем мы тогда только не консультировались! С психиатрами, с музыкантами... А потом оказалось: нормальный антисемит... Так что, может, и здесь все просто...

С этими словами он выставил Николая в коридор и прикрыл за ним дверь. Тот выматерился вполголоса, но, делать нечего, пошел к себе... Рассказанная шефом байка нисколько его не успокоила. Кто-кто, а уж Николай Выверзнев доподлинно знал, что до распада Сусловской области Толь Толич был участковым и, стало быть, вести дела о террористических актах никак не мог...

На полдороге подполковнику встретился крепко заспанный сотрудник, с недоумением взиравший на рамку в собственных руках. Рамка лениво проворачивалась то по часовой стрелке, то против оной... Процесс этот почему-то сильно напоминал позевывание.

— Ну, что? — недружелюбно спросил Николай.

Сотрудник виновато пожал плечами:

— Да вот не нащупал пока... Может, молчит, затаился...

Выверзнев желчно усмехнулся и двинулся дальше. Отпер кабинет, вошел. Лежащая на столе трубка продолжала щебетать. Возникло острое желание вернуться в коридор, притащить сюда за шиворот этого недоумка с его ублюдочной рамкой и натыкать заспанной мордой прямо в чирикающий наушник.

Николай сел за стол, положил трубку и включил компьютер. Но пока тот грузился, телефон замурлыкал снова.

— Слушаю... — буркнул Николай.

— Песик, нас опять разъединили...

Бли-ин!.. Подполковник Выверзнев ошалело взглянул на отнятую от уха трубку. Стало быть, не болтунец... Когда же он, в самом деле, дал ей этот номер?.. Пьяный был, что ли?..

Посадив ребят в засаду, Николай умышленно покинул здание музея не через служебный, а через парадный ход. Прикуривая, постоял на крыльце, огляделся. Под белыми лампами фонарей мерцали вымытые со стиральным порошком влажные еще асфальты, молочно сияла зебра перехода. Вдалеке помигивали светофоры, и Николаю вспомнилось вдруг, что в Лыцке уличным движением управляют регулировщики, ибо светофор и Люцифер — один черт по смыслу...

На территории Баклужино успешно действовало не менее семи иностранных разведок (прочие — не в счет). Поэтому не следовало даже надеяться, что такая серьезная акция, как засада в краеведческом музее, не привлечет всеобщего внимания... Можно, конечно, было бы провести ее и на высшем уровне секретности, ненавязчиво внедрить ребят в музейный персонал, но вот тогда бы все и впрямь насторожились — от Лыцка до Каракалпакии... Честно говоря, будь на то воля Николая — своими бы руками смастерил и повесил на парадную дверь табличку: «Внимание! В музее — засада». Специально для Африкана...

— Добрый вечер, Николай Саныч... Прогуливаетесь?..

Приподнятая светлая шляпа над сребристо опушенной лысиной и старательная, как у черепа, улыбка...

— Добрый, добрый... — улыбнулся в ответ Николай. — Вот вышел, знаете, воздухом подышать...

Ни хрена себе вечер — утро скоро! Кстати, раскланявшийся с Выверзневым старикан числился у него в списке как заведомо работающий на красноярскую разведку и, предположительно, подрабатывающий в оренбургской. Впрочем, население в суверенной Республике Баклужино было маленькое, поэтому каждый на кого-нибудь да работал. Не на тех, так на других.

Николай шел по гулким ночным тротуарам, пытаясь не думать о порученном ему деле. Рано. Вот накопим фактов — тогда и подумаем... Гораздо полезнее было поразмыслить над тем, как это он ухитрился рассекретить свой служебный номер. Песик...

Нет, абсолютно точно: сам он ей номера не сообщал. Стало быть, кто-то из осведомителей... Николай мысленно проглядел список лучших своих стукачей. В той или иной степени все они были знакомы с Никой Невыразиновой. То есть номер она могла вытрясти из кого угодно... М-да, ситуация...

Стараниями Глеба Портнягина районный центр помаленьку обретал столичный лоск. Беззвучно полыхали рекламы. Бродвей. Посреди площади на низком гранитном цоколе сияла Царь-ступа. Отбитый кусок был аккуратно прислонен к чугунному тулову... Потом загремело, заклацало, и мимо Выверзнева, вырвавшись из бетонной норы, прокатил недавно пущенный скоростной трамвай — надо полагать, последний на сегодня... Точнее — на вчера... Миновав трехэтажное розовое здание консерватории (бывшая музыкальная школа), подполковник закурил еще одну сигарету и свернул с проспекта в переулок. Сразу же повеяло старым Баклужино. Фонари не горели. Тихо ботала по древесной фене потрепанная черная листва да невидимая мелкая собачонка тявкала тоненько и отрывисто — как в бутылку.

Звонок не работал, пришлось стучать. Дверь Николаю открыл щуплый, похожий на подростка мужичок. На вид ему можно было дать и тридцать, и сорок, а со зла и все сорок пять лет. На самом же деле безработному Максиму Крохотову, как значилось в одном из поминальничков подполковника Выверзнева, стукнуло недавно пятьдесят два года.

Сна — ни в одном глазу, что, впрочем, естественно, ибо о предстоящем визите Крохотов был
предупрежден заранее.

— Здравствуй-здравствуй... — рассеянно отозвался на его приветствие Николай и, войдя, окинул утомленным оком скудную обстановку. — Как
жизнь молодая?..

Поговорили о жизни, об отсутствии в ней счастья, о ценах. Выверзнев ненавязчиво предложил
некую толику денег. Хозяин столь же ненавязчиво
ее принял.

— Пройтись не желаешь? — спросил Николай.

— С вами? — опасливо уточнил тот.

— Нет, без меня... Ночь, кстати, великолепная...
Воздух, звезды...

— А гулять долго?

— Часика полтора...

Выпроводив хозяина, подполковник запер за
ним дверь и, пройдя на кухню, наглухо задернул
ветхую занавеску. Затем с видом решившего заст-
релиться запустил правую руку под мышку, но извлек отнюдь не ствол, а всего-навсего пластико-
вый пакет со сливками. Вскрыл, вылил половину
содержимого в мисочку, установил ее в центре хро-
мого кухонного стола, снял гипсовую решетку,
прикрывавшую жерло вентиляционного хода, и
произвел тихий условный свист. После чего присел к столу — и стал ждать.

Вскоре в черной квадратной дыре возникло
мохнатое личико и опасливо повело выпуклыми
глазенками.

— Порядок, порядок... — успокоил его Николай. — Можешь не проверять... А я вон тебе эстонских сливок принес... Ты ведь любишь эстонские?..

Согнутым пальцем он подтолкнул миску поближе, и выпуклые глазенки вспыхнули. Домовой проворно сбежал на коготках по стенке, мигом очутился на столе и, блаженно заурчав, окунул мордашку в импортный продукт.

— А Череп с Есаулом разбираться будет... — сообщил он, чмокая и облизываясь. — Есаул его в прошлой жизни на пятнадцать сребреников кинул... Это им астролог рассказал, только его уже замочили...

— Да ты поешь сначала... Поболтать успеем...

Закинув ногу за ногу, Николай курил и поглядывал на гостя с дружелюбной усталой улыбкой. Верный заветам незабвенного шефа охранки Сергея Васильевича Зубатова, он полагал дурной привычкой сразу же брать осведомителя в оборот и вытрясать из него нужные сведения... Стукача надо любить. Ты сначала с ним потолкуй, поговори по душам, узнай, не нуждается ли в чем, помоги при возможности... А сведения он и сам тебе все выложит.

Лахудриком Николай дорожил. Этот домовой, доставшийся контрразведке Баклужино в наследство от советского режима, когда-то работал на КГБ, а в 1950 году, сразу после раскола нечистой силы, был даже внедрен в ряды катакомбных. Очень любил сливки.

Размашисто вылизав миску, он утерся, сел на корточки и, сияя глазенками, принялся взахлеб делиться новостями:

— А Череп говорит: включаю счетчик с Ирода Антипы... А там с Ирода такое накапало!.. Да еще и по курсу... Все на ушах, из Тирасполя бригада едет...

— Да ладно тебе... — благодушно прервал его Выверзнев. — Сам-то как живешь? Давно ведь не виделись...

Честно сказать, разборки баклужинской мафии, пусть даже и осложненные интервенцией зарубежного криминалитета, сейчас его трогали мало.

Плечики Лахудрика брезгливо передернулись под гороховой шерсткой.

— Беженцы достали... — посетовал он.

— Беженцы? — с проблеском интереса спросил Николай. — Откуда?

— Да эти, чумахлинские...

— А-а... Там же завтра два квартала под снос! А что за беженцы? Люди или домовые?..

— Да и те, и другие, — безрадостно отозвался Лахудрик. — Такой колхоз! Деревня — она и есть деревня... Нет, ну вот чего они сюда прутся? В Чумахле им, что ли, места мало?

Николай Выверзнев с сочувствием поцокал языком.

— А дымчатые есть?

— Лыцкие, что ли?.. Тоже хватает... Вроде и границу закрыли, и блокпост закляли — нет, как-то вот все равно просачиваются... Житья уже от них никакого!.. Кормильчик со своими бойцами от мафиозных структур заказы принимает — на полтергейст! Это как? Достойно?.. Да никогда у нас такого раньше не было...

— А ты лыцких-то... всех знаешь?..

Лахудрик запнулся. Над занавеской в черном окне желтела однобокая луна. Тусклая — как лампочка в подъезде.

— В столице?.. Н-ну, в общем, да... Кого больше, кого меньше... А кто нужен?

— Хм... — В раздумье подполковник Выверзнев смял лицо ладонью. — Пока не знаю... — признался он, отнимая ладонь. — Но кто-то должен появиться. Причем не сегодня-завтра...

Лахудрик внимательно взглянул на Николая и уразумел, что разговор уже идет всерьез.

— Дымчатый? — настороженно уточнил он.

— Дымчатый... Средних размеров... И-и... пожалуй, все. Перешел границу этой ночью... Точнее — был перенесен... — Николай подумал. — Кем-то из Лыцких Чудотворцев. Вряд ли он станет этим хвастаться перед братвой, но может проговориться и случайно...

— Так они что?.. Вместе границу переходили?..

— Вместе...

Лахудрик сидел неподвижно и лишь озадаченно помаргивал. То, что он сейчас услышал от подполковника, представлялось ему невероятным. Да и перетрусил вдобавок домовичок... С Лыцкими Чудотворцами шутки плохи... Плеснет святой водой — и прощай, Баклужино, здравствуй, астрал!..

— А я что?..

— Ничего... Как объявится — скажешь...

Лахудрик все еще колебался.

Николай крякнул, нахмурился и снова потянулся к пакету.

— Ты... это... — сказал он, пододвигая миску поближе. — Еще сливок хочешь?..

Глава 5. АФРИКАН,

СОРОК ЧЕТЫРЕ ГОДА, ПРОТОПАРТОРГ

Когда какая-то зловредная мелюзга дерзнула пощекотать из-под воды левую пятку, Африкан, достигший уже к тому времени середины Чумахлинки, ощутил легкий испуг. Ему представилось вдруг, что вот сейчас, именно в этот миг, Партиарх Порфирий, брезгливо поджав губы, вычеркивает его из списка чудотворцев — и холодная темная вода тут же расступается под босыми подошвами. А плавать Африкан и вправду не умел...

Хотя, конечно, не все так просто... Единым росчерком пера харизмы не лишишь. Пока толпа верит в своего избранника — тот не утонет ни при каких обстоятельствах. Даже когда слух об отставке достигнет людских ушей, поверят ему далеко не сразу. Должна пройти неделя, а то и две, прежде чем средства массовой информации убедят население, что народный любимец лишь прикидывался таковым. Однако и в этом случае наверняка останется какое-то количество непереубежденных упрямцев. Разумеется, по воде при такой поддержке не прогуляешься, а вот чудо помельче можно и сотворить...

Потом с лыцкого берега полетели пули, и Африкану стало не до сомнений. Обозлившись, он проклял пулемет, а заодно и безымянного подводного щекотунчика...

Кстати, вскарабкаться на двухметровый обрыв по вымытым из грунта извивам толстых корней оказалось куда труднее, нежели пешком в шквалах прожекторного света пересечь при пулеметном огне разлившуюся Чумахлинку. На всякий случай протопарторг, выбравшись на сушу, сразу же отвел глаза прожектористам, и оба луча, потеряв нарушителя, слепо зашарили по берегу. От близости холодной воды поламывало суставы. Покряхтывая, опальный чудотворец присел на какую-то корягу и бережно открепил от рясы приблудившегося домовичка.

— Ну вот... — протяжно молвил он. — Давай-ка, друг Анчутка, для начала отдышимся...

Суматоха на мосту всполошила всю потустороннюю живность. Придремавшее в кроне вербы крупное аукало, одурев спросонок, вскинулось и огласило рощицу рублеными командами, тяжким буханьем сапог, собачьим лаем... Вне всякого сомнения, там, вдалеке, баклужинцы подняли заставу в ружье.

— Бежим!.. — вскрикнул ополоумевший от страха Анчутка.

Африкан неспешно повернулся к домовому и, вздернув пегие брови, оглядел его с головенки до пяточек. Честно сказать, он и сам не понимал до конца, что его побудило взять под покровительство эту мелкую пушистую нечисть. Ну что ж... Говорят, у каждого антисемита есть свой любимый еврей. Так почему бы протопарторгу Африкану не обзавестись любимчиком из домовых?..

Протопарторг насупился, снял с плеча висящие на шнурках ботинки и, как бы не слыша приближающегося шума, принялся обуваться. Порфирию о его бегстве, несомненно, уже доложили. А назавтра Партиарху станет известно и о нынешней пограничной заварухе. Еще день он будет колебаться, а потом... Кстати, а что потом? Как бы сам Африкан поступил на месте Порфирия? Во всяком случае, взять и объявить во всеуслышание ближайшего своего соратника беглецом и ренегатом он бы не решился...

Широкое лицо чудотворца было скорбно-задумчиво. Вокруг примыкающей к обрыву лужайки металась незримая простому люду мелкая лесная погань: заблудилки, спотыкалки, толканчики... На саму лужайку даже и не совались — отпугивала алая аура Африкана. Просунулось в развилину стволов очумелое рыльце лешего. Хозяин рощицы испуганно повел круглыми бельмами, шевельнул вывороченными ноздрями — и сгинул. Анчутку он не приметил. Хотя будь домовичок один —

нипочем бы ему не укрыться от приметливой родни...

Потом кто-то по-кабаньи проломился через кустарник и страшно скомандовал:

— Стой! Руки за голову!

Анчутка в ужасе схватил протопарторга за ногу, мешая шнуровать ботинок. Тот поднял голову и различил в двух шагах перед собой кряжистого отрока в каске и в бронежилете поверх пятнистого комбинезона. Потопал обутой ногой и недовольно кивнул в сторону чернеющей в сумерках осины. Пограничник тут же перенацелил автомат и, мягкой тяжелой поступью подойдя к дереву, уперся стволом в кору. Привычными движениями обыскал осину, нашарил сучок, нахмурился.

— Контрабанда?.. — недобро осведомился он. — А ну-ка документы!.. Куда?! Руки за голову, я сказал!.. Сам достану...

Африкан принялся за второй ботинок. Пограничник с угрюмым сопеньем изучал в свете фонарика сорванный с дерева нежный молодой листок.

— Справка об освобождении?.. Мало того, что рецидивист, так ты еще и шпионов переправляешь?.. Говори, сука, где клиент! Где этот, в рясе?..

Потянуло легким ночным ветерком. Листва осины сбивчиво забормотала. Пограничник выслушал древесный лепет с тяжелым недоверием. Тем временем через кустарник проломился еще один пятнистый в бронежилете и, кинув быстрый

взгляд в сторону товарища, проверяющего документы, устремился к берегу.

— Хлюпало! — с плаксивой угрозой в голосе
взвыл он, склоняясь над обрывом. — Ну ты что ж
ершей не ловишь, черт пучеглазый!.. Водяной, называется! Лыцку продался?..

Внизу плеснуло, зашуршал осыпающийся по
крутизне песок, заскрипели, затрещали вымытые
из берега древесные корни. Кто-то карабкался по
круче. Вскоре на край ее легла лапа с перепонками, потом показалась жалобная лягушачья морда. Глаза — как волдыри.

— Ну да, не ловлю!.. — заныл в ответ речной
житель. — Я его еще в нейтральных водах щеко-
тать начал. Вот!.. — И, болезненно скривившись,
бледный одутловатый Хлюпало (кстати, подозрительно похожий на скрывшегося от правосудия
Бормана) предъявил скрюченный, сильно распух-
ший палец, которым он, судя по всему, и пытался
пощекотать нарушителя из-под воды. — Тут же
судорогой свело!..

Странные какие-то пошли водяные: ни бороды,
ни волос — так, какая-то щетинка зеленоватая...
Бритый он, что ли?..

Африкан притопнул туго зашнурованным бо-
тинком и, кряхтя, поднялся с коряги. По всем при-
кидкам выходило, что статуса чудотворца его в
ближайшие несколько дней лишить не посмеют...

— Лохи... — со вздохом подытожил он, не без
ехидства оглядев собравшуюся на берегу компанию. — Пошли, Анчутка...

* * *

Ночь была чернее Африкановой рясы и с такими же бурыми подпалинами. По левую руку, надо полагать, лежали невидимые пруды: там гремел сатанинский хохот лягушек. Вдали звездной россыпью мерцала окраина Чумахлы (второго по величине города суверенной Республики Баклужино), а шагах в сорока желтели три окошка стоящего на отшибе домика. В их-то сторону и направлялся неспешным уверенным шагом опальный протопарторг. Кстати, а почему окон три, когда должно быть два? Ах, это у него еще и дверь настежь распахнута... Не решающийся отстать Анчутка семенил рядом.

— Нельзя мне туда... — скулил он, отваживаясь время от времени легонько дернуть спутника за подол. — Домовой увидит, что мы вместе, братве расскажет... Свои же со свету сживут...

— А по-другому и не бывает... — дружески утешил его Африкан. — Только, слышь, мнится мне, Анчутка, никакого уже домового там нет. Ни домового, ни дворового, ни чердачного.

Протопарторг отворил калитку. Три полотнища желтоватого света пересекали отцветающий сад. Безумствовала сирень. Анчутка повел ноздрями, повеселел и больше за подол не дергал. Видимо, понял, что Африкан прав: был домовой, да недавно съехал...

Переступив порожек, оба оказались в разоренной кухне, где за покрытым прожженной клеенкой колченогим столом сидел, пригорюнившись, сильно пьяный хозяин — волосатый до невозможности. Заслышав писк половицы под грузной стопой Африкана, он медленно поднял заросшее до глаз лицо и непонимающе уставился на вошедших. Потряс всклокоченной головой — и снова уставился. Ошалело поскреб ногтями то место, где борода у него переходила в брови... Трезвел на глазах.

— Ну, здравствуй, Виталя... — задушевно молвил Африкан. — Узнаешь?.. Вот обещал вернуться — и вернулся...

— Ты... с ума сошел... — выговорил наконец хозяин.

— Ну, с ума-то я, положим, сошел давно... — усмехнувшись, напомнил Африкан. — А вот в Лыцке чуть было не выздоровел. Ладно спохватился вовремя! Нет, думаю, пора в Баклужино. А то, глядишь, и впрямь за нормального принимать начнут...

Протопарторг покряхтел, потоптался, озираясь. Шеи у него, можно сказать, не было, поэтому приходилось Африкану разворачиваться всем корпусом. Сорванная занавеска, на полу — осколки, сор, клочья обоев. Над колченогим столом — светлый прямоугольник от снятой картины (от иконы пятно остается других очертаний и поменьше)... Мерзость запустения. Обычно жилье выглядит подобным образом после эвакуации.

— А что это у тебя такой бардак? — озадаченно спросил гость. — И дверь — настежь... Разводишься, что ли?..

— Зачем пришел?.. — выдохнул хозяин, со страхом глядя на Африкана.

— Зачем? — Африкан еще раз огляделся, присел на шаткий табурет. — Хочу, Виталя, кое о чем народу напомнить... Хватит! Пожили вы тут тихомирно при Глебе Портнягине... — Ожег темным взором из-под насупленных пегих бровей. — Примкнешь?

Пористый нос Витали (единственный голый участок лица) стал крахмально-бел. Безумные глаза остановились на початой бутылке. Судорожным движением Виталя ухватил ее за горлышко и попытался наполнить небольшой граненый стаканчик. Далее началось нечто странное и непонятное: водка с бульканьем покидала бутылку, а вот стакан оставался пустым. Вовремя сообразив, что рискует остаться вообще без спиртного, хозяин столь же судорожно отставил обе емкости на край стола.

— Что скажешь? — сурово спросил чудотворец.

Часто, по-собачьи дыша, Виталя смотрел на протопарторга. Наконец отвел глаза и замотал кудлатой головой.

— М-м... н-нет... — промычал он, будто от боли. — Н-не проси... Завязал я с политикой... Полгода уже как завязал... Партбилет сжег, икону спрятал, орден — тоже... Зря ты пришел, Никодим... У меня ведь жена, дети...

— Где? — хмуро поинтересовался Африкан, именуемый в данном случае Никодимом.

— Что — где?..

— Ну, жена, дети...

Хозяин очумело огляделся. Ни детей, ни супруги в пределах кухоньки не наблюдалось.

— А-а... — понимающе протянул он. — Переехали... Ну а я уж завтра... с утра...

Потянулся к бутылке, но тут же отдернул руку и, опасливо взглянув на Африкана, вытер взмокшие ладони о рубаху.

— Ничего у тебя не выйдет... — хрипло предупредил он, вроде бы протрезвев окончательно. — Тогда не вышло, а уж теперь — тем более. Старики — пуганые все, а молодым идеи — до фени...

— А подполье?

Виталя скривился и махнул рукой:

— Распалось...

— Так сразу и распалось? — не поверил Африкан.

— Ну, не сразу, конечно... — с неохотой признал Виталя. — В позапрошлом году митинг вон в столице устроили... демонстрацию провели... с зеркалами...

— С зеркалами?..

— Н-ну... чтобы сами все увидели... до чего их колдуны довели...

— Это, что ли, когда вас из водометов разгоняли?

Виталя заморгал, взметнул мохнатое личико.

— Из каких водометов? — ошалело переспросил он.

— В «Краснознаменном вертограде» статья была, — пояснил Африкан. — Водой поливали, дубинками чистили...

Слегка отшатнувшись, Виталя испуганно глядел на Африкана.

— Не-е... — растерянно сказал он наконец. — Все честь по чести: митинг санкционированный, демонстрация — тоже...

— А кто санкцию давал? — желчно осведомился Африкан. — Сам небось Глеб Портнягин?

Виталя ссутулился и уронил голову на грудь.

— Дожили... — с горечью сказал Африкан. — У поганого колдуна разрешение клянчить... Причем на что! На проявление народного гнева... Эх!..

Замолчал, потом вдруг протянул по-хозяйски растопыренную пятерню через стол, взял бутылку, осмотрел неодобрительно... С яркой этикетки на него глумливо воззрился козлобородый старик. «Nehorosheff. Водка высшего качества. Розлито и заряжено там-то и там-то... Остерегайтесь подделки...»

— Ну а со стороны колдунов провокации-то хоть были?.. — с надеждой спросил Африкан, возвращая бутылку на стол. — Во время митинга...

— Да нас менты охраняли... — виновато сказал Виталя. — Нет, ну были, конечно... — тут же поспешил исправиться он. — Ведьмы баклужинские порчу навести хотели...

— И что?

— Тут же их и загребли... У двоих лицензию отобрали на год... Ворожить можно, а все остальное — нельзя... Вот с тех пор вроде больше акций не проводилось...

Последовало тягостное продолжительное молчание.

— Та-ак... — протянул наконец Африкан. — Порадовал... Ну а вожаки? Тоже врассыпную?

— А Бог их знает... — с тоской сказал Виталя. — Клим вроде в коммерцию подался, а Панкрат и вовсе — в теневики.

— То есть экспроприацию все же проводит? — встрепенулся Африкан.

— Да проводить-то — проводит... — уныло откликнулся хозяин. — Банк вот взял, говорят, на прошлой неделе... Но ведь это он так уже, без политики...

Устыдился — и смолк.

— Эх, Виталя, Виталя... — с упреком сказал Африкан. — Такое подполье вам оставил, а вы...

Хозяин всхлипнул.

— Да ты посмотри на меня! — жалобно вскричал он. — Ты посмотри! Ну какой из меня подпольщик? Да! Опустился! Да!.. Телевизор не смотрю, радио не слушаю, газет не читаю... Вон, видишь? — Виталя не глядя ткнул пальцем в репродуктор с болтающимся обрывком провода. — Не тот я уже, Никодим, не тот... Да и ты тоже...

Африкан вздрогнул и медленно повернулся к хозяину. Виталя поперхнулся.

— Н-ну... сам вон уже с нечистой силой знаешься... — шепотом пояснил он, робко указав наслезенными глазами на попятившегося Анчутку. В присутствии Африкана тот не посмел стать невидимым и лишь плотнее вжался в угол.

Некоторое время оба смотрели на домового.

— А что ж?.. — глухо, с остановками заговорил Африкан. — Для святого дела и нечисть сгодится... Честных людей, я гляжу, не осталось — значит будем с домовыми работать...

Виталя вскинул затравленные глаза и, ощерив руины зубов, с треском рванул ворот рубахи.

— Не трави душу, Никодим... — сипло взмолился он. — Замолчи!..

Африкан встал. Широкое лицо его набрякло, потемнело.

— Если я сейчас замолчу, — с трудом одолевая каждое слово, выговорил он, — камни возопиют... Да что там камни!

Неистово махнул рукой — и в сломанном репродукторе что-то треснуло, зашуршало, а в следующий миг в мертвый динамик непостижимым образом прорвалась вечерняя передача Лыцкого радио. Звенящий детский голос декламировал самозабвенно:

> Когда Христос был маленький,
> С курчавой головой...

— Не смей!.. — Виталя вскочил, кинулся к репродуктору. Сорвав со стены, с маху метнул об пол и с хрустом раздавил каблуком...

> Он тоже бегал в валенках
> По горке ледяной... —

как ни в чем не бывало продолжал ликовать расплющенный в лепешку динамик.

Виталя взвыл, схватил репродуктор и, вылетев в открытую настежь дверь, кинулся к колодцу.

> В просторы иудейские
> Зашвыривал снежки... —

прозвенело напоследок. Далее послышался гулкий всплеск — и все стихло. Затем в проеме, пошатываясь, возник Виталя. Даже сквозь обильную волосатость заметно было, что лицо у него — искаженное.

— Уходи... — обессиленно выдохнул он.

Набычась, протопарторг двинулся к двери. Анчутка метнулся за ним. Оказавшись на пороге, Африкан плюнул и, не стесняясь хозяина, отряс прах с высоких солдатских ботинок.

— Именем революции, — процедил он. — Лежать этому дому в развалинах...

Оставшийся в одиночестве хозяин проклятого жилья нагнулся над продырявленным порожком. Гневный плевок протопарторга прожег кирпичи насквозь. Виталя издал слабый стон и побрел к столу. Хотел вылить остатки зелья в стаканчик — как вдруг замер, припомнив, видать, о том, что стряслось минут пять назад, и на всякий случай допил водку прямо из горлышка.

— В развалинах, в развалинах... — горестно передразнил он, роняя бутылку на пол. — А то я сам не знаю, что завтра ломать придут!..

* * *

— Ну что, друг Анчутка? — задумчиво молвил Африкан. — Где ночевать-то будем? По-партизански или в Чумахле ночлега попросим?..

Домовой беспомощно завертел пушистой головенкой. Слева чернел лесок, справа дробно сияла в ночи окраина Чумахлы.

— Да ты не бойся... — успокоил Африкан своего пугливого спутника. — Никто тебя братве не заложит... Если какая нечисть в хате — я ее в два счета выставлю... Скажу: «Сгинь!» — и сгинет...

Услышав страшное слово, Анчутка вздрогнул и сжался по привычке в комочек. Однако тут же сообразил, что произнесено оно было не в сердцах, добродушно и, стало быть, силы не возымеет.

Глазенки домового вспыхнули.

— Сгинь! — повторил он в восторге. И, подумав, добавил злорадно: — Контр-ра!..

Африкан хмыкнул и покачал большой выпуклой плешью.

— Ты гляди... — подивился он. — Ловко у тебя выходит! С ГПУ небось сотрудничал?

Анчутка потупился:

— С НКВД...

— Ну то-то я смотрю...

Кажется, протопарторг хотел добавить еще пару ободряющих слов, но тут окраина Чумахлы — исчезла. Только что сияла рассыпчато, лучилась — и вдруг беззвучно канула во тьму.

— Свет, что ли, вырубили?.. — озадаченно пробормотал Африкан. — Прям как в Лыцке...

Однако чем ближе подходили они к Чумахле, тем яснее становилось обоим, что окраину погрузили во мрак с умыслом. Два квартала частного сектора патрулировались: ночь была буквально издырявлена карманными фонариками. В тесной улочке Африкану с Анчуткой встретились двое в милицейской форме. Не остановили, понятно, не окликнули, прошли мимо...

— У, ш-шакалы... — приглушенно возмущался один из них. — Нет, ну я понимаю: выселили, оцепили... Но обесточивать-то зачем? Специально для мародеров, что ли?..

— Так мародеры и обесточили, — ворчливо отвечал ему второй. — Перекусили провод — и готово дело...

— Починить, что ли, долго?

— Да они монтеру в чемоданчик смык-траву подложили... — сквозь зубы пояснил более информированный. — Монтер на столб залез — и ни пассатижи не разожмет, ни кусачки... А пока за другим инструментом бегали, эти падлы еще с трех пролетов провода поснимали... Вздорожал алюминий... — с сокрушенным вздохом добавил он.

Африкан приостановился, нахмурился и долго смотрел вслед патрульным. Частный сектор был оставлен не только людьми, но и домовыми... Несомненно, затевалось нечто грандиозное, наверняка лично одобренное Президентом — и, стало быть, мерзопакостное... Впрочем, нет худа без добра: выбирай любой дом — и ночуй.

Пока добрались до первого перекрестка, столкнулись еще с тремя патрулями. Ободренный дружеским отношением Африкана, Анчутка расхулиганился и принялся гасить ментам фонарики — сажал батарейки, с наслаждением выпивая из них весь заряд.

— Ну ты это... — недовольно сказал ему наконец Африкан. — Не зарывайся, слышь?..

Анчутка тут же прижух, а вскоре им подвернулся домишко с относительно целыми стеклами, приглянувшийся обоим. То ли прежние хозяева были слишком зажиточны, то ли просто беспечны, но, съезжая, они оставили даже кое-что из мебели. Лампочку — и ту поленились вывинтить. Съестного, правда, не обнаружилось, но ни Африкана, ни Анчутку это особо не расстроило. Домовому — и крошки довольно, а протопарторг после нелегального перехода границы — постился.

— Зажги!.. — азартно предложил Анчутка, тыча пальцем в лампочку, но Африкан лишь покачал головой.

— Зажечь-то недолго... — молвил он. — Только ни к чему нам сейчас, Анчутка, лишние чудеса... Провода-то обрезаны... Слышал, что менты говорили?.. Тут же на свет и сбегутся...

Анчутка покрутился еще немного в трех имеющихся комнатах, проверил все углы, побегал по стенам, по потолку и наконец отправился спать на чердак. А Африкан влез на скрипучий топчан и, подложив руку под голову, долго лежал, глядя в тяжком раздумье на смутно белеющий потолок...

Было над чем призадуматься...

* * *

Когда любимец народа и верный соратник вождя гибнет вдруг от руки убийцы, обыватель, конечно, вправе полагать, что виною всему враги. Во-первых, ему так сказали. Во-вторых, он и сам давно уже заподозрил, что по ту сторону баррикады собрались одни идиоты.

Ну а разве нет?

Мало того, что неосторожным террористическим актом эти, прости Господи, недоумки сильно повредили своей политической репутации, вызвали волну народного гнева, — они ведь, получается, еще и выполнили чужую работу! Бесплатно и в ущерб себе.

Представьте облегченный вздох вождя, на чье место нагло и откровенно метил покойный, представьте тихое ликование того, кто, в свою очередь, метил на место покойного...

Нет-нет, всему есть предел, даже человеческому идиотизму. Враги-то они — враги, но ведь не себе же!..

Короче, не будем заблуждаться. Мочат всегда свои. Причем на вождей покушения удаются куда реже, чем на соратников. Да оно и понятно: какой же дурак даст санкцию на собственный отстрел!

Именно в соратники угодил протопарторг Африкан после того, как Партиарх Всего Лыцка Порфирий, и раньше с тревогой следивший за подвигами лидера правых радикалов, приревновал его к народу и объявил в отместку своим преемником.

Жизнь Африкана повисла на волоске. Количество завистников умножилось настолько, что лучше бы протопарторга переехало самоходным орудием «фердинанд» с известной картины художника Леонтия Досюды!.. А вскоре в беседе с наркомом инквизиции Партиарх посоветовал усилить личную охрану соратника и сослался при этом на недавний дурной сон, о чем тут же стало известно Африкану.

Что это значит — можно было не объяснять...

Теперь перед Никодимом Людским лежали три пути. Один уже был пройден когда-то Троцким, второй — Кировым, третий — Че Геварой. Смерть пламенного протопарторга неминуемо бы свалили на баклужинских шпионов, но Африкана это не утешало ни в малейшей степени.

Во втором часу ночи пожаловали мародеры. Африкан слышал, как они шушукаются на крылечке и все никак не решатся войти.

— ...нехорошее место... — придушенно сипел один. — Слышь, ладаном тянет...

— Ладан-то откуда?..

— А хрен его знает! Может, с Чумахлинки нанесло... Тут до Лыцка рукой подать...

Переступить порог дома они так и не отважились. Осторожно открепили гвоздодером наличники — и сгинули.

Снаружи начинал накрапывать мелкий дождичек. Африкан уже задремывал, когда на чердаке поднялась некая загадочная возня, сопровождаемая писком домовых.

— Сгинь!.. Контр-ра!.. — взвился угрожающий голосок.

Кажется, Анчутка нуждался в помощи. Судя по всему, на чердаке шла серьезная разборка.

— Изыди, нечистая сила!.. — сердито пробормотал Африкан — и возня наверху стихла.

Он сердито прислушался, потом поправил ботинки, служившие ему подушкой, и со скрипом перевалился на другой бок...

Выспаться Африкану, однако, так и не дали. В шестом часу утра страшный удар сотряс дом до бетонных блоков фундамента. С треском и грохотом полетели обломки белого кирпича и куски штукатурки. Происходящее напоминало бомбежку...

Африкан рывком сел на пошатнувшемся со вскриком топчане. На месте окна зияла огромная рваная брешь, в которой влажно синело промытое ночным дождем чистое утреннее небо. В косом потоке солнечного света лениво клубилась удушливая мутная пыль. Под растрескавшимся облупленным потолком качался на шнуре огрызок лампочки.

— У, чтоб тебя приподняло да так и оставило!.. — прорычал в сердцах протопарторг, не подумав спросонок о последствиях.

Тут же закашлялся, сбросил ноги на пол и, дотянувшись до ботинок, принялся обуваться. В горле першило. Из пролома слышались бормотание мощного двигателя и оробелое матерное многоголосье. Покончив со шнуровкой, Африкан встал и, обойдя особо плотный клуб белесой пыли, выглянул в пролом. Глазам его представилась следующая картина: попирая чудовищными гусеницами поваленный заборчик, влажную кирпичную дорожку и пару сломленных яблонь, посреди двора утвердился кран с задранной стрелой. Вокруг машины собралось уже человек десять. Все смотрели вверх, где в синем утреннем небе, натянувши цепь, покачивалась на манер аэростата черно-ржавая гиря.

— Матвеич!.. — жалобно взывал высунувшийся по пояс из кабины амбал в голубеньком комбинезоне и такой же каскетке. — Матвеича, блин-переблин, позовите!..

Африкан досадливо поморщился и мотнул головой. Ну надо же было так по-глупому засветиться!.. Хотя, может быть, оно все и к лучшему... Во-первых, пусть нечаянно, но сорван один из паскудных планов Глеба Портнягина — не важно какой... А во-вторых, чем больше баклужинцев уверует в чудотворца Африкана, тем меньше он будет зависеть от своих лыцких избирателей и лично от Партиарха Порфирия...

Толпа вокруг крана все увеличивалась и увеличивалась. Шум во дворе нарастал. Наверняка парящую на цепи гирю видно было издали. Потом люд внезапно раздался, и рядом с кабиной возник неприметный мужичок в жеваном костюме. Он озабоченно глянул на гирю и, не выразив на мятом поношенном личике ни страха, ни удивления, вынул из внутреннего кармана сотовый телефон. Надо понимать, видывал чудеса и похлеще. Деловито перекрестился (окружившие его зеваки отпрянули, зароптали) и набрал номер.

— Оксанка?.. — ябедным голосом осведомился он. — Это Матвеич... С Толь Толичем соедини... Да плевать, что занят! Скажи: диверсия...

Африкан отстранился от проема и взглянул на ветвисто треснувший потолок.

— Анчутк... — негромко позвал он. — Слазь давай... А то нас тут, понимаешь, сносить решили...

Ответа не последовало. Протопарторг тревожно прислушался и понял, что чердак пуст, причем давно. Да уж не случилось ли чего с Анчуткой? Гирей вроде задеть не могло — первый удар угодил в стену... Может, просто испугался домовичок? Африкан моргнул и вдруг сообразил, в чем дело. Он же сам приказал ночью: «Изыди, нечистая сила!..» — и не подумал, старый дурак, о том, что Анчутка-то ведь — тоже домовой! Конечно, тут же и унесло — вместе с остальными... Ну и где его теперь искать?..

Помог, называется!.. Ах, как неловко все вышло-то... Африкан досадливо почесал плешь и, покряхтывая, направился к двери. Во дворе на него внимания не обратили. Протопарторг постоял рядом с Матвеичем; откинувшись назад всем корпусом, поглядел на покачивающуюся в синеве гирю... Да, хорошую он им задал задачу — небось всей Лигой расколдовывать будут...

— Взлетела — и висит... — скрипел Матвеич в трубку сотового телефона. — Типа шарик надувной...

Африкан обошел кран и выбрался на влажную подсыхающую улочку, где урчал и отплевывался сизым дымом самосвал, груженный сверкающими на изломах осколками.

— Понял, Глеб Кондратьич... Сейчас скажу...

Заслышав имя-отчество заклятого врага, протопарторг вздрогнул и обернулся. За мокрым проломленным штакетником заваривалась суматоха. Матвеич пинками разгонял толпу.

— Отойти от крана!.. Всем отойти!.. Тебе что, особое приглашение?.. Хочешь жертвой бомбежки стать?.. Станешь... Готово, Глеб Кондратьич... — сообщил он в трубку, а затем, тоже отбежав на пару шажков, воздел ее над головой — наушником к гире.

Трубка буркнула что-то хорошо знакомым Африкану голосом — и кожа на спине протопарторга от ненависти съежилась и поползла. А в следующий миг гиря с кратким снарядным свистом тяжко ухнула с высоты на влажную садовую дорожку. Дрогнула земля, брызнули обломки кирпичей. Цепь с лязгом натянулась, стрела сыграла, и огромный кран устрашающе подпрыгнул на широко расставленных лапах...

Беглый чудотворец стоял неподвижно. Одним заклинанием?.. По сотовой связи?.. Страшно было даже представить, какой поддержкой должен пользоваться в народе Глеб Портнягин, чтобы вот так, играючи, уронить с высоты про́клятую Африканом многопудовую гирю... Трудно будет бороться с Глебом, ох трудно...

Глава 6. АНЧУТКА,

ВОЗРАСТ НЕИЗВЕСТЕН, БЕЖЕНЕЦ

Обычно домовые ночуют за печкой или, на худой конец, за радиатором батареи парового отопления. Но тут случай выдался особый. Устроиться на ночлег в покинутом и разоренном доме, где недавний уют был безжалостно растоптан самими людьми, представлялось Анчутке невозможным, почему он и пошел спать на чердак, где все оставалось — как до эвакуации. И, если не прислушиваться к выморочной тишине комнат, то рано или поздно пригрезится, что хозяева никуда не уезжали и что сам ты прижился здесь уже давно, а наверху заночевал просто так — скажем, прихоть нашла...

На заплетенном паутиной чердаке была в изобилии свалена мохнатая от пыли рухлядь: стул без ножки, грядушка пружинной кровати, велосипедная рама, ночной горшок... Чувствовалось, что домовой, обитавший здесь неделю назад и скорее

всего бежавший вместе с жильцами, наверх загля-
дывал редко. Анчутка выгнал из-под обломков
кровати крупную хыку и разобрался с отбивши-
мися от рук пауками, наловчившимися было плести сети против часовой стрелки, что, естественно,
порождало слабые вихри отрицательной энергии.
В утеплителе водились лярвы, но лезть под доски
и всю ночь перебирать керамзитовые комочки
Анчутка поленился. Напутлякал на всякий случай
силовых линий перед слуховым окном, затем взбежал на стропило и повис на нем в своей излюблен-
ной позе летучей мыши.

Внизу вздыхал и ворочался Африкан. Временами над пыльным дощатым полом вставало зыбкое алое сияние — аура чудотворца была настолько обширна, что не помещалась в комнате... Вот и
славно. Значит, лярвы из утеплителя сами пораз-
бегутся — ишь, зашуршали, засуетились!..

Если вдуматься, все складывалось не так уж и
плохо... Границу Анчутка пересек удачно, ночует
не где-нибудь в канаве и даже не в шалашике, а
под самой что ни на есть настоящей крышей. Что
еще нужно беженцу для счастья!..

Вокруг дома пугливыми ватажками шастали
мародеры, лениво шарили карманные фонарики
ментов. Когда три местных жителя принялись откреплять наличники, Анчутка хотел их сперва пуг-
нуть, а потом подумал: зачем?.. Все равно ведь он
ночует на этом чердаке первый и последний раз.
Пусть тащат...

— Да, правду говорят... — вполголоса сетовал под окном кто-то из жуликов, увязывая снятые резные досочки воедино. — Малые детки — малые бедки, большие дети — большие беды. Вот вырастут — только тогда, пожалуй, и отдохнем...

— Ага... Жди... — уныло отвечали ему. — А вырастут — тоже: то отмазывай, то передачу носи... Слушай, может, еще перила прихватим?..

Дождавшись, когда калитка за ними закроется, Анчутка распушил плавающий поблизости сгусток положительной энергии и, с удовольствием в него закутавшись, принялся вспоминать, как ловко он сегодня гасил ментам их карманные фонарики... Снаружи накрапывало. Время от времени особо крупная капля срывалась с навеса и звонко падала в погнутую миску.

Внезапно Анчутка ощутил слабенький рывок силовой линии — и насторожился. Вскоре задергалась другая, третья... Кто-то явно пытался проникнуть на чердак через слуховое окно. Анчутка приоткрыл глаз и слегка повернулся всем тельцем, по-прежнему вися на коготках задних лапок. Опять мародеры, но только на этот раз не люди, а домовые... Гостей было двое: трехцветный короткошерстый и темно-серый с подпалинками.

— Ну, какая зараза понапутала?.. — обиженно вопрошал короткошерстый, выбираясь из незримых нитей. Был он невелик ростиком и лопоух. — Нарочно, что ли?..

Серый с подпалинками (тоже плюгавенький, но не до такой степени) разочарованно озирал мохнатое от пыли чердачное чрево.

— Гля-а... — протянул он. — Забрал!.. Куркуль!.. Я думал: забудет... Такой у него здесь визгун жил!.. На три голоса выл в трубе! В терцию, прикинь!..

Короткошерстый вдруг замер и склонил к пыльному дощатому настилу правый лопушок.

— Слышь, а кто это там внизу? — боязливо спросил он.

Оба прислушались. Внизу заскрипел топчан и послышался особенно тяжелый вздох Африкана.

— Бомж, наверно... — предположил тот, что покрупнее, с подпалинками. — Как бы его утром крышей не прибило! Может, пугнем?..

Анчутка не выдержал и хмыкнул:

— Ага! Пугни-пугни... Он тебя, пожалуй, так пугнет, что не зарадуешься...

Домовые подскочили, вздыбили шерстку и уставились на висящего вниз головой Анчутку. Затем опомнились и, быстро переглянувшись, двинулись к нему цепким крадущимся шажком, заходя с обеих сторон.

— Слышь, ты, дымчатый... — осторожно, почти жалобно начал лопоухий. — А ты чего это тут?..

— Живу, — нагло ответил Анчутка.

Домовые еще раз переглянулись.

— Слышь, дымчатый... — вкрадчиво продолжал лопоухий. — А ты вроде не из наших... И базар не тот, и висишь не так... Столичный, что ли? На понтах?

— Из Лыцка я, — не без гордости сообщил Анчутка.

Домовые приостановились.

— Прямо из самого Лыцка?.. — усомнился тот, что с подпалинками. — Да гонишь! Из Лыцка сейчас не выберешься — границу закрыли!.. — Тут он осекся и заморгал, потому что чердак озарился внезапно розовым сиянием. Видимо, Африкан там, внизу, перевалился на другой бок — и краешек алой ауры вновь пронизал настил.

— Слышь... А кто это у тебя там?.. — притушив голосок, пораженно осведомился мародер.

— А я знаю? — высокомерно обронил Анчутка. — Порфирия спроси...

Небрежно упомянутое всуе имя Лыцкого Партиарха произвело должное впечатление. По слухам Анчутке было известно, что беженцев из Лыцка баклужинские домовые не жалуют, но зато и побаиваются. Лыцкая группировка домовых контролировала почти два района столицы и часть Чумахлы, не гнушаясь вступать в сговор с домовладельцами и помогая им вытрясать квартплату из жильцов. Привыкши к экзорцизмам Порфирия, беженцы в гробу видели Глеба Портнягина с его демократически мягкими законами и творили, что хотели. Полный, короче, беспредел...

— А почему ты говоришь, что он меня пугнет? — мрачнея, спросил серый с подпалинками домовой, косясь на неструганые мохнатые доски настила. — Он кто вообще?..

— А ты глянь сходи, — посоветовал Анчутка. — Мне вот, например, одного взгляда хватило...

Серый хмыкнул и, скользнув в широкую щель между досками, исчез. Потом появился снова — очень испуганный.

— Ой... — только и смог вымолвить он. — С орденом... В рясе... Так вы что же... вместе, что ли?..

Ах, как хотелось Анчутке выложить все как есть, однако пора было прикусить язычок. Через государственную границу — по воде, аки посуху?.. На руках у Африкана?.. Нет, такого даже лыцкая диаспора не поймет...

— Да приблудился... — уклончиво молвил он. — Мне-то что за дело? Спит — и пускай себе спит... Какой-никакой, а жилец...

Оба домовых поймали себя на том, что смотрят на беженца, уважительно раззявив хлебальнички, и тут же возненавидели его за это окончательно.

— Ну и как там, в Лыцке? — недовольно посопев, спросил лопоухий.

Анчутка вздохнул.

— Плохо, — признался он. — Гоняют почем зря. Бывало, выберешь семью, поселишься... И только-только уют наладишь — глядь, а соседи уже в инквизицию стукнули — из зависти... Ну и приезжают эти... комсобогомольцы...

— Кто-кто? — попятившись, ужаснулся лопоухий.

— Коммунистический союз богобоязненной молодежи... — угрюмо расшифровал Анчутка. — Нагрянут бригадой, цитатники у них, пульверизаторы со святой водой... И давай изгонять!.. «Именем Пресвятой Революции, сгинь, — говорят, — вредное суеверие!..» В общем, хорошего мало...

— Ну, здесь, знаешь, тоже... — ревниво сказал серый. — В Лиге Колдунов вон законопроект выдвинули... О правах гражданства и призыве на действительную службу...

От изумления Анчутка едва не грянулся со стропила.

— Кого на службу?.. — ошалело переспросил он. — Домовых?!

— Да и домовых тоже... «Все на защиту демократии!» Нам-то еще так-сяк — в гражданскую оборону, а вот лешим хуже... Им ведь в погранвойска идти — межевыми. Водяных аж в начале мая забрили — Чумахлинку патрулируют...

— Ну, не все... — со знающим видом заметил лопоухий. — Донные пока уклоняются... Русло-то еще не тралили...

И Анчутке живо припомнился водяной Хлюпало, в бритом виде сильно похожий на бежавшего в Аргентину Бормана...

— Причем лучше под первый призыв угодить, — озабоченно добавил серый с подпалинками. — А то потом дедовщина всякая начнется...

Анчутка висел вниз головой и моргал.

— Н-не... — опасливо протянул он наконец. — Я тогда, пожалуй, тоже... уклонюсь...

— Ага!.. — Серый победно осклабился. — Уклонился один такой!.. А куда ж ты денешься? Загребут — и на комиссию!..

— А у меня правая ножка хромая! — нашелся Анчутка. — Пьяный поп кадилом огрел... при царском режиме...

Насчет хромоты он, понятно, приврал, но хромоту, в конце концов, можно было изобразить, тем более что и шрамик вот на коленочке остался...

Домовые злорадно всхохотнули:

— Ты еще на плоскостопие сошлись!.. Ты кто? Гражданин? Гражданин! Ну так вперед и с песней! «Не плачь, кикимора!..»

— Да я ж еще не гражданин...

— Ну станешь!

Обмякший Анчутка свисал со стропила наподобие тряпочки. Замшевый лобик собран в гармошку. Домовые переглядывались с ухмылкой.

— А что вообще нужно... для гражданства?..

— У-у, бра-ат... — Тот, что покрупнее, с деланным сочувствием оглядел Анчутку и принялся сокрушенно качать головенкой и цокать язычком. — Ну, нам-то, местным, проще: подал заявление — и все... и гражданин... А вот для таких, как ты, для беженцев... Кикимору-мать триста раз проклянешь, пока гражданство выбьешь...

— А если не выбью? — в страхе спросил Анчутка.

— Ну и никаких тебе прав...

— Например!

— Н-ну... голосовать не будешь...

Анчутка опешил и надолго замолчал, соображая, в чем тут подвох.

— А оно мне надо? — искренне спросил он наконец. — Ну не буду я голосовать... Зато в армию не пойду!

Домовые разом оборвали смех. На личиках — растерянность и обида. Нет, такого цинизма они даже от лыцкого беженца не ожидали.

— Ах ты, морда дезертирская... — изумленно и угрожающе начал серый с подпалинками, но не договорил — задохнулся от возмущения. — Это что же? Мы, значит, межу охранять, демократию отстаивать, а ты, змей, закосить решил?.. В нетях решил сказаться?.. Да я тебя сейчас...

— Тише ты... — испуганно прошипел лопоухий, вцепившись товарищу обеими лапками во вздыбленную на загривке шерстку. — Не шуми!.. Этого разбудишь... внизу...

— Не замай!.. — огрызнулся тот, сжимая кулачки и делая шажок к Анчутке. — Набежало вас тут, обезьян дымчатых, из-за Чумахлы! Шагу уже ступить некуда!.. Тебя кто сюда звал?..

Анчутка разжал коготки и, кувыркнувшись через головенку, мягко пал на задние лапки. Конечно, с двумя противниками (пусть даже и плюгавенькими) в одиночку он бы не справился, но внизу, всхрапывая, ворочался Африкан, и это вселяло в беженца уверенность. Кроме того, у него было кое-что для них припасено...

— Сгинь! Контр-ра!.. — ликующе провозгласил Анчутка, сильно жалея, что не может увидеть себя со стороны.

Серый с подпалинками подавился, злобно выпучив и без того выпуклые глазенки. Лопоухий присел.

— Существуешь, вражина?.. — вдохновенно продолжал Анчутка. — Учению перечишь, жмара запечная?..

И тут что-то произошло... Мохнатое от пыли нутро чердака крутнулось, дощатый настил вывернулся из-под пяточек — и ополоумевший от ужаса домовичок стремглав полетел в жуткую непроглядную тьму...

В себя он пришел на краю выщербленного тротуара в каком-то неведомом ему ночном переулке и лишь тогда сообразил, что стряслось. Видимо, они все-таки разбудили Африкана, и тот спросонья послал их куда-то очень-очень далеко...

Да, но куда именно?.. Анчутка со страхом огляделся. Как всегда после изгнания словом, чувствовал он себя мерзко — будто брюшко изнутри с мылом вымыли. Фонари не горели, но кое-где желтели низкие окошки частного сектора. Недавних супостатов поблизости не наблюдалось. Надо думать, рассеяло по дороге. Обоих...

Где же это он, однако? Кажется, даже и не в Чумахле. Вот и дождик уже не накрапывает... Ущербная однобокая луна, тусклая, как лампочка в подъезде, смутно прорисовывала перед домовичком тесный кривой переулок. Тихо ботала по древесной фене черная потрепанная листва, да невидимая мелкая собачонка тявкала тоненько и отрывисто — как в бутылку.

Внезапно в отдалении возник и разросся знакомый до дрожи звук: ритмично заклацало, застучало... Трамвай. Причем как бы выскочивший из-под земли, поскольку минуту назад все было тихо. Анчутка обмер, сердчишко остановилось. Подземная линия трамвая имелась только в Лыцке (на метро у Партиархии не хватило средств). Станции, правда, были самые настоящие, облицованные мрамором, с электронными табло, со скульптурами в нишах и даже с коротенькими эскалаторами в одиннадцать ступенек... Лыцк, как известно, стоял на семи холмах, и поэтому идущий по кольцевому маршруту трамвай то выскакивал на поверхность, то снова нырял под землю...

Неужто Африкан снова зашвырнул его в Лыцк?.. Анчутка был уже готов опуститься на четвереньки и завыть на тусклую ущербную луну. Чудом пересечь границу, добраться до Чумахлы, обрести такого покровителя — и все зря? Постанывая, Анчутка двинулся вдоль штакетника... Не узнавая местности, он долго плутал по переулкам, как вдруг впереди из черной листвы вылупился желток светофора — и домовой остолбенел вторично.

В Лыцке светофоров не было. Да, но если это не Лыцк, то значит... Анчутка смотрел — и все никак не мог поверить своему счастью. Только теперь он вспомнил, что в Баклужино тоже недавно пустили подземный трамвай, поскольку обе столицы ни в чем не собирались уступать друг другу...

. Невидимкой Анчутка выскользнул на пустынный проспект, залитый прохладным светом белых ламп, и, пройдя вдоль стены розового трехэтажного здания, приостановился, недоумевая. Тротуары, кажется, были вымыты с мылом. Анчутка принюхался. Нет, все-таки, наверное, со стиральным порошком... Живут же в Баклужино люди!.. Да и домовые, наверно, не хуже...

Впереди показался одинокий прохожий. Сзади — тоже. Вряд ли ясновидцы из Лиги Колдунов имели привычку прогуливаться по ночам пешком, и все же домовой, опасаясь быть замеченным, отступил за бетонную урну... Прохожие встретились как раз напротив Анчутки. Один из них (сухощавый старичок) вежливо приподнял светлую шляпу, явив розовый блестящий череп, окутанный прозрачным серебристым пушком.

— Добрый вечер, Николай Саныч... Прогуливаетесь?..

— Добрый, добрый... — сердечно отвечал ему шествующий навстречу статный моложавый красавец. — Вот вышел, знаете, воздухом подышать...

Прохожие разминулись. Анчутка был просто потрясен. Люди-то, люди здесь какие! Душевные, вежливые... И домовичок едва не заплакал от умиления...

Уже забрезжил серый рассвет, когда Анчутка добрался до окраинного района, именуемого Лы-

сой горой. Покатый холм был застроен пятиэтаж-
ками и, по слухам, контролировался лыцкими домовыми. К сожалению, из Лыцка Анчутка бежал
внезапно, по настроению, даже не предупредив
соседей, и это создавало теперь определенные
сложности. К примеру, не к кому было обратиться и не на кого сослаться. Не на Африкана же, в
конце-то концов... Домовичок потоптался у заго-
воренной от лихих людей двери подъезда, однако
внутрь войти не рискнул. Собственно, проникнуть
сквозь дверное полотно труда бы ему не состави-
ло, но в подъезде пришельца наверняка запримe-
тят коты (нашатырный запах кошачьей мочи ощу-
щался даже на крылечке) и тут же донесут
домовым...

Поэтому Анчутка предварительно решил провести небольшую разведку. Несмотря на деревен-
ское происхождение, основную часть жизни он
провел в городе и был неплохим стеноходцем... От
людей прятаться в стенах, понятно, не имеет смысла (проще уж пройти невидимкой), а вот от своего
брата домовичка по-другому, пожалуй, и не скро-
ешься.

В бледном рассветном небе натружено баси-
ли турбины. Ты смотри!.. Рано просыпаются американцы — как в Лыцке... Анчутка еще раз оглядел серый фасад пятиэтажки.

Для начала стоило прогуляться по первому эта-
жу. С трудом продавив тельце сквозь бетон капи-
тальной стены, Анчутка свернул в тесный кирпич-
ный простенок, где двигаться было не в пример

легче... Жильцы еще спали. В кромешной темноте, нарушаемой только вспышками зазоров и полостей, оставленных нерадивыми строителями, он миновал еще два поворота, после чего ему показалось, что где-то далеко-далеко, на пределе слышимости, скользнул торопливый шепоток домовых... Но тут справа осторожно провернулся ключ в дверном замке — какая-то ранняя пташка пыталась проникнуть в квартиру, не потревожив родных и близких. Однако родные и близкие были, как выяснилось, начеку. Немузыкально задребезжал занудный даже во гневе тенорок, взвилось в ответ склочное сопрано... Кирпичная стена искажала звуки, но, к сожалению, кое-что разобрать все-таки было можно.

— Вот откушу тебе, ‹неразборчиво›, нос, — словно бы гвоздем по стеклу скрежетал тенорок, — отсижу три года, но ты ж, ‹неразборчиво›, всю жизнь потом с протезом промаешься! В сырую погоду отваливаться будет!..

— Да?.. — заливалось в ответ сопрано. — Да?.. Это я-то ‹неразборчиво›?.. Я?.. Да как у тебя язык повернулся?.. Да может, я потому и ‹неразборчиво›, что ты мне за это морду набил!..

Судя по относительной сдержанности высказываний, отношения выясняла молодая интеллигентная чета... Нет, все-таки народ в Баклужино — не в пример культурнее... У лыцких бы уже мат шел сплошняком, без вкраплений... Хотя все равно неприятно... Вдобавок голосистые супруги окончательно заглушили далекий шепоток Анчуткиных

сородичей — и беженец брезгливо передернул пле-
чиками, что, кстати, учитывая сопротивление кирпичной стены, было не так-то легко сделать. Как и
всякий порядочный домовой, он не выносил жи-
тейских склок...

Поплутав по простенкам и едва не заблудив-
шись впотьмах, Анчутка почти уже вышел на искомый шепоток, но тут кирпичи пронизала легкая
дрожь — видимо, окончательно обнаглевший пилот прошел совсем уже низко. А тут еще слева из
общего мрака, как назло, подкрался все тот же
скандал:

— Сама уже не знает, что кому врать!..

— Это я-то не знаю, что кому врать?..

Кажется, шепоток шел справа. Анчутка осторожно выставил наружу настороженное ушко... Все верно! Домовые находились в соседней квартире — точнее, в ванной комнате. Их было двое. Странно... Тут
скандал за стеной, а им хоть бы хны...

— Что-то копоть вроде какая-то... неконкрет-
ная... — с сомнением бормотал один.

— Правильная копоть... — сипловато возражал
другой, чем-то шурша. — Прямиком из Лыцка...

— Через Чумахлу... — со смешком добавил первый.

Второй обиделся, не ответил. Потом оба, кажется, встали. Анчутка ударился в панику: поме-
рещилось, будто речь идет о нем («Из Лыцка...»,
«Через Чумахлу...»), и только-только перевел дух,
как почувствовал вдруг, что его не больно, но крепко берут за торчащее наружу ушко.

— И кто ж это у нас такой любознательный?.. — ласково осведомился сипловатый, извлекая Анчутку из стены за чуткий лопушок. — Н-не понял... — озадаченно сказал он, узрев незнакомое смущенное личико. — Ты кто, братан? Назовись...

Пришлось назваться и заодно объяснить, что он делал в простенке. Выручила дымчатая масть. Это ведь только местные разношерстки своих же баклужинских сплошь и рядом топят, а лыцкие друг за друга держатся крепко, тем более — на чужбине...

— А-а, беженец... — смягчившись, протянул тот, что сомневался в качестве копоти (иными словами — ладана). — Мохнатый зверь на богатый двор?.. Ну как там, в Лыцке-то?.. Да садись, чего стоишь!..

Все трое присели на резиновый коврик. Сипловатый забил косяк и чиркнул позаимствованной на кухне спичкой. Почмокал, затягиваясь, и передал косячок товарищу. Анчутка хотел было приступить к жалостному рассказу, но тут как раз подкатила его очередь. Обижать хозяев не хотелось, так что пришлось тоже затянуться...

Внезапно сквозь дверь в ванную просунулась совершенно зверская дымчатая мордочка еще одного домового. Носопырка — раздута, глазенки от изумления и бешенства — тоже. Не иначе — старшой по масти...

— Вы что делаете?.. — испуганным шепотом рявкнул он. — Вконец оборзели?.. Ванная вся уже ладаном пропахла!.. — Присмотрелся — и чуть не плюнул. — И курить-то, сявки, не умеют... — вконец расстроившись, молвил он. — Без затяжки надо облачко выдохнуть — и носиком, носиком его собирать...

Тут он заметил Анчутку — и осекся.

— А это еще что за зверь?

Анчутка отдал косячок и неловко поднялся с коврика.

— Да беженец он... — лениво пояснил кто-то из сидящих.

Старшой прошел сквозь дверь целиком и остановился перед Анчуткой.

— Ну вы что? — с упреком обратился он к курильщикам. — Совсем уже, что ли?.. Не разобравшись, не проверив...

— Да дымчатый он, дымчатый... Чего проверять-то?

— Дымчатый! — недовольно фыркнул тот. — Дымчатые, они тоже, знаешь, всякие бывают... — Сердито оглядел Анчутку и кивнул на дверь. — Пошли к Кормильчику...

Признанный авторитет лыцкой диаспоры в Баклужино, больше известный под кличкой Кормильчик, был крупным домовым нежно-дымчатой масти, личико имел упитанное, угрюмое, а нрав, судя по всему, вредный да въедливый.

— Ладно, верю... — буркнул он, выспросив у Анчутки все подробности из жизни лыцкой нечисти. — Обитал, обитал ты на Коловратке... Если Марашку знаешь, значит, обитал...

Разговор происходил в одной из квартир четвертого этажа, где вот-вот должна была случиться плановая разборка с некой злостной неплательщицей. Кроме развалившегося по-хозяйски в мягком кресле Кормильчика и потупившегося беженца, в комнате еще присутствовали два смешливых бойца, с которыми Анчутка недавно подкуривал ладан. Один из них держал за шкирку то и дело пытающегося вырваться буйного рукастого барабашку.

— Нет, ну это ладно, это ладно, братан... — задумчиво продолжал Кормильчик, снова удостаивая Анчутку благосклонным взглядом. — Ну а границу-то, границу ты как переходил?..

И успокоившийся было Анчутка осознал с тоской, что тут-то его и начнут припирать к стенке.

— Контрабандист переправил... — грустно соврал он, вильнув глазенками. — Или браконьер...

— Кликуху, кликуху назови...

— Да я не спросил...

— Ну а какой он из себя, какой?..

— Здоровый такой... — начал неуверенно плести Анчутка. — С кулаками...

— Знаю... — сказал Кормильчик, на мгновение перед этим призадумавшись. — Якорь у него кликуха, Якорь... Туда — с приворотным зельем, обратно — с ладаном...

Тем временем отворилась входная дверь — вернулась квартиросъемщица. Слышно было, как она сбрасывает в прихожей туфли и, отдуваясь, тащит на кухню что-то увесистое и неудобное. Затем последовало несколько секунд звонкой тишины — это хозяйка услышала голоса. Далее грохнуло, зазвенело — и в комнату со скалкой в руках ворвалась кряжистая особа женского пола. Окажись на месте домовых грабители, аминь бы настал всей банде. Даже огнестрельное оружие не помогло бы, поскольку по габаритам гражданочка в аккурат соответствовала дверному проему и уложить ее можно было разве что разрывной противослоновьей пулей.

Грабителей в помещении она, естественно, не обнаружила. Комната была пуста, а вот голоса продолжали звучать как ни в чем не бывало... Квартиросъемщица охнула, выронила скалку и опрометью кинулась к дверям — рисовать на притолоке кресты и звезды. Потом запустила ручищу в лифчик восьмого размера и выхватила ампулу со святой водой, надо полагать, лыцкого производства.

— Займись... — недовольно молвил Кормильчик.

Один из бойцов (тот, у кого руки не были заняты прозрачным загривком рвущегося в бой барабашки) вразвалочку приблизился к хозяйке и, поднявшись на цыпочки, выдернул ампулу из толстых пальцев.

— Во, дура!.. — подивился он, брезгливо разглядывая трофей. — Водичка-то левая, из-под крана... А ампула, гля, настоящая! «Выведем нечисть на чистую воду!..» В Чумахле небось разливали...

Уставив безумные глаза на плавающую в воздухе ампулу, хозяйка, тихо подвывая от ужаса, отступала к дверям. Затем налетела спиной на косяк и взвыла в полный голос...

— Спускай Барбоса... — буркнул Кормильчик. Второй боец направил исступленного барабашку в нужную сторону и закатил напутственный пинок. Тварь подпрыгнула, метнулась к серванту и упоенно принялась бедокурить. Со всхлипом распахнулись стеклянные створки, заныл, задребезжал хрусталь, забрякало серебро и всякий там прочий мельхиор... Из выскочившего нижнего ящика вспухло и заклубилось мучное облако. Квартиросъемщица, припадочно закатив глаза, оползала широкой спиной по косяку.

— Ладно... — сказал Кормильчик, вставая. — Дальше — по плану, по плану... Только ты... это... намекни потом, чтоб заплатила... А с домовладельцем — я уж сам...

Оправил нежно-дымчатую шерстку и двинулся к выходу. Анчутка семенил следом. Вдвоем они прошли сквозь стену мимо железной двери и спустились по лестнице на третий этаж. Квартира хозяина дома, располагавшаяся в двух уровнях, заодно являлась и резиденцией самого Кормильчика. Прекрасно отделанная и наглухо замурованная от людей кладовка служила главарю баклужинской мафии апартаментами. Однако сейчас он направлялся не к себе, а прямиком в кабинет хозяина.

Домовладелец оказался молодым кадыкастым человеком с восковыми хрящеватыми ушами. Кормильчик неспешно расселся в кресле для посетителей и, строго взглянув на спутника, явил себя людскому взору. Что касается Анчутки, то он прекрасно понял намек и остался незрим.

Увидев внезапно возникшего в кресле Кормильчика, хозяин вздрогнул, но тут же расплылся в неискренней выжидательной улыбке.

— Ну, с этой... из восемнадцатой... разбираемся... — небрежно обронил нежно-дымчатый главарь. — Завтра заплатит.

Домовладелец просиял, но тут Кормильчик поднял на него выпуклые задумчивые глазенки — и улыбка увяла.

— Когда евроремонт делать будем?.. — тихо осведомился Кормильчик.

Хозяин обмяк, расстроился.

— Может, афро?.. — жалко скривясь, с надеждой спросил он. — Доллар подпрыгнул...

Все так же неторопливо и обстоятельно Кормильчик оперся на один из подлокотников и встал на сиденье во весь ростик.

— Не понял... — проникновенно вымолвил он, сопроводив слова распальцовочкой. — Какой доллар?.. Братве нужен комфорт... Уют, чистота, покой и миска сливок по утрам... Рыночных, понял? А не магазинных!..

Домовладелец судорожно двигал кадыком и с тоской смотрел на раскинутые веером нежные замшевые пальчики.

— Н-ну... хорошо... Только бы вот... квартплату бы еще приподнять... чуть-чуть...

— Без проблем, — надменно изронил глава мафии. — Ну а конвертик, конвертик?.. Приготовил?..

— Завтра будет... — вконец охрипнув, выдавил бедолага домовладелец.

— Последний срок, — назидательно напомнил Кормильчик. — Дальше Батяня счетчик включает...

Батяней лыцкие домовые уважительно именовали меж собой подполковника контрразведки Николая Выверзнева, взимавшего умеренную, но постоянную дань с диаспоры и потому глядевшего сквозь пальцы на многие проделки дымчатых...

Разобравшись с домовладельцем, Кормильчик велел Анчутке пройти за ним в кабинет и там продолжить разговор по душам. Проникнув сквозь стену в замурованную кладовку, они застали внутри старшого по масти, того самого, что давеча накинулся на курильщиков в ванной.

— Лахудрик приходил... — отрапортовал он Кормильчику. — Этот... гороховый...

— И чего он?.. — вяло спросил главарь.

— Заказ предлагал... Проспект Ефрема Нехорошева двадцать один... Ну, угол Нехорошева и Нострадамуса...

Кормильчик медленно повернулся к домовому. Тот прыснул.

— Спрашиваю его: «Квартира десять, что ли?» — прикрывая ротик ладошкой, продолжал старшой. — А он говорит: «Ага...» Ну и послал я его... к Порфирию... А то мы тут про Нику ни разу не слышали!.. Сами пусть, короче, разбираются...

Кормильчик расслабился.

— Это ладно, ладно... А кроме заказа?..

Домовой взглянул на Анчутку, моргнул — и вдруг замер, как бы о чем-то с испугом припомнив. Опасливо косясь на беженца, он увлек Кормильчика в угол, где принялся что-то ему нашептывать на ухо. Главарь слушал и хмурился. Потом поднял на Анчутку исполненные внезапного интереса глазенки.

— Братан, братан... — с недоумением молвил он. — А ну-ка скажи еще раз... Когда ты переправлялся?..

— Вчера вечером... — отступая, пролепетал Анчутка.

— Это когда заставу в ружье подняли?..

Анчутка пошевелил непослушными губешками, но горлышко его смогло издать лишь слабенькое мелодичное сипение...

— Бра-та-ан... — Кормильчик был искренне огорчен. — Ну ты так все складно говорил... Я тебе почти поверил...

И Анчутка почуял нутром, что пора убегать.

Глава 7. НИКОЛАЙ ВЫВЕРЗНЕВ,

ТРИДЦАТЬ ЛЕТ, ПОДПОЛКОВНИК

И все-то в этой жизни выходит навыворот. Добрая четверть восточной окраины лежала в руинах, а дом, с которого начали, собственно, ломать, стоял себе целехонький, если, конечно, не брать во внимание смятый гусеницами штакетник, сломанные яблони да зияющую дыру в стене.

Подполковник Выверзнев захлопнул дверцу и, прищурившись, огляделся. Происходящее напоминало ударную комсомольскую стройку, как их рисуют в учебниках истории. Чумазые парни с загорелыми, припудренными белесой пылью спинами катили тачки, полные рябенько сверкающих осколков, и сваливали груз куда ни попадя. Время от времени где-то неподалеку звонко ахали несильные взрывы. Все правильно — без воронок в асфальте тоже никак нельзя...

— Матвеич... — окликнул Николай.

Ответственный за акцию стоял в мятом своем пиджачишке на пухлом кургане мусора и, как некий демон, вдохновенно дирижировал всей этой симфонией хаоса. Услышав зов, опустил руки, обернулся, всмотрелся.

— Подойди, дело есть...

Матвеич отряхнул ладони и, осмотрительно ступая, — снизошел. Поздоровались.

— Ну ты что ж творишь, Матвеич?.. — с упреком сказал Николай. — Додумался: средь бела дня ломать! Тут американцы по-над крышами туда-сюда мотаются... Они ж все это на пленку запишут!

Как бы подтверждая справедливость слов подполковника, за поблескивающей вдалеке Чумахлинкой немедленно отозвались натужные хриплые басы — и вскоре над окраиной проплыл неуклюжий разведчик, а за ним — все та же группа прикрытия. Николай и Матвеич задумчиво посмотрели им вслед.

— Да сотрут потом... — беспечно утешил Матвеич. — Оно им надо?..

Подполковник хмыкнул, почесал надбровье и, не найдя, что ответить, махнул рукой. Конечно, Матвеич, как всегда, был прав. Ну на кой дьявол американцам собирать компромат на Баклужино? Их что, за этим сюда посылали?..

Повернулся и пошел к домику с пробоиной в стене. По пути подобрал шершавый осколок, осмотрел. Кусочек смертоносного металла был изрядно поглодан коррозией. Ну, Матвеич!..

Проходя по раздавленной гусеницами кирпичной дорожке, Николай рассеянно обронил железку в промятую гирей дыру... Какая же это, интересно, сволочь наличники с окон поснимала? Мародеры или сами хозяева?.. Вяло размышляя на эту тему, подполковник отворил болтающуюся на одной верхней петле дверь и вошел в дом. Там уже вовсю работала экспертиза.

— Значит, так... — бодро потирая руки, обрадовал Николая юный круглолицый Сашок. — Спал он на топчане, аура — мощная, вся комната заряжена, а уж про топчан и говорить нечего — до сих пор как в облаке...

— Формула ауры?.. — процедил Николай. — Или вы еще не вычисляли?..

— Уже начали, — заверил Сашок. — Сейчас будет...

И указал глазами на припорошенное известкой приземистое дощатое ложе, где, призадумавшись надолго и всерьез, стоял раскрытый компьютер типа ноутбук. А может, и не призадумавшись. Может, просто зависнув...

— А Павлик?..

— Свидетелей опрашивает... — Сашок мотнул головой в сторону смежного помещения, откуда сквозь трещину в стене просачивались ябедные детские голоса.

Николай молча кивнул и двинулся в указанном направлении. В соседней комнате угрюмый долговязый Павлик сидел на положенной набок табуретке (обычный колдовской приемчик) и недоверчиво выслушивал незримых свидетелей. На грязном полу, усыпанном лепестками побелки, стоял торчмя служебный диктофон с тлеющим рубиновым огоньком.

Завидев начальство, Павлик неторопливо поднялся во весь свой долгий рост, а оба свидетеля, видя такое дело, поспешно явили себя глазам вошедшего. Разумеется, домовые... Один — трехцветный короткошерстый, другой — темно-серый с подпалинками.

— Ну? Что? — несколько отрывисто спросил Николай.

— Он... — удовлетворенно сообщил Павлик. — Все совпадает — ряса, орден, словесный портрет...

— Кто «он»? — буркнул Николай, доставая пачку сигарет. — Выражайся яснее...

Павлик смутился.

— Н-ну... Африкан... Кто ж еще?.. И домовой с ним был. Дымчатый...

— Точно? — спросил Николай, прикуривая.

Обидчивый Павлик немедленно вспыхнул, ощетинился. Колдун — он и есть колдун: либо тупой — не прошибешь его ничем, либо такой вот — капризный, вспыльчивый...

— Сразу же проверили! — сказал он, оскорбленно вскинув круглые мослы плеч. — На стропиле шерстка осталась. Порознь ночевали: Африкан — здесь, домовой — на чердаке...

— Кличка домового?

— Говорят: не представился. А вел себя нагло... Хотя и врал, что раньше Африкана в глаза не видел...

— А еще... а еще... — захлебываясь, вмешался один из свидетелей (лопоухий трехцветка). — Еще он сказал, что в армии служить не будет — ножка хромая, вот...

Выверзнев и Павлик переглянулись. Особая примета? Ну это уже кое-что...

— Правая?.. Левая?..

Теперь переглянулись домовые.

— П-правая... — не совсем уверенно вымолвил тот, что с подпалинками, и, оробев, отступил за спинку трехцветного.

— Что ж, не заметили, на какую ногу хромает?

— А он не ходил, он висел...

— Да точно Африкан... — сказал Павлик.

Подполковник Выверзнев стиснул зубы и, бросив окурок на пол, растер подошвой. Обычно он гордился своей командой, подобранной человек к человеку, но сейчас эта молодая поросль с дипломами от Лиги Колдунов его просто раздражала. Даже Павлик, из которого он надеялся со временем сделать настоящего оперативника... Ах, как им всем хочется, чтобы нарушителем оказался именно Африкан!.. Сами не знают, на что нарываются!

— Ну а кто бы еще, кроме него, такой экзорцизм отчинил? — не унимался Павлик. — Этих двоих аж на противоположную окраину Чумахлы выкинуло...

— А дымчатого? — скрипуче осведомился Выверзнев. — Тоже?..

Павлик замер с полуоткрытым ртом.

— Д-да, действительно... — ошеломленно проговорил он наконец. — Что же он — своего-то?..

В этот миг дверь приоткрылась и в помещение просунулась круглая улыбчивая физиономия юного Сашка.

— Готово, Николай Саныч...

Подполковник Выверзнев чуть ли не бегом вернулся в соседнюю комнату, где в рваной пробоине голубело полуденное небо, — и стремительно склонился над монитором... Формула ауры была та самая — из архивов...

— Ч-черт!.. — распрямляясь, вымолвил он в сердцах. — Значит, все-таки Африкан...

Подошел к пролому и с недовольной гримасой оглядел то, что творилось снаружи. Еще раз чертыхнулся...

— Матвеич!.. — расстроенно позвал он.

— А?..

— На!.. Иди сюда, про гирю расскажешь...

Беседу с Матвеичем, однако, пришлось прервать на самом захватывающем месте. Позвонил Лютый.

— Бери задницу в горсточку, — со свойственной ему прямотой приказал он, — и дуй на двадцать пятый километр!

— Африкан?.. — насторожившись, спросил Николай.

— След... — недовольно посопев, уточнил Толь Толич.

— Не понял... Что за след?

— Ауры клок... — злобно сказал шеф. — Прямо на столбе с табличкой, у самого основания... Видимо, отдыхал он там — прислонился... Бабка-знахарка папоротник шла собирать, ну и наткнулась, позвонила дежурному...

— Откуда позвонила? С двадцать пятого километра?

— Да у нее сотовик... Короче, давай быстрей — аура выдыхается!..

Николай дал отбой и, отправив трубку в карман пиджака, оглядел исподлобья присутствующих. Сотрудники смотрели на него выжидающе. Одному лишь Матвеичу, по обыкновению, было все до фени.

— Ладно, Матвеич, потом дорасскажешь... Сашок! Павлик! Свертываем аппаратуру — поехали...

Пока мчались, визжа покрышками, до двадцать пятого километра, подполковник Выверзнев хранил угрюмое молчание. Павлик, напротив, был возбужден и говорлив.

— А знаете, Николай Саныч... — излагал он. — Есть! Есть у домового и Африкана общий интерес... Ладан! Тот самый ладан, из-за которого «призрак» навернулся... Век астрала не видать! Вы посмотрите, как все сразу складывается: дымчатый передает наркоту нашим баклужинским домовым, а те уже — гремлинам... И все это с подачи Африкана... Один раз он уже такой трюк проделал. Видать, понравилось. Повторить решил...

Впереди зеркально сверкали наведенные кем-то из озорства миражики псевдолужиц, пропадаю-

щие по мере приближения к ним. Пацанва балует-
ся...

— Одного он не учел... — зловеще подвел итог
Павлик. — За повтор оценка снижается...

Выверзнев хмуро покосился на сотрудника, но
разговора не поддержал. Хотя в чем-то он понимал
Павлика,... По молодости лет, когда ведешь несколько дел сразу, рано или поздно начинает мерещиться,
что расследуемые тобою преступления — взаимосвя-
заны. Часто даже возникает соблазн слить все эти
дела воедино и, скажем, с пристрастием допросить
растратчика насчет вчерашнего убийства в город-
ском парке... Некоторые, кстати, так и делают. Особой беды в этом, разумеется, нет, поскольку всюду
происходит одно и то же — меняются лишь фами-
лии. И тем не менее...

Глубокую эту мысль подполковнику Выверзневу закончить не удалось. Шофер ударил по тор-
мозам, застонала резина, всех качнуло вперед.
Двадцать пятый километр... Возле полосатого
столба, увенчанного синей эмалированной табличкой, стояла и с неудовольствием смотрела на тор-
мозящий джип миниатюрная особа средних лет...
Впрочем, нет, отнюдь не миниатюрная. Скорее
приземистая, поскольку при всем своем малом
росте была она большеголова и весьма широка в
кости. Николай выбрался из джипа и, озираясь,
направился к ней.

— Бабка-то где? — сердито осведомился он.

Атлетического сложения коротышка изумилась
и посмотрела на него округленными глазами.

— Н-ну, знахарка... — хмуро пояснил Выверз-нев.

Особа уперла кулаки в бедра — и в течение ка-ких-нибудь пяти минут Николай выслушал столько всякого о себе и о своем начальстве, что оглашен-ного материала вполне хватило бы на пару-трой-ку громких уголовных процессов. А самое любо-пытное заключалось в том, что добрая половина высказанного и впрямь соответствовала действи-тельности... То ли знахарка вдобавок была прови-дицей, то ли где-то имела место утечка служебной информации...

Стало также ясно, почему генералу Лютому со-общили, будто звонившая, мягко выражаясь, не молода. Голос у знахарки был пронзительно-ста-рушечий и на редкость сварливый...

Павлик с Сашком, присевши на корточки у ки-лометрового столба, уже колдовали вовсю и дела-ли вид, якобы ничего не слышат. Компьютер типа ноутбук с раскинутой периферией стоял рядом — прямо на обочине.

В данной ситуации подполковнику оставалось терпеливо, не перебивая, выслушать все грязные обвинения в свой адрес, после чего спокойно, как ни в чем не бывало приступить к беседе. Рассеян-но прищурясь, Николай оглядел окрестности. Кру-гом цвел татарник — жестокое наследие трехсот-летнего ига... В сверкающем пруду, звонко матерясь, плескалась счастливая, коричневая от за-гара детвора.

— Я б усих этих православных коммуняк, — с ненавистью скрипела свидетельница, — из поганого ружья! Рясу напялит: мужик — не мужик...

Что ж, сменила объект ругани — и на том спасибо... Но ждать, пока она выдохнется и замолчит, было бы по меньшей мере наивно. Ладно, попробуем вклиниться...

— Я бы все-таки четвертовал, — мягко заметил Николай.

Свидетельница осеклась (впервые) и с подозрением въелась глазами в Выверзнева: издевается или как? Однако выражение лица подполковника было безупречно вежливым.

— А почему вы так сразу поняли, что наследил кто-то из Лыцка?.. — воспользовавшись паузой, задумчиво спросил он.

В ответ из проворных уст знахарки вновь посыпались тяжкие оскорбления, но уже в связи с тем, что кто-то усомнился в ее квалификации. Чего там понимать-то?.. Вот такенный клок ауры кумачовой по ветру треплется, чего тут понимать?.. Вы глаза-то, глаза разуйте, сыщики хреновы!.. Там на ауре этой только что креста шестиконечного не хватает да серпа с молотом!..

Сдержанно поблагодарив свидетельницу и не обращая уже внимания на летящие ему вослед язвительные словеса, Николай подошел к ребятам.

— Африкан?.. — хмуро спросил он.

— Африкан!.. — отрапортовал Павлик, но вид у него при этом был какой-то слегка озадаченный.

— А что не так?..

— Дальше он почему-то разувшись пошел... — понизив голос до шепота, сообщил Павлик. — Вот...

Николай взглянул. Косолапые следы, оттиснутые на пыльной обочине, были настолько четки, что фиксировались даже глазом простого избирателя. Действительно странно... До двадцать пятого километра — в ботинках, а дальше — босиком...

Подполковник Выверзнев извлек из кармана трубку сотового телефона.

— Толь Толич?.. Все верно — Африкан... Направляется в столицу... На двадцать пятом километре разулся — прямо под столбом. Видимо, движется в прежнем направлении, но босой...

Кажется, генерал Лютый не на шутку перепугался.

— Босой? — как-то странно привизгнув, переспросил он и вдруг замолчал секунды на три. — Погоди, сейчас перезвоню.

Последняя фраза прозвучала несколько сдавленно.

— Между прочим, — не поднимая головы от монитора, тихо и задумчиво молвил Сашок, — в старой доброй Англии ведьмы, чтобы вызвать ураган, разувались и снимали чулки...

— Ну, во-первых, у нас не Англия, — не совсем уверенно возразил Павлик и вопросительно посмотрел на Выверзнева. — У нас в таких случаях кое-что другое снимают. И потом... — Он снова обернулся к Сашку. — С чего бы это вдруг стал тебе протопарторг наши колдовские приемчики применять?..

— Или, скажем, домового с собой таскать повсюду... — в тон ему отозвался Сашок.

Павлик хмыкнул — и тревожно задумался. Подполковник Выверзнев поигрывал телефонной трубкой, словно прикидывая, куда бы ее, ко всем чертям, зашвырнуть. Скандалистка знахарка с надменно выпрямленной спиной удалялась по ближней обочине. Судя по тощему рюкзачку, папоротника она сегодня набрала немного...

Поведение Африкана наводило оторопь. Немотивированный переход государственной границы, загадочная связь с домовым, теперь вот этот странный трюк с обувью... Хотя... Может, тут-то как раз все просто... Набил мозоль, разулся...

Наконец ожил, застрекотал сотовый телефон, и Николай поднес трубку к уху.

— Ты там один? — озабоченно спросил шеф.

— С ребятами...

Толь Толич крякнул.

— Значит, так... — процедил он. — Я сейчас говорил с Президентом... Установка такова: любой ценой! Слышишь? Любой ценой не допустить, чтобы Африкан вошел в столицу...

— Да он уже там наверняка, — спокойно сказал Николай.

Генерал онемел.

— Ну, сам прикинь, Толь Толич... — с мягкой укоризной продолжал подполковник Выверзнев. — В шесть утра он творит чудо с гирей... В восемь он уже на двадцать пятом километре. А сейчас — пятнадцать минут второго. Вот и считай...

Трубка молчала. Такое впечатление, что генерал Лютый решил дезертировать в обморок. Юный Сашок, округлив глаза, отчаянно тряс румяными щеками и указывал на компьютер.

— В девять... — беззвучно артикулировал он. — В девять, а не в восемь... Даже в полдесятого...

Николай поморщился — и Сашок с несчастным видом развел руками.

— Ладно... доложу... — отозвалась наконец трубка вялым голосом смертельно больного.

Подполковник отправил переговорное устройство в карман и, утомленно приспустив веки, повернулся к Сашку.

— Чего орешь? — холодно осведомился он. — В восемь, в полдесятого... Перехватить его мы так и так не успеваем.

— Да, но тогда... — Сашок растерялся окончательно. — Какая разница?

— Большая, — отрезал Выверзнев. — Или мы не успеваем, вылупив глаза и с языком на плече, или делаем то же самое, но уже спокойно и без паники...

Глаза молодого поколения просияли пониманием, и Николай усмехнулся. Ох, пацанва-пацанва! До чего ж не терпится обоим заработать еще одну звезду для этого придурка Лютого!.. Ну вот как им объяснить, что ловить Африкана нужно всего в двух случаях: либо когда он сам себя зажмет в угол, либо когда он зажмет в угол тебя!..

* * *

— В общем, так, Коля... — обессиленно сообщил генерал Лютый, входя в кабинет Выверзнева, что в общем-то случалось нечасто. Обычно звонил, вызывал. — Времени у нас с тобой — до завтра... То есть в обрез. Да ты сиди, сиди...

— Почему до завтра? — осторожно осведомился тот, снова опускаясь на стул.

— А завтра специальная комиссия ООН прибывает...

Подполковник наморщил лоб.

— Ага... — произнес он с мрачным удовлетворением. — А Африкан, стало быть, собирается встречу эту сорвать?

— А хрен его знает, что он там собирается! — с усталой прямотой отвечал ему генерал Лютый. — Просто Кондратьич дал нам срок до завтра, понял?..

Генерал замолчал и окинул недовольным взором подробную карту страны, что висела над рабочим столом подполковника. Отрезок шоссе Чумахла — Баклужино был исколот флажками на булавках. Пять флажков. Пять обнаруженных обрывков кумачовой ауры протопарторга...

— Задачу уточнил? — негромко спросил Николай.

Лицо генерала Лютого разом осунулось, стало хищным. Вот-вот укусит...

— Толь Толич... — с нежностью глядя на задерганного шефа, взмолился красавец подполковник. — Ну ты шепни хотя бы... Уничтожать его или как?..

Собеседники не были колдунами, иначе они бы ни за что на свете не расположились таким вот образом — поперек силовых линий. Какое ж тут, к черту, согласие — если поперек? Имейся у Лютого и Выверзнева допуск в глубокий астрал, от внимания обоих не ускользнуло бы и то, что за спинами у них, предвкушая близкую ссору, уже собираются со всего здания МВД эмоционально оголодавшие страшки и прочая незримая погань.

— Коля... — хрипло, с угрозой выговорил Лютый, рывком ослабляя узел галстука. — Я ж тебя насквозь вижу, Коля... Все ведь назло делаешь, так и норовишь подставить. Африкана вон в столицу допустил! Домового у любовницы прячешь!.. Ты о двух головах, что ли?..

— Ка-кого домового? — ошалело переспросил Николай. — У какой любовницы?

— У Невыразиновой!

— Это Невыразинова — любовница?.. Да ты же мне сам дал задание ее прощупать!

— Так я тебе в каком смысле велел ее прощупать?.. А ты в каком? Сколько ты на нее одной валюты извел?..

— А вот этого не надо, Толь Толич!.. Список расходов был к отчетам приложен! Я ж тебя почему каждый раз прошу задачу конкретнее ставить? Надо же, любовница! Ты на себя посмотри! Второй таунхауз строишь! На жалованье, да?..

— А ты... А ты... — Генерал уже задыхался. — А кто с дымчатых дань собирает?.. Ба-тяня!..

— Да я-то хоть с дымчатых!.. — огрызнулся Николай. — А ты уже вконец оборзел — западных союзников шелушить!..

— Обидно тебе... — не унижаясь до оправданий, гнул свое генерал. — Понимаю — обидно... Образование — юридическое, в уголовном розыске побегать успел... до распада области... Только не подсидишь ты меня, Коля, не надейся... И знаешь почему?..

Выверзнев надменно вздернул брови. На высоких скулах подполковника обозначился легкий румянец.

— Почему? — с вызовом спросил он.

— Да потому что это я!.. — Ощерившись и слегка присев, генерал ударил себя кулаком в жесткую костистую грудь. — Понимаешь?.. Я!.. Еще когда участковым был! Это я их брал на том продовольственном складе, понял?.. Я их сажал, а не ты! И Никодима, и Глеба...

Он распустил узел окончательно и, пройдясь по кабинету, сердито выглянул в окно. По тротуару с гиканьем и свистом ехал казачий строй... Собственно, не ехал, а шел, но фуражки с околышами были заломлены под таким немыслимым углом и сами станичники столь лихо пригарцовывали на ходу, что невольно казалось, будто они, хотя и пешие, а все же как бы на лошадях... На противоположной стороне улицы имени Елены Блаватской под вывеской «Афроремонтъ» стоял и с восторгом скалился на широкие казачьи лампасы ливрейный негр цвета кровоподтека...

Надо полагать, станичники возвращались с похорон Есаула, по слухам, ведшего род от самого атамана Баловня и всю жизнь старавшегося подражать своему знаменитому предку...

Колеблется, колеблется казачество: по колхозам тоскует, по храмам... И хочется, и колется... В Лыцке-то вон и храмы, и колхозы, зато в Богадушу не заругаешься, а без этого тоже нельзя...

Генерал обернулся. Лицо его заметно смягчилось. Теперь оба собеседника смотрели друг на друга уже не поперек, а вдоль силовых линий — и ссора мгновенно угасла, не успев разгореться как следует.

— Раньше-то что ж молчал?.. — виновато молвил Николай, как бы невзначай касаясь кнопки диктофона. — Ну и что он, по-твоему, за человек?..

— Выключи, — буркнул генерал.

Подполковник пожал плечами и выключил. Генерал хмурился, оглаживая старый шрам на запястье — явно след от собачьих челюстей. («Овчарка? — машинально прикинул Николай. — Нет, скорее мастиф...») Оконные стекла заныли, грозя лопнуть... Опять эта палубная авиация!.. Ну вот какого лешего они болтаются над Баклужино?.. Здесь-то им чего разведывать?..

— Отморозок... — нехотя проговорил наконец Лютый. — Отморозком был, отморозком остался. Укусил вот тогда... при задержании...

— Я не о том, — сказал Николай. — Чего от него ждать?

— Ничего хорошего... — Лютый вздохнул. — Тогда ничего хорошего, а уж теперь... Кстати, не вздумай перевербовывать! И сам тоже гляди... не перевербуйся... Ну, чего смотришь? Нет нам смысла перевербовываться, Коля. Нету...

Стекла продолжали ныть.

— Знать бы точно, зачем его сюда Порфирий наладил... — как бы не услышав последних слов шефа, промолвил Николай. — Запросили агентуру в Лыцке — молчит пока...

Генерал с интересом повернул голову:

— Думаешь, Порфирий все это затеял?

— Ну, не сам же Африкан, в конце-то концов! Если бы сам — хрен бы он здесь такие чудеса творил!.. Его бы тогда в шесть секунд из Политбюро вышибли и статуса лишили... Там ведь с этим строго: дисциплина, иерархия...

— Да, верно... — подумав, согласился Лютый. — Ну так что делать-то будем?

Подполковник уныло шевельнул высокой бровью.

— Усилю сегодня засаду... в краеведческом... Пожалуй, Павлика с Сашком подошлю. Какие-никакие, а все-таки колдуны, ясновидцы... Старые связи проверю... Хотя подполье-то давно уже на нас работает, чего там проверять? — Внезапно Николай замолчал и с любопытством поглядел на генерала. — Слушай, Толь Толич... А ты чего так испугался, когда я сказал, что он босой?..

— Ч-черт его знает... — помявшись, признался генерал. — Шел-шел в ботинках — и вдруг разулся... Аж не по себе стало!.. До сих пор вон мурашки бегают...

Как бы стряхивая наваждение, мотнул головой и в тревожной задумчивости направился к выходу. Уже ступив на порог, обернулся. В желтоватых глазах генерала Николай увидел искреннее и какое-то совершенно детское недоумение.

— И ты ж ведь смотри, как все странно выходит!.. — то ли подивился, то ли посетовал шеф. — Ну а если б я, скажем, тогда на складе не Африкана, а Глеба дубинкой огрел?.. А?.. Хрен бы ведь стал генералом...

Хмыкнул и, озадаченно покачивая жесткими проволочными сединами, вышел из кабинета.

Да, при такой раскладке Лютого, пожалуй, и не свалишь... По опыту Николай знал, что, если кого сажаешь правильно, не навешивая лишнего, он тебе потом будет всю жизнь благодарен. А с другой стороны, приди тогда к власти не Глеб, а Никодим (он же Африкан) — ох и припомнили бы кое-кому ту резиновую дубинку... Нет, но каков поворот!.. Оказывается, у бывшего участкового — старые счеты с протопарторгом... Любопытно, любопытно. Толь Толич — мужик злопамятный, укуса наверняка не простил. А тут Африкан переходит границу, представляется возможность расквитаться... И как же ведет себя генерал Лютый? А никак... Спихнул все на подполковника Выверзнева — и устранился... Надеется, что Николай на свой страх и риск попробует убрать Африкана? Ну что ж, надежда — чувство благородное...

А вот с чего это он Невыразинову приплел? Как всегда, к слову? Да нет, не похоже. «Домового у любовницы прячешь...» Вполне конкретное обвинение... О каком же это он домовом? Уж не о том ли, с которым протопарторг границу переходил?.. Да нет, не может быть!.. Хотя... Если в происходящее, не дай Бог, вмешалась Ника Невыразинова, то жди чего угодно!.. И перед содрогнувшимся Николаем невольно возникло маленькое, как бы чуть приплюснутое лицо Ники. Глаза — размера на два больше, чем следует, высокая шея... Вообще было в ее облике что-то от «тойоты» последней модели: красиво, но непривычно.

Как это ни рискованно, а придется к ней сегодня заглянуть. Но не сейчас. Попозже...

Конечно, в другое время загадочная фраза генерала Лютого заставила бы Николая насторожиться куда сильнее, но дело в том, что астральный микроклимат в помещении резко изменился. Почуяв приближающийся скандал, в кабинет стаями начали сплываться не только страшки, но и угланчики. Однако ссора не состоялась, и вся эта незримая прожорливая мелюзга мигом подъела отрицательные эмоции, нарушив энергетический баланс. Поэтому, оставшись в одиночестве, подполковник Выверзнев еще около получаса пребывал в легкой эйфории, граничащей с полной утратой бдительности...

Насвистывая что-то народное лирическое, он повернулся к компьютеру и вывел на монитор данные по «Красным херувимам». Та-ак... Клим Изузов. Глава фирмы «Дискомфортъ». В прошлом — рэкетир. В еще более глубоком прошлом — правая рука Никодима Людского. Не вмешайся вовремя Выверзнев, влепили бы Климу пожизненное зомбирование, и горбатился бы сейчас Клим возле Передвижников в зоне номер три... Далее... Панкрат Кученог. Глава

фирмы «Ограбанкъ». В прошлом — то же самое...
Ну, на этом вообще клейма негде ставить. Вот с них
двоих, как всегда, и начнем...

Существует широко распространенное заблуждение, якобы правоохранительные органы не унич
тожают преступность из боязни лишиться работы.
Все это, конечно, измышления досужих газетчи-
ков... На самом деле преступность не уничтожают
совсем по другой причине. Начнем с того, что ис-
коренить ее до конца просто невозможно, поскольку свято место пусто не бывает. Отправив к стенке
или за решетку старых испытанных уголовников,
с которыми следователи давно сработались, а кое
с кем даже и сдружились, ты тем самым освобож-
даешь жизненное пространство для подрастающе-
го поколения воров и бандитов. И как оно себя,
это поколение, поведет, ты не знаешь, но можно
поспорить, что хуже, чем предыдущее... Так какой
же смысл менять шило на мыло?

Вот и незабвенный шеф охранки Сергей Васи-
льевич Зубатов в свое время говаривал: не все кор-
чевать — когда и насаждать. Мудрец был, ах мудрец... На то и правоохранительные органы, чтобы
вместо бездумного уничтожения преступности беречь ее, культивировать, организовывать, приво-
дить в более или менее цивилизованный вид. Организация — великое дело... В конце концов, что
такое государство, как не наиболее организован-
ная и многочисленная преступная группировка?..

Так (или приблизительно так) благодушно размышляя между делом, Николай Выверзнев почти
уже составил план оперативных мероприятий на

сегодняшнюю ночь, когда его отвлек внутренний телефон.

— Николай Саныч? — подобострастно осведомились на том конце провода.

— Слушаю... — рассеянно отозвался он.

— Капитан Коцолапов. Уголовный розыск Баклужино...

— Слушаю, — повторил Николай.

— Тут воришка пришел с повинной. Явно по вашей части...

— Воришка?.. Хм... Ладно, ведите...

Подполковник Выверзнев, недоумевая, положил трубку. «По вашей части...» Этак они скоро бомжей к нему таскать начнут.

Уголовный розыск и контрразведка располагались в одном и том же здании, но в противоположных крыльях. Вскоре в дверь вежливо постучали и, получив разрешение, ввели раскаявшегося преступника. Был он жалок с виду и сильно хромал на правую ногу, касаясь пола лишь кончиками пальцев. Поврежденная ступня — спеленута грязной тряпицей. В отнесенной как можно дальше руке жулик нес за шнурки высокие ботинки солдатского образца. Обширная мордень сопровождающего милиционера была как-то слишком уж насуплена и странно подергивалась, точно владелец ее из последних сил удерживался от зычного утробного гогота.

— Садитесь, — сухо сказал Николай, указав подбородком на стул.

Воришка бережно, с опаской поставил ботинки на пол и неловко сел. Всхлипнул — и принялся разматывать тряпицу. Размотав, поднял босую ногу — пяткой к подполковнику. Тот сначала не понял, подумал — опухоль какая-то хитрая, сильно запущенная... Потом наконец дошло.

— Йо-о... — только и смог вымолвить Николай. — Слышь, мужик... Да где ж это тебя так угораздило?..

— На двадцать пятом километре... — размазывая слезы по небритым щекам, простонал несчастный. — Смотрю: сидит прямо на обочине, отдыхает, к столбу привалился... Ботинки рядом стоят... Ну я их и...

Дальнейшее потонуло в рыданиях.

Выверзнев встал из-за стола и подал пострадавшему воды.

— Ну-ка, покажи еще раз... — хмуро приказал он, забрав пустой стакан. Брезгливо осмотрел поднятую пятку. — Й-эх... Да не суй под нос!.. Ну а как он выглядел-то? Тот, у кого ты ботинки стянул...

Злобно скривясь, воришка смотрел на подполковника сквозь стремительно просыхающие слезы:

— А как еще может Африкан выглядеть?.. Ряса, орден...

— Стоп! Так ты что, знал, у кого крадешь?!

Воришка скривился пуще прежнего:

— Ага, знал! Кабы знал, я б к нему и близко не подошел!

— А с чего взял, что это вообще Африкан?

— Ну а кто же?.. — Он снова всхлипнул. — Кто у нас еще такое сможет?.. Увидел: нет ботинок — взял и сказанул... со зла!.. А я, главное, обулся, дурак, на радостях, иду себе... Чуть не помер, пока расшнуровал...

Выверзнев метнул строгий взор на взгоготнувшего все-таки милиционера и вернулся за стол.

— Расколдуйте... — сдавленно попросил незадачливый воришка. Ногу он держал на весу, перехватив ее под коленкой обеими руками.

Николай усмехнулся — не без злорадства.

— А вот раньше надо было думать — когда правонарушение совершал! — назидательно молвил он. — Тут тебе не то что контрразведка, вся Лига Колдунов — и та не поможет... Это ж не сглаз, это чудо... Вот погоди, поймаем Африкана...

Калека тихонько завыл. Он явно не верил во всемогущество баклужинской контрразведки. Николай, морщась, набрал номер и попросил зайти Павлика. Положил трубку и снова поглядел на воришку — на этот раз с нездоровым любопытством.

— Слышь, мужик... — позвал он, понизив голос. — А у тебя как? Вырос или просто на другое место перескочил?..

— Вырос... — плаксиво отвечал несчастный. — Мой-то — на месте... Вот...

И он с готовностью взялся за ширинку.

— Не надо, — поспешно сказал подполковник. — Верю...

Сдав Павлику жертву Африкана вместе с ботинками, Николай Выверзнев встал и прошелся по кабинету, задумчиво потирая подбородок. Ну, с обувью, во всяком случае, разобрались... Но каков протопарторг!.. Крут, ох крут!.. Стало быть, одно из двух: либо работать с ним мягко и бережно — так, чтобы, упаси Боже, не обиделся, либо жестко и быстро — так, чтобы ничего не успел...

Глава 8. ПАНКРАТ КУЧЕНОГ,

ТРИДЦАТЬ ЧЕТЫРЕ ГОДА, ПОДПОЛЬЩИК

Вывернувшись на проспект с улицы имени Елены Блаватской, по тротуару с гиканьем и свистом ехал казачий строй... Собственно, не ехал, а шел, но фуражки с околышами были заломлены под таким немыслимым углом и сами станичники столь лихо пригарцовывали на ходу, что невольно казалось, будто они хотя и пешие, а все же как бы на лошадях...

Схоронили, стало быть, Есаула...

Панкрат Кученог (тот самый светлый муж, что когда-то вывел за руку протопарторга из темницы) нахмурился, дернул углом рта и, коснувшись кнопки, убавил прозрачность оконного стекла. Казачество он недолюбливал — до сих пор не мог ему простить 1613 год, атамана Неупокой-Каргу и роковой выстрел из пищали по чудотворному образу.

Однако сейчас его занимало другое...

«К-к-кто же я т-такой?.. — мучительно думал Панкрат, заикаясь чисто по привычке. Это случалось с ним каждый раз, когда он пытался мыслить членораздельно, то есть словами. — Т-теневик или в-все-таки п-п... п-подпольщик?..»

Оглянулся через нервное плечо и с неприязнью окинул оком просторный офис. В офисе было прохладно и гулко. Известный террорист (он же эксперт по ксенофинансам) Аристарх Ретивой, развалясь в полукресле, морщил лоб над толстенной книгой.

Почувствовав, что Панкрат на него смотрит, Ретивой поднял округленные малость глаза и, как бы оправдываясь, поцокал ногтем по странице.

— Не, ну крутой Исайя!.. — хрипловато восхитился он. — Пророк в законе, да?.. Ты послушай, какой у него базар — завидки берут... — И далее — напевно, с наслаждением, точно затверживая наизусть: — «Против кого расширяете рот, высовываете язык?..»

Узловатые пальцы его при этом дрогнули и растопырились над книгой. Действительно, произнести такое без распальцовки было просто немыслимо.

«П-переродились... — глядя на Ретивого, с горечью думал Панкрат. — П-партийную к-кассу уже а-общаком н-называем... Ш-штаб-к-квартиру — х-хазой...»

Возглавляемая им фирма «Ограбанкъ» являлась официальным прикрытием террористической организации «Красные херувимы», одним из лидеров которой опять-таки был он, Панкрат Кученог. Проблема же заключалась в том, что в последнее время глава боевиков напрочь перестал различать, когда он действует по идейным соображениям, а когда по рыночным... Это ведь только нам, жалким обывателям, все равно, с какой целью нас берут в заложники: обменять ли на томящегося в заключении пламенного революционера, или же так — для выкупа... По узости нашего мышления мы даже не в силах уразуметь, в чем, собственно, состоит разница между политическим деянием и уголовным, тем более что их и впрямь легко спутать...

Но мы-то — обыватели, а он-то — Панкрат Кученог...

Должно быть, волосатый отступник Виталя в самом деле не читал газет и не смотрел телевизор — иначе бы ему было известно, что подполье ни в коем случае не распалось и вполне исправно продолжает поставлять баклужинской и мировой прессе темы для сенсационных материалов.

Да и протопарторг Африкан, выспрашивая Виталю о состоянии дел, видимо, слегка кривил душой. Ну кто поверит, что второе лицо государства знакомится с зарубежными новостями, читая официальный орган Лыцкой Партиархии, им же самим курируемый! Скорее всего беглый чудотворец просто-напросто испытывал Виталю, а заодно и прощупывал настроения народных масс...

Теперь уже мало кто помнит об этом, но изначальной целью организации «Красные херувимы» являлся отнюдь не террор, а вполне соответствующая букве закона пропаганда революционной активности в рамках истинно христианского смирения.

Когда же пришедшие к власти колдуны ни с того ни с сего по нахалке взяли Африкана неподалеку от краеведческого музея и пришили ему попытку похищения чудотворного образа, стало ясно, что одной пропагандой не обойдешься. И убежденный трезвенник Панкрат Кученог вынужден был спровоцировать грандиозную пьянку прямо на службе у своего родного дяди, работавшего тогда (да и сейчас тоже) в Министерстве внутренних дел. Дальнейшее известно из секретного файла, представленного генералом Лютым подполковнику Выверзневу: решетки отверзлись, замки распались... ну и так далее. Одно непонятно: каким образом жгучий брюнет Кученог ухитрился оттиснуться в памяти свидетелей в образе светлого мужа, то есть, по всем признакам, блондина?.. Хотя, с другой стороны, чумахлинский самогон — зелье весьма коварное, так что сотрудники КПЗ запросто могли допиться до полного негатива. На ту же мысль наводят зафиксированные в протоколе угольно-черные голуби на свежеуложенном белом, как кипень, асфальте.

Браконьер Якорь, и раньше выполнявший за умеренную плату кое-какие поручения «Красных херувимов», переправил Африкана на лыцкий берег, а сам Панкрат вернулся в Баклужино, где вместе с Климом Изузовым возглавил осиротевшую организацию. После неслыханно дерзкого побега протопарторга «Красным херувимам», естественно, грозили повальные аресты. Дяде — тому просто светил трибунал... Но, к удивлению Панкрата, ни арестов, ни чистки рядов МВД так и не последовало. Как выяснилось позже, генералу Лютому очень уж не хотелось обратно — в участковые, и происшествие оформили как чудо, совершенное при отягчающих обстоятельствах. Дело было явно липовое. Чтобы сотворить диво, которое ему шили, Африкану бы потребовалась поддержка по меньшей мере четверти населения Баклужино, в то время как на недавних выборах за него (по официальным данным) проголосовали от силы десять процентов избирателей! Тем не менее Президент Глеб Портнягин помычал, поморщился — и оставил историю без последствий... Вообще такое впечатление, что побег Африкана устраивал всех. Даже членов подполья.

Колдунов Кученог не терпел с отрочества за то, что они его, суки, сглазили. Жутко вспомнить: до двадцати лет ходил и подергивался — дурак дураком. Парни скалились, девки шарахались... Взвыть впору от такой жизни! А попробуй взвой — если заика!.. Спасибо, встретил Африкана — право слово, как заново родился! Подергиваться и заикаться, правда, не перестал, но хотя бы понял, что делать... Мочить их, гадов, до последнего экстрасенса!..

Но Африкан сказал: «Рано...» — чем сильно разочаровал Панкрата. Спорить, однако, не приходилось, рано — так рано. И вот наконец, переправив друга и учителя через Чумахлинку, Кученог почувствовал, что руки у него развязаны...

Все же, оставшись в подполье за главного, он проявил неожиданную зрелость и решил на некоторое время затаиться. Черта с два ему это удалось!.. Вскоре столица была потрясена серией дьявольски рискованных и неизменно удачных покушений на видных членов Лиги Колдунов, причем каждый раз баклужинская пресса нагло заявляла, что ответственность за случившееся взяла де на себя подпольная организация «Красные херувимы». Нет, Панкрату и самому было бы лестно взять на себя такую ответственность, но совесть-то тоже надо иметь!..

Кученог начал подергиваться и заикаться пуще прежнего... Не отмени сгоряча Лига Колдунов смертную казнь, он бы заподозрил, что генерал Лютый с майором Выверзневым готовы уже своих замочить, лишь бы подвести его, Панкрата, под расстрельную статью. А покушения продолжались — одно удачнее другого... Наконец главному подпольщику надоела вся эта загадочная чертовщина, и он тоже решил вступить в игру. Первым от руки боевиков из организации «Красные херувимы» пал чародей Игнат Фастунов, спикер Парламента, близкий друг Президента. Поливальная машина, заправленная под завязку святой водой, окатила «мерседес» Игната прямо на проспекте Нострадамуса, затем от-

кинулись крышки канализационных люков — и
четверо террористов изорвали беспомощного колдуна в клочья автоматными очередями. Пули
были — из-под семи икон и с крестообразным про-
пилом.

Следующей жертвой подпольщиков должен
был стать сам Глеб Портнягин, но тут на конспиративную квартиру Панкрата заявилась баклужинская контрразведка в лице одинокого и безоружно-
го майора Выверзнева. Сдержанно поблагодарив
главу подполья за помощь, тот попросил вскрыть три
изъятых у него конверта и, если можно, развязать
руки. В одном из конвертов оказалась крупная сумма в долларах (за устранение Игната Фастунова),
в другом — сумма поменьше (за согласие публично принять на себя предыдущие покушения), в тре-
тьем — аванс.

Первым побуждением Панкрата было всадить
в провокатора всю обойму, но некий внутренний
голос (возможно, болтунец) тихо и внятно напомнил ему о скудном состоянии партийной кассы.
Кученог подергался еще немного, после чего спрятал пистолет и велел развязать мерзавца.

Нимало не смущаясь, гость размял запястья и
вежливо осведомился о дальнейших его, Панкрата, планах. Предполагая застрелить шантажиста
сразу после окончания беседы, Кученог с легким
сердцем сообщил ему про Глеба Портнягина. Майор понимающе наклонил голову и в мягкой учти-
вой форме предложил несколько иной план дей-
ствий. Портнягина пока трогать не стоит,

Портнягин — заказчик... А вот как насчет списка из конверта номер три? Обратите внимание: все как на подбор прожженные чародеи, нигроманты, дьяволисты... Может быть, их сначала? Платим, как видите, хорошо...

— Н-н-н... Н-на... — подергиваясь, сказал изумленный Панкрат. — Х-х... Н-на хрена?..

Выверзнев терпеливо дослушал вопрос и вкратце обрисовал обстановку. В Лиге Колдунов, изволите ли видеть, два крыла. И если правое исповедует белую магию, то левое явно тяготеет к черной. Нуте-с, стало быть, между этими-то двумя крыльями и разворачивается вся борьба. Президент, как известно, белый маг и дьяволизма на вздым не любит. Недавно вот издал Указ о непередаче души в чужие руки. Естественно, что черные тут же возмутились, закричали о подрыве экономики... «Души оптом» — слышали про такую фирму? На каждом перекрестке их перекупщики с плакатиками стоят: «Куплю душу, орден, часы в желтом корпусе». Чистый грабеж населения — за бесценок ведь скупают... А Указ это дело подсекает под корень... Так что в Парламенте сейчас раскол... И либо правые — левых, либо левые — правых... А вы — все-таки подполье... Кому ж, как не вам, вмешаться-то!.. Нет, мы, конечно, можем и сами, но...

Тут беседу пришлось прервать, поскольку Панкрата накрыло эпилептическим припадком. Впервые в жизни. Кученог не был силен в диалектике, поэтому ему просто никогда не приходило в голову, что чем ближе родственные души, тем сильней они друг друга ненавидят. Примирить их может лишь наличие общего врага. Будь Панкрат чуть наблюдательнее, он бы вывел эту истину самостоятельно, причем на чисто бытовом материале.

Почему, скажем, молодые супруги столь редко уживаются под отчим кровом? Зачем воюют со стариками, норовя отделиться? Да чтобы потом без помех закатывать друг другу скандалы! Так и в политике... Стоит кому сообща прийти к власти — глядь, уже через год две трети победителей отстранены, посажены, а то и вовсе расстреляны — причем своими же единоверцами, товарищами по партии...

Будучи приведен в чувство, лидер «Красных херувимов» первым делом удостоверился, что майора еще не прикончили, и велел оставить себя с ним наедине. Ранее баклужинская Лига Колдунов представлялась Панкрату единой темной силой. Теперь же он прозрел — ценой припадка. Так вот, значит, как у нас обстоят дела!.. Ну что ж... Если победившие на выборах чернокнижники принялись с дура ума уничтожать друг друга, то со стороны Панкрата просто грех не помочь им в таком благородном деле... В конце концов, это его партийный, да и просто человеческий долг. А заодно и касса пополнится...

— С-с... С-с... — решился Панкрат. — С-согласен...

Именно с этого момента подпольная организация «Красные херувимы» стала, так сказать, совмещать приятное с полезным. А поскольку каждый террористический акт подготавливали совместно с контрразведкой, осечек практически не случалось. Панкратом уже стращали детей («Не будешь тюрю кушать — Кученог заберет...»). Слышать о себе такое было, конечно, приятно, и все же грызли Панкрата сомнения... Правильно ли он сделал, вступив в сговор с врагом? Можно ли назвать честными те доллары, которыми он пополняет партийную кассу? Панкрат нервничал, у него резко ухудшилась речь, усилилось косоглазие... Наконец он не выдержал — и в знак протеста организовал покушение на заведомо белого мага, в списке, естественно, не значившегося...

Реакция подполковника Выверзнева (недавно его повысили в чине) на столь откровенное самоуправство поразила Панкрата.

— Слушай, а ведь ты прав... — задумчиво сказал ему при встрече подполковник (к тому времени они уже оба перешли на «ты»). — Как же это мы сами-то не просекли? Если устранять одних только черных, любой дурак догадается, что происходит. Давай-ка мы еще штучки три беленьких туда внесем... Для полного натурализма...

И подполковник с подпольщиком озабоченно склонились над списком...

Так прошло несколько лет. Панкрат стал поспокойнее, в глазах проглянула мудрая задумчивость, а дерготня и заикание пошли на убыль. Когда кто-нибудь из его бойцов предлагал по молодости лет совершить террористический акт безвозмездно, Панкрат только морщил узкое кривоватое лицо в улыбке и качал головой.

— З-запомни... — говорил он. — Одна цель — это н-не цель... Й-й... если бьешь — б-бей по двум... Л-лучше — по трем...

И бил как минимум по двум, нанося врагу одновременно и физический урон, и финансовый. То есть без заказа уже никого не мочил.

Время от времени из-за Чумахлинки пробирались связные с приветом от Африкана. Панкрат охотно сообщал о проделанной работе, причем устраненные колдуны проводились им по статье индивидуального террора, а полученные от Выверзнева доллары проходили как результат экспроприации, каковым они, по сути, и являлись. Клим Изузов отчитывался отдельно...

Криминальные баклужинские авторитеты уважали Панкрата и считали настолько крутым, что лезть в политику даже никому и не советовали. «Там у него уже все схвачено...» — со знанием дела говорили они...

В тот роковой год, когда опальный протопарторг, бежав из Лыцка, пересек по воде, аки посуху, государственную границу, в делах наметился некоторый застой: всех, кого нужно, уже убрали и заказов от Выверзнева больше не поступало. Вроде бы пришла пора заняться самим Глебом Портнягиным, но Кученог все еще выжидал, надеясь, что вдруг да перепадет напоследок хоть плохонький, а заказик. Когда партийная касса оскудевала окончательно, он брал какой-нибудь не слишком крупный банк и проводил прибыль по графе экономического подрыва демократии. До раскулачивания фермерских хозяйств — не опускался...

* * *

Аристарх Ретивой взглянул на часы и захлопнул книгу.

— На дело пора, — сказал он, поднимаясь из полукресла.

Кученог зыркнул на Аристарха сквозь неистово бьющееся веко. Никогда раньше он не принял бы заказа от коммерческой структуры — тем более на уничтожение компромата. Но, во-первых, Клим Изузов очень просил, а во-вторых, кто ж знал, что сейфы садоводческого банка, взятого на прошлой неделе, окажутся практически пустыми!..

Когда-то, спровадив Африкана в Лыцк, Панкрат Кученог и Клим Изузов поделили между собой обязанности, а заодно и личный состав подполья. Панкрат со своими боевиками должен был заняться собственно террором, а Клим — его финансовым обеспечением, для чего основал и возглавил коммерческую фирму «Дискомфортъ». Но тут как раз косяком пошли заказы от Выверзнева, и нужды в деньгах у Панкрата так и не возникло. Несколько лет подряд обе группировки существовали раздельно и независимо. Теперь же Клим крепко проворовался и кинулся за помощью к Панкрату, тоже присевшему на мель в связи с общим понижением спроса на теракты...

— С-сам... п-пойдешь?.. — полюбопытствовал Кученог.

— Новичка проверить надо... — нехотя отвечал Ретивой.

— Н-н-н... н-н... — начал было Кученог.

— Да в бойцы просится... — пояснил Ретивой, давно уже понимавший Панкрата с полуслова.

Он достал из кармана пульт и направил на стену. Нажал на кнопку — и добрая треть стены уехала вправо, открыв проход в соседнюю комнату, где расположившиеся в креслах боевики чистили оружие и окуривали ладаном партбилеты. Кто в рясе, кто в камуфле. В дальнем углу жужжала фреза. Там пропиливали накрест головки пуль.

— П-постой!..

Ретивой обернулся.

— Й-й... я т-тоже с-с... тобой...

Ретивой сочувственно покивал. Он знал, что это не просто прихоть. Ничто так не успокаивает расшатавшиеся нервы, как личное участие в деле. Хотя бы даже и в таком пустяковом... Впрочем, акцию, в которой задействован сам Панкрат Кученог, пустяковой уже и не назовешь, потому что была у Панкрата одна нехорошая, связанная с заиканием привычка — не одолев слова, сразу же открывать огонь на поражение...

— Только, слышь... — озабоченно предупредил Ретивой. — Ты уж не серчай, но говорить, если что, буду я...

— Вы к кому?.. — привскочил в вестибюле бритоголовый охранник в нарядном камуфляже — и осекся, уставившись на просторную рясу новичка.

— Не к тебе, не к тебе... — бросил, не повернув головы, Ретивой. — Живи пока...

Втроем они поднялись по устланным ковром ступеням на второй этаж. Новичок, следует отдать ему должное, вел себя неплохо и признаков страха не выказывал.

— Ты, главное, не тушуйся, — тем не менее втолковывал ему дружески Ретивой. — Не боги горшки обжигают... Я вот тоже поначалу тушевался. Закажут, бывало, знакомого — ой неловко... А потом ничего, привык... Стой! Пришли...

Он отступил на пару шагов, собираясь выбить дверь ногой.

— З-за... — недовольно предупредил Панкрат.

— Думаешь, заговоренная?.. — усомнился Ретивой, но на всякий случай внимательно осмотрел петли. — Да, гляди-ка, и впрямь заговорили... Эх ты! Еще и смык-траву под язычок заправили... нехристи беспартийные!..

Трижды перекрестил и перезвездил притолоку, порог, оба косяка, потом, достав плоскую серебряную масленку, залил концентрированной святой воды в петли и в замочную скважину. Зашипело, из увлажненных щелей поползли зеленоватые струйки дыма. В замке заверещала какая-то нечисть — и, судя по всему, сгинула.

Аристарх Ретивой снова отступил к противоположной стене и, пробормотав краткую молитву: «Верхи не могут, низы не хотят, аминь...» — вышиб дверь каблуком с первого удара.

Истерически задребезжал тревожный звоночек, замигала красная лампочка. Из соседнего кабинета высунулась на шум чья-то излишне любопытная голова, но своевременно скрылась.

— Так-то вот, новичок, — назидательно молвил Ретивой. — Знахарь бы какой-нибудь на нашем месте полдня с этой дверью провозился... А мы, видишь, с Божьей помощью...

Взял новичка за рукав рясы и ввел во вскрытое помещение. Мрачный Панкрат Кученог задержался на пороге, с сожалением озирая пустой коридор и нервно оглаживая рукоятку пистолета. Искомый атташе-кейс с компроматом вызывающе лежал на самом краю письменного стола.

— Бери, — приказал Ретивой.

Кандидат в боевики помедлил и протянул руку.

— Караул!.. Грабят!.. — скрипучим голосом отчетливо произнес атташе-кейс. Новичок опешил и вопросительно поглядел на Ретивого.

— Ты чего? — ласково сказал тот. — Это ж сторожок!.. Тот же болтунец, только фиксированный...

— Говорит: грабят... — понизив голос, сообщил новичок — и вдруг подмигнул таинственно.

Ретивой растерялся, удивленно взглянул на подельника и, пожав плечами, сунул кейс под мышку. Троица налетчиков покинула кабинет, спустилась по лестнице и, миновав вымерший вестибюль, направилась к джипу.

В небе громоздились облака и заунывно ревели турбины. По тротуару, всхлипывая и размазывая слезы по небритым щекам, хромал какой-то бродяжка. Правая ступня была туго спеленута грязной тряпицей. Странно... Завтра специальная комиссия ООН прибывает, а тут по проспекту бомжи шляются!.. И как это его еще до сих пор не забрали?..

— Караул!.. Грабят!.. — скрипуче раздавалось из-под мышки. — Караул!.. Грабят!..

— В контору, — приказал Ретивой, устраиваясь на заднем сиденье. Потом достал из-под куртки небольшой гвоздодер и, смочив его из той же серебряной масленки, с коротким хрустом вскрыл атташе-кейс.

— Караул!.. Гра... — скрипучий голос оборвался.

— Хм... — озадаченно молвил Ретивой, разглядывая извлеченные из кейса документы. — Взгляни-ка... Вроде то, что надо...

Панкрат, сидящий рядом с водителем, брезгливо принял бумаги через плечо, проглядел без интереса, хотел вернуть...

— Ну-ка, дай... — неожиданно послышалось с заднего сиденья — и властно растопыренная пятерня бесцеремонно сграбастала компромат.

Джип вильнул. Кученог и Ретивой остолбенели. Потом медленно повернулись к новичку — и остолбенели вторично. На заднем сиденье, вздернув пегие брови и сердито склонив обширную выпуклую плешь, сутулился, разглядывая неправедно добытые бумаги, протопарторг Африкан.

— Ну, здравствуй, Панкрат, — сурово молвил он. Потом, не повернув головы, перекатил глаза на Ретивого. — Здравствуй и ты, Аристарх...

— З-з... з-д-д... — очумело уставясь на протопарторга, завел было Панкрат, но слово заклинило — и рука чуть не дернулась по привычке за пистолетом.

Ретивой молчал как пришибленный, хоть и обещал давеча, что в случае чего говорить будет именно он, и за язык его, кстати, тогда никто не тянул!..

— Останови... — сказал протопарторг.

Водитель был совсем молод — Африкана, понятно, в глаза никогда не видывал, — тем не менее
поспешно сбавил скорость и притер джип к бровке метрах в двадцати от светофора.

— Ну, что ж, Панкрат... — задумчиво рек
протопарторг, тряхнув бумагами. — За
уголовщину — не похвалю. А вот что подполье
сохранил — молодец... — Открыл дверцу, поставил замшевую от пыли босую ногу на вымытый со
стиральным порошком асфальт. — В двадцать
один ноль-ноль собираемся у тебя в конторе. А до-
кументики эти, ты уж не обессудь, я сам Климу
занесу — ближе к вечеру... Думаю, потерпит...

Вылез, хлопнул дверцей — и пошел, не обращая внимания на тормозящие с визгом машины.
На бедре Панкрата тонюсенько затявкал пейджер.
Три восковые фигуры в салоне джипа ожили, шевельнулись. Не спуская безумных глаз с круглой
удаляющейся спины Африкана, Панкрат снял с
пояса крикливое устройство. Дождавшись, когда
спина окончательно скроется из виду, нажал кнопку и, по привычке заикаясь, прочел сообщение:

«Т-тетя п-при смерти. Ж-желательно т-твое п-присутствие в 1-1-16. 4-40. Д-дядя».

Контрразведка наконец-то решила порадовать заказом...

Подполье было поднято на ноги до последнего «херувима» — и через каких-нибудь полчаса Панкрат уже знал все. Доложили ему и про пешее пересечение водного рубежа с домовым на руках, и про утреннее чудо с гирей... Кученог был вне себя.

Да кто он такой, этот Африкан? Ах основатель... Скажите пожалуйста: основатель!.. Основатель чего? Чем были при нем «Красные херувимы»?.. Клубом! Сборищем болтунов!.. А теперь это боевая организация!.. При чем тут Африкан? Пока он там в Лыцке трепал языком в Политбюро и искоренял светофоры, здесь стреляли, взрывали, работали... А теперь — конечно! Явился! На г-готовенькое...

Мысли сменялись столь стремительно, что Кученог забывал заикаться. Ишь, чудотворец... выискался!.. Нет, ну вообще-то, конечно, чудотворец... Чумахлинку вон перешел по воде, аки посуху... Да, но первое-то, самое первое чудо!.. В камере предварительного заключения! Когда решетки распались, замки отверзлись... Кто это все сотворил? Сам Африкан?.. А вот хренушки! Кученог это все сотворил! Панкрат Кученог!.. Рискуя собой, дядей рискуя, черт побери!..

Панкрат, чуть не плача, метался по офису под понимающим сочувственным взглядом Аристарха Ретивого. Давно пора было вызывать врача и ставить главе подполья укол... Но Аристарх медлил, опасаясь показаться бестактным...

Вождь называется! Бросил организацию на произвол судьбы, то есть на того же Панкрата, а сам сел себе преспокойно в лодку — и на тот берег!.. Вожди так поступают?..

Однако в глубине души Панкрат Кученог прекрасно сознавал всю несправедливость своих упреков. Именно так вожди и поступают... Случая еще не было, чтобы поступили иначе... И чем яростнее порочил он в мыслях Африкана, тем явственней омывал отважное сердце террориста некий холодок. Вряд ли это был страх — скорее совесть. Все-таки протопарторг, что ни говори, сделал для Панкрата немало: подобрал, воспитал, заместителем назначил...

Короче, сложная это ситуация, когда ученик точно знает, что превзошел учителя, а учитель из чистого упрямства не желает признать себя превзойденным...

— Слушай... — покашляв, сказал Ретивой. — А может, нам его... м-м...

Панкрат замер и испепеляюще воззрился на товарища по партии. За долгие годы совместной работы он тоже привык понимать Аристарха с полуслова. Несколько секунд прошло в тяжелейшей внутренней борьбе.

— Н-нет... — бросил наконец Кученог почти без запинки — и Аристарх позволил себе слегка расслабиться. Насколько он знал Панкрата, ответ мог быть каким угодно: от согласия до выстрела в упор...

— Д-д...

— Домового — ищем... — со вздохом сообщил Аристарх. — Причем не мы одни...

— К-к...

— Да и контрразведка тоже...

— Б-б...

— Да и так уже стараемся...

Кученог, недовольный собой, кое-как преодолел косоглазие и взглянул на часы. Пора было ехать принимать заказ...

Звонок не работал, пришлось стучать. Дверь открыл сам подполковник Выверзнев. Хозяина квартиры он, надо полагать, по обыкновению, отправил прогуляться...

— З-з-з... — начал Панкрат.

— Здравствуй-здравствуй... — не дослушав, приветливо отозвался подполковник. — Как жизнь молодая?..

— Х-х...

— Вот и славно, — рассеянно молвил тот. — Ты заходи...

Расположились на кухне. От нервного глаза Панкрата не ускользнуло, что Выверзнев вроде бы немного не в себе. То ли чем-то раздосадован, то ли просто растерян... Впрочем, и сам Панкрат тоже пребывал не в лучшем настроении.

— Предупреждаю сразу: заказ необычный... — нарушил наконец молчание подполковник и на-

хмурился. — Вчера вечером твой друг и настав-
ник Никодим Людской перешел через кордон. Сегодня он объявился в столице... Да что я, собственно, тебе рассказываю! Ты же сам с ним недавно
говорил...

Панкрат сидел неподвижно, как изваяние. Даже
левое нижнее веко перестало биться. Ему предла-
гали устранить Африкана! На секунду перед внутренним взором Панкрата обозначились все благо-
приятные последствия этой сделки. Он остается
главой подполья. И никто не будет мешать ему в
борьбе с колдунами дурацким словечком «рано»,
никто не переподчинит его Лыцку. И малых детей
в Баклужино по-прежнему будут пугать Панкратом, а не Африканом...

— Значит, в чем необычность заказа... — покряхтывая, продолжал тем временем подполковник. — В том, что работать придется не как раньше, а скорее наоборот...

Наоборот. Ну, естественно, наоборот! Раньше
контрразведка подставляла колдунов Панкрату, а
теперь Панкрат должен будет подставить контрразведке протопарторга. Долг-то — он платежом
красен...

Ну нет! Зря надеетесь!.. (Левое нижнее веко за-
трепетало надменно.) Никогда Панкрат Кученог не
примет этого позорного заказа! Ах, подполковник-
подполковник... Ничему ты, видать, не научился! Ну
кто же дважды испытывает судьбу и совершает одну
и ту же ошибку? Первый раз Панкрат раздумал пристрелить тебя, когда ты был еще в чине майора —

несколько лет назад... Но теперь-то уж пристрелит как пить дать!.. Так что говори, говори...

Или все-таки, может быть... Истрепанное сердце Панкрата, болезненно сжавшись, приостановилось секунды на полторы, а воображение вновь соблазнительно перечислило все выгоды, проистекающие из скоропостижной кончины протопарторга...

— Короче... — Выверзнев поднял на Панкрата глубокие, чуть запавшие глаза и внятно произнес: — Африкан мне нужен живым, здоровым и на свободе... Обеспечь ему такую охрану, чтобы ни один волос у него с головы не упал. Как? Берешься?

Панкрат Кученог дернулся, придурковато закатил глаза, потом оpolз в конвульсиях с табуретки на дырявый линолеум кухни — и заколотился в эпилептическом припадке. Второй раз в жизни.

Глава 9. НИКА НЕВЫРАЗИНОВА,

ДВАДЦАТЬ ВОСЕМЬ ЛЕТ, СВОБОДНЫЙ ХУДОЖНИК

В детстве Нику Невыразинову учили играть на скрипке и по доброй тогдашней традиции часто при этом пороли. Придать ее шаловливым перстам привычную сухую беглость так, правда, и не удалось, зато удалось на некоторое время приучить их обладательницу к порядку. Невероятно, но даже выйдя замуж, Ника Невыразинова (фамилию она решила не менять) довольно долго сдерживала свои инстинкты. Однако к двадцати четырем годам воспоминания об отцовском ремне вымыло из памяти окончательно, и Ника, прочно осевши дома, предалась самому разнузданному эстетизму.

Любой, зачастую необходимый в хозяйстве предмет, попав ей на глаза, рисковал превратиться в произведение искусства, иными словами, в нечто, ни на что уже отныне не употребимое.

Внезапно надраенные до светлого сияния вилки втыкались в пробку от термоса, а возникшая в итоге ромашка водружалась на стену, где и висела до окончательного потускнения.

Есть приходилось исключительно ложками, как на поминках.

С людьми Ника обращалась столь же бесцеремонно и вдохновенно, прилаживая их по наитию друг к другу и азартно совмещая несовместимое. Всех своих друзей и подруг она успела свести и развести, а тех, кто не сообразил вовремя брызнуть опрометью, так даже по два раза.

И все-то у нее было не как у людей! Известно, к примеру, что нормальный человек (в смысле — не колдун) может увидеть домового, лишь став на пороге и глянув промеж ног. Так вот ни черта подобного! Приняв эту рискованную позу, Ника как раз ПЕРЕСТАВАЛА видеть домовых... Сама о том не зная, она опустила однажды целую группировку, когда бригада Голбечика вылетела от нее вся расчесанная, исцелованная, завитая и, что самое страшное, в голубеньких бантиках... В голубеньких, прикиньте!..

Слабая надежда на то, что супруг однажды возьмет ремень и вернет Нику обществу, исчезла после того, как в гости к ним затащили некого интуриста. Узрев на стене вышеупомянутую ромашку из вилок, он ахнул и спросил через переводчика, сколько этот шедевр может стоить. Ника, не думая, брякнула: «Тысячу!» — имея в виду, разумеется, тысячу ефремок. Гость, не чинясь, заплатил тысячу баксов, придурь стала профессией, а муж подал на развод.

Естественно, что, будучи иностранцами, покупатели Никиных шедевров шпионили напропалую. Вскоре Невыразиновой, на свою беду, заинтересовалась баклужинская контрразведка, и генерал Лютый дал круто идущему в гору майору Выверзневу секретное задание сблизиться с хозяйкой салона. Генералу и в голову не могло прийти, что Выверзнев (кобель известный!) давно уже сблизился с Никой и теперь не знает, как от нее отдалиться.

В отместку Николай потратил на мнимое сближение чертову уйму казенной валюты — и все равно считал себя обиженным...

В тот день Нике пришло в голову побелить скрипку...

Видение ослепительно белого смычкового инструмента на фоне обожженной разделочной доски было столь впечатляющим, что Ника немедленно вознеслась на табуретку и распахнула настежь створки антресолей, в чьей пыльной и мрачной глубине вполне могла таиться виртуальная банка водоэмульсионки, а еще лучше — нитрокраски.

Загрохотали, ссыпаясь на пол, тазики и помазки, а затем в пыльной и мрачной глубине что-то мягко шарахнулось, и перед отпрянувшей Никой воссияли два изжелта-зеленых зрачка.

Табуретка вывернулась из-под ног, и грохоту стало больше.

— Тихо ты! — прошипели с антресолей. — Распадалась!.. — И в темном прямоугольнике показалось мохнатое дымчатое личико — все в паутине и в известке.

— Утя-путя... — сложив губы в трубочку, проворковала лежащая на полу Ника, зачарованно глядя на обаятельное существо. Она вообще обожала все пушистое.

Вновь взметнулась на табуретку, и домовой отпрянул.

— Куда лапу тянешь? — прошипел он. — Попробуй тронь только — враз памяти лишу!

Нашел кого пугать! Не услышав угрозы, Ника попыталась провести ладонью по дымчатой шерстке, и домовой, осерчав, действительно лишил ее памяти.

Нашел чего лишать! Табуретка вывернулась из-под ног, и грохот повторился.

— Утя-путя... — сложив губы в трубочку, проворковала лежащая на полу Ника, зачарованно глядя на обаятельное существо. Вновь взметнулась на шаткий деревянный пьедестал, за что была лишена памяти вторично.

Грохот.

— Утя-путя...

Тут наконец домовой уяснил, что полеты с табуретки и обратно могут продолжаться до бесконечности, смирился и с оскорбленным видом позволил себя погладить.

— Все, что ли? — раздраженно осведомился он. — Теперь закрой дверцы, и если кто спросит — меня здесь нет, ясно? Чего уставилась? Ну скрываюсь я, скрываюсь!..

— Ка-кой пушистенький... — зачарованно глядя, молвила Ника.

— От кого, от кого!.. — передразнил домовой, тоже, видать, не слишком вслушивавшийся в слова собеседницы. — От кого надо, от того и скрываюсь!

— Расче-ешем... — мечтательно молвила Ника.

— Подставился, вот почему! — сердито ответил он. — Обложили, гады, со всех сторон...

— И бантик на шейку...

— Да свои же, лыцкие! — с надрывом объяснил домовой.

Но тут дверной колокольчик (электричества Ника избегала, где только могла) звякнул, как заикнулся, — и в прихожей на секунду возникла чуткая тревожная тишина.

— Створки закрой! — тихонько взвизгнул домовичок.

Такой взвизг обычно издает загнанная в угол кошка, и Ника даже опомнилась слегка, что, кстати сказать, случалось с ней крайне редко. Во всяком случае, она, не переча, захлопнула дверцы и, спрыгнув с табуретки, пошла открывать.

— А спросят, почему тазики на полу, — прошелестело из закрытых антресолей, — скажи: барабашки отвязались!..

То ли норов такой, то ли аура медом намазана, но скандалы к себе Ника так и притягивала. Учрежденное Портнягиным Бюро астрального климата постоянно отмечало в своих сводках зону повышенной напряженности на углу проспектов Нехорошева и Нострадамуса, причем эпицентр таинственной напряженки каждый раз приходился на квартиру номер десять. Попытки объяснить это явление чисто естественными причинами убедительными не кажутся, поскольку, пока там проживали прежние хозяева, с астралом все было в порядке...

Когда Ника, захлопнув за домовичком створки антресолей, спрыгнула с табуретки и пошла открывать, ей еще, разумеется, было невдомек, что двухкомнатка уже обложена сверху, снизу, а также со всех четырех сторон, включая проспект Нехорошева.

А началось с того, что в одиннадцать часов утра глава лыцкой диаспоры домовых Кормильчик, заметно перепуганный, лично объявился в здании МВД республики и потребовал встречи с подполковником Выверзневым. Однако Николай к тому времени уже выехал со своими орлами в Чумахлу — расследовать чудо с гирей. Тогда отчаявшийся Кормильчик, рискуя навлечь на себя гнев Батяни, прямиком вышел на генерала Лютого и сообщил ему о появлении в столице того самого домового, что вчерашним вечером пересек Чумахлинку вместе с Африканом.

Город немедленно был разбит на квадраты, начался розыск. Подняли всю нежить Баклужино — и дымчатых, и разношерсток, подключили колдунов... Уже к полудню генералу смущенно доложили, что беглеца в столице не обнаружено.

Лютый задумался. За три часа домовой никак не мог достичь городской черты — ножки коротковаты... И генерал обратился к оперативной карте. Насчитывалось всего четыре объекта в городе, не обысканных дымчатыми бойцами Кормильчика. Правое крыло краеведческого музея для них недоступно, поскольку там хранится чудотворная икона... Офисы фирм «Дискомфортъ» и «Ограбанкъ» ежедневно окропляются святой водой — стало быть, тоже не в счет. И что остается? Остается, как всегда, квартира гражданки Невыразиновой. Вот туда нечисть способна в принципе проникнуть, но только не местная — пришлая... Местная не рискнет...

Сначала генерал хотел сразу же выправить ордер на обыск, но подумал и решил лишний раз ни себя, ни Выверзнева не подставлять. Тем более что уж здесь-то подполковник скорее всего был чист. Во-первых, стопроцентное алиби, во-вторых, концы он обычно хоронил на совесть. А в данном случае прямо-таки лезли в глаза не свойственные Выверзневу неряшливость и небрежность... Прятать преступника у любовницы?.. Нет-нет, совсем на него не похоже...

Кроме того, заподозрить Николая Выверзнева в двойной игре означало отстранить его от дела. На это генерал Лютый просто не имел права — особенно сейчас, когда Николай был позарез ему необходим для отмазки перед Президентом. Многоопытным нутром бывший участковый давно уже чуял, что Кондратьича не удовлетворит любой исход следствия и что придется искать крайних... А крайним, по замыслу генерала, должен был стать именно подполковник Выверзнев...

Короче говоря, Лютый счел наиболее мудрым мягко намекнуть Николаю при встрече, чтобы тот разобрался со своей пассией, самому же больше в это дело не соваться. Вдобавок отвлекли тревожные сообщения с двадцать пятого километра относительно босоногости протопарторга, о чем генерал с перепугу доложил Президенту, получил втык — и загадочный дымчатый беженец как-то сразу отошел для него на второй план...

Для него, но не для остальных. Остальные продолжали работать.

Стены, примыкающие к квартире номер десять, равно как и смежные помещения, буквально кишели домовыми дымчатой масти. Кормильчик, остро чувствуя свою вину перед Батяней (сначала упустил беженца, потом вышел на генерала, минуя основного покровителя), готов был землю рыть, лишь бы загладить эти досадные оплошности.

В подъезде, во дворе и на крыше, якобы не замечая друг друга, дежурили сотрудники контрразведки и террористы из «Красных херувимов», ибо Панкрату тоже почему-то запало в голову, что домовому, которого протопарторг на руках носит, наверняка известна истинная подоплека возвращения Африкана в Баклужино. Кроме того, поодаль, непонятно, на какой навар надеясь, отирались шестерки ныне покойного Есаула и кинутого им на пятнадцать сребреников Черепа... Ну и, само собой, несколько представителей иностранных спецслужб...

Знай об этом хозяйка квартиры, на звонок она все равно бы открыла. Подобно горьковскому буревестнику, Невыразинова приветствовала бурю и очень плохо переносила штиль. И буря, как правило, ждать себя не заставляла — являлась по первому зову, готовая к услугам...

Итак, ни секунды не колеблясь, свободная художница отвела защелку и настежь распахнула дверь (она все распахивала настежь!). На сплетенном из тряпочек произведении искусства, предназначенном для вытирания ног, сильно скособочившись и мелко помаргивая левым веком, стоял и непонятно куда смотрел жгучий брюнет — худой, невысокий, с кривоватым узким лицом.

— Г-г-г... — загыгыкал он, затем содрогнулся и зачем-то порывисто сунул правую руку за борт пиджака.

Ника с недоумением вгляделась в странного незнакомца, но уже в следующий миг зрачки ее расширились.

— Наконец-то! — восторженно взвизгнула она, кидаясь на шею гостю. — Кому только не говорила!.. Аристарху говорила! Песику говорила! Где Кученог? Приведите мне Кученога! Такой лапушка!.. Террорист! Подпольщик! Я просто обязана выпить с ним на брудершафт!..

Разумеется, Панкрат не ожидал столь бурной встречи. Кроме того, он еще не совсем оправился от недавнего припадка — и, практически не оказав сопротивления, позволил втянуть себя в прихожую, где сопротивляться было уже бессмысленно. С грохотом повалилась табуретка, загремели тазики, из-под ног враскат побежали помазки.

— Не пугайтесь, у меня так всегда!.. — С этими гордыми словами Ника подставила скулу для поцелуя, и вконец деморализованный Кученог вынужден был неумело к оной приложиться...

Известно, что царя играет свита. К сожалению, Панкрат ни разу не слышал об этом старом сценическом правиле — иначе бы он ни за что не оставил своих бойцов двумя этажами ниже. Глава подполья искренне полагал, что его одинокого появления будет вполне достаточно, чтобы все пали ниц — и хозяйка квартиры, и дымчатый наперсник Африкана.

Понадеялся, короче, на свое грозное имя. «Не будешь тюрю кушать — Кученог заберет!..» Нашел кого пугать! И главное — чем!..

Гордыня нас губит, гордыня!.. Хотя, появись он на пороге в сопровождении всей своей команды и с оружием наготове, реакция Ники, как мы вскоре увидим, была бы той же самой... А если вдобавок учесть, что Кученог вел трезвую безгрешную жизнь подпольщика и, сызмальства боясь женщин, предпочитал различать людей не по признаку пола, но исключительно по партийной принадлежности, то беззащитность его в данной ситуации становится очевидной.

— Й-й... й-й... — Он все-таки попробовал упереться, но безуспешно. Его уже сажали в кресло.

— Нас так мало!.. — вдохновенно вещала Ника. — Нас!.. Творческих людей!.. Так мало!.. Нам надо встречаться!.. Как можно чаще!.. Я понимаю: некогда — теракты... Теракт — это вызов!.. Это вызов системе!.. Это вызов всему!.. Что вы чувствуете, совершая теракт?.. Я тоже хочу совершить теракт! То есть не-пре-менно возьмите меня на дело!.. И вот попробуй только не взять!.. Куда ты из Баклужино денешься?..

Как всегда до распития благородного напитка на брудершафт, к гостю она обращалась то на «ты», то на «вы».

Главарь боевиков судорожным движением отер покоробленный, взмокший лоб. Надо было что-то сказать... Но как?! Как это сделать, если зазора между словами Ника — Бог ей судья! — не оставляла вообще? Пока Панкрат пытался вспомнить, что он чувствует, совершая теракт, она уже трижды успела сменить тему.

— Голова у мужчины должна быть чистая и пушиться!.. Если у мужчины сальные волосы — он для меня вообще не мужчина!..

Кажется, Кученога уже отчитывали за давно не мытую башку.

— Н-н...

— Глава подполья!.. — в мистическом восторге восклицала Ника. — Это значит — черное ка-

шемировое пальто!.. Шляпа с мягкими полями!..
Белое кашне!.. Но не пиджачок!.. Пиджачок сни-
жает образ!..

Тут Кученог окончательно уяснил, что за Никой ему не поспеть в любом случае, и попробовал
приступить к делу напрямик, минуя светскую беседу.

— Д-д... — начал было он, но тут в руке у него
откуда-то взялась бутылка чумахлинского шампанского — и пришлось ее вскрыть. Ахнуло, как
при покушении. Буйно закудрявилась пена, и Панкрата внезапно посетила тоска профессионала по
навинченному на горлышко глушителю...

Страшная это штука — профессиональное
мышление. Те, что снаружи, разумеется, поняли все
превратно... За распахнутым настежь окном мот-
нулось нечто вроде гигантского маятника — спецназовец на веревке. По счастью, Панкрат Кученог
сидел к происходящему спиной — поэтому обошлось без жертв. А то бы снял влет. Чисто реф-
лекторно...

Впрочем, спецназовец оказался приметлив и со-
образителен. Уже отмахнув полпути, он разглядел,
что в руках Панкрата не пистолет, а бутылка. Ухит-
рившись в последний момент изменить траекто-
рию, отважный контрразведчик с маху вплющил-
ся в стену рядом с окном и, видимо, за что-то там
ухватился. Внимания на него не обратили, поскольку шума он произвел немного, а тут еще отвлек
нервно задергавшийся дверной колокольчик.

Ника поставила бокал на столик, выпорхнула в прихожую и распахнула входную дверь. Настежь, естественно...

— Аристарх!.. — в восторге взвизгнула она, бросаясь на шею Аристарху. — Да ты моя умница! Я так тебе благодарна!.. Такая лапушка твой Кученог!.. Общительный! Обаятельный!..

Нет, нужно, конечно, быть Никой, чтобы при всём при том не заметить дюжину наставленных на тебя стволов!

— Ой, да ты с друзьями! — обрадовалась она. — Заходи! И они пусть заходят!..

— Нет... — несколько деревянным голосом отозвался Аристарх. — Я, пожалуй, зайду, а им некогда...

Ника заметно огорчилась, но особо убиваться не стала — всё-таки главной её добычей был сам Кученог...

Завидев непьющего Панкрата с бокалом шампанского, Ретивой остолбенел, а когда наконец пришёл в себя, то обнаружил, что в его левой, свободной от пистолета руке тоже шипит и пенится неведомо как и откуда возникший бокал. Колдовство — да и только!.. Но колдовством это быть никак не могло — с «Красными херувимами» подобные штучки не проходят...

Хотя, если вдуматься, бесцеремонность и напористость мало чем отличаются от колдовства: результаты и в том, и в другом случае — те же самые...

— Ты насчёт домового выяснил?.. — с недоумением спросил Аристарх.

Панкрат хотел ответить, но, разумеется, не успел.

— Ой, домовые!.. — Ника звучно ударила в ладоши. — Это такие лапушки! Такие пушистые, нежные!.. Погодите, не пейте!

Она вновь поставила свой бокал и выскочила в прихожую. Террористы переглянулись. Слышно было, как Ника взбирается на табуретку и распахивает настежь створки антресолей. Затем раздалось обиженное восклицание — и вскоре художница, надув губки, вновь появилась в комнате.

— Сбежал... — капризно пожаловалась она.

— Дымчатый? — отрывисто спросил Аристарх, также ставя бокал на стол и вынимая из заднего кармана знакомую читателю серебряную масленку.

Панкрат не сказал ничего — лишь подобрался по-волчьи.

— Дымчатый... — В огромных по-детски глазах Ники уже стояли слезы. — Пушистый...

— Спокойно... — сказал Аристарх. — Никуда он отсюда не денется. Сейчас быстренько все окропим — сам выскочит...

Он поднял масленку, но тут последовал акустический удар такой силы, что Ретивой пошатнулся и едва устоял на ногах, а приподнявшийся Панкрат снова упал в кресло. Изданный Никой вопль по частоте был близок к ультразвуку.

— С ума сошел?.. — крикнула она, возвращаясь в слышимую часть спектра. — Водой!.. Акварели потекут!..

— Да она святая... — пробормотал смущенный Аристарх.

— А от святой, думаешь, не потекут?.. Убери фляжку! Все! Пока я не выпью с Кученогом на брудершафт, никаких домовых!

Панкрат бросил отчаянный взгляд на Аристарха, но тот лишь беспомощно приподнял брови. Сам он уже в подобной переделке побывал месяца полтора назад...

Глава подполья и свободная художница переплели руки с бокалами и пригубили благородную лозу Чумахлы. Непривычный к вину Панкрат поперхнулся, но Ника так сверкнула на него глазами, что пришлось пить до дна. И только было собрался бедняга Кученог перевести дух, как его кривоватый рот оказался наглухо опечатан жаркими губами хозяйки.

Глядя на них, Аристарх Ретивой крякнул и залпом осушил свой бокал...

И никто, естественно, не услышал стремительного проворота ключа и звука распахнувшейся входной двери.

— Не двигаться! — страшно скомандовал железный мужской голос, и все, вздрогнув, обернулись. — Отпусти ее!..

В проеме, чуть просев в коленях и слегка откинувшись назад, стоял и целился во всех сразу из одного пистолета подполковник контрразведки Николай Выверзнев. Надо полагать, поднимаясь по лестнице, он услышал вопль и тоже истолковал его в меру своей профессиональной испорченнос-

ти... Странный, ей-богу, народ эти мужчины!..
Можно подумать, Николая только сегодня угораздило познакомиться с Никой! Нашел, понимаешь,
кого спасать!..

Наконец Выверзнев всмотрелся — и чуть не
плюнул.

— М-милая... — с бесконечным терпением в голосе молвил он, нехотя пряча пистолет. — Когда-
нибудь я тебя застрелю.

— Песик! — взвизгнула Ника, кидаясь на шею
Выверзневу. — Противный песик!.. Почему ты не
предупредил, что Кученог придет сегодня?..

Николай попытался освободиться из объятий,
но это было все равно что откреплять пластырь,
прилепленный к волосатой мужской груди. Назре-
вала разборка. Лелея мечту отдалиться от Ники,
Выверзнев тем не менее ревновал ее ко всем знакомым. Кстати, ситуация довольно распространен-
ная...

— И ведь на кого променяла... — процедил он,
испепеляя Панкрата презрительным взором.

Действительно, выглядел Кученог неважно.
Глазенки у него разъехались окончательно, а на
кривоватом лице террориста обозначилась бес-
смысленная шалая улыбка. Трудно было даже поверить, что это именно им стращают баклужинскую ребятню, когда та отказывается кушать
тюрю...

— Ты — мавр!.. — восхищенно ахнула Ника, отстраняясь и словно бы увидев Николая впервые. —
Боже, какой ревнивый!.. Я боюсь тебя...

Наглая ложь! Тем не менее разборка, не успевши расцвести, увяла на корню. Подполковник пораздувал ноздри, поворочал глазами — и наконец принял предложенный ему бокал шампанского. Все равно податься было некуда...

Возникает вопрос: ну, подпольщики — ладно, подпольщики — люди наивные, оторванные от жизни, им главное — идея, но Выверзнев-то, Выверзнев! Человек практического ума, напрочь лишенный каких-либо иллюзий! Как объяснить его беспомощность — и перед кем?.. Перед Никой Невыразиновой, которая, судя по заезженности словесных оборотов, никогда интеллектом не блистала!..

Давайте разберемся... Принято считать, что в равном споре обычно побеждает тот, кто умнее. Бред собачий!.. Во-первых, глупый всегда уверен в собственной правоте, в то время как умный вечно в ней сомневается. Кроме того, умный понимает доводы противника, а глупый — нет, хоть расколись... А если вдобавок вспомнить, что дуракам еще и везет, то кто же, спрашивается, из них двоих должен выйти победителем?

Лишь в одном-единственном случае отягощенный интеллектом бедолага может кого-либо переспорить: если вовремя сообразит прикинуться совсем уже полным кретином. Возьмем, к примеру, тех же политиков... Вы думаете, они и в жизни такие же, как в Парламенте?.. Конечно, нет! В жизни это умнейшие люди. Ну сами прикиньте: разве сможет какой-нибудь средний заурядный дурачок до-

стичь той высокой степени идиотизма, за которой
доверие избирателей к своему депутату становится поистине безграничным?..

Да, Николай Выверзнев был умен, но не настолько, чтобы не казаться таковым. Вот в том-то
вся и беда...

— Ну ты силен мочалки жевать... — с недоброй
улыбкой молвил он, пристально глядя на Кученога поверх бокала. — Припадок у тебя как настоящий вышел... Я, главное, поверил, врача вызвал...
Охрану-то хоть протопарторгу обеспечил? Или
запудрил мне мозги, а сам прямиком сюда?..

— А ну-ка хватит о работе! — скомандовала
Ника. — Чем о работе — лучше бы домового помог найти! Сыщик называется! Домового найти не
может!..

Выверзнев едва не прикусил край бокала. Ос-
ведомленность Ники во всем, что ее не касалось,
неизменно поражала его. Он действительно собирался заняться поисками дымчатого беглеца, только чуть позже, предварительно спровадив весьма
некстати нагрянувших «херувимов»...

— Хотели окропить — не разрешила... — не по-
думавши, виновато пояснил Аристарх.

Подполковник медленно повернулся к Ретивому.

— А вам-то он зачем?..

— Не им, а мне! — вмешалась Ника. — Может,
я ему уже панталончики сплела! Кружевные!..

Николай досадливо склонил ухо к плечу и потряс
головой — точь-в-точь вышедший из воды пловец.
Надо полагать, вытряхал словесный мусор...

— Та-ак... — молвил он наконец, с любопытством глядя то на Панкрата, то на Аристарха. — Тогда давайте колитесь... Сами пришли за домовым или Африкан прислал?..

А вот этого тем более говорить не стоило.

— Африкан — в городе? — взвизгнула Ника. — Мальчики! Так что же вы молчите?..

К счастью, протопарторг еще не покинул офис коммерческой фирмы «Дискомфортъ», и с ним удалось связаться по служебному телефону Клима Изузова. Со сдержанным недоумением выслушал Африкан сбивчивую речь Аристарха Ретивого. Суть ее была такова: «Ограбанкъ» сильно засвечен, не исключено, что и «Дискомфортъ» — тоже. Встречаться по любому из этих двух адресов рискованно, а то и чревато провалом. Запросто могут, например, взорвать машину с динамитом у подъезда... Поэтому Кученог предлагает следующее: провести сходку в назначенное ранее время, но на конспиративной явочной квартире — под видом чаепития. Хозяйка (довольно известный в Баклужино художник-дизайнер) — абсолютно вне подозрений, давно сочувствует движению «Красных херувимов», не раз выполняла отдельные церковно-партийные поручения — словом, человек надежный...

Протопарторг хмыкнул, подумал — и как-то слишком уж легко согласился.

Аристарх Ретивой обессиленно положил трубку и обвел соучастников опустевшими глазами.

Ника сияла. Совершенно измочаленный подполковник Выверзнев сидел в кресле, уронив лицо в ладони.

— Ну ты можешь хотя бы понять... — безнадежно и глухо выговорил он, — что нельзя мне присутствовать на этом вашем чаепитии...

Ника сверкнула глазами.

— Ты хочешь оставить меня наедине с чужими мужчинами?

Подполковник издал нутряной стон, каким обычно оглашают пыточную камеру перед тем, как всех выдать.

— Ну сама подумай!.. — взмолился он. — Я и Африкан за одним столом!.. Да за это — под трибунал...

— Да?.. — взвилась Ника. — А Панкрат?.. Он больше тебя рискует, а посмотри, как держится!..

Выверзнев отнял ладони — и посмотрел. Панкрат был близок к обмороку...

Боже мой! Боже мой! Одна взбалмошная бабенка — и вот уже все вокруг летит кувырком: явки, адреса, начало революции... Одно утешение, что из школьных учебников истории вырежут потом эту бредятину к чертовой матери! И правильно сделают. Нечего смущать юные неокрепшие умы...

Глава 10. НИКОЛАЙ ВЫВЕРЗНЕВ,

ТРИДЦАТЬ ЛЕТ, ПОЛКОВНИК

Представьте себе одну из великих битв прошлого — не важно какую... Вершина холма. На барабане истукан истуканом сидит полководец и вот уже несколько часов подряд в тупом отчаянии смотрит на поле боя. Там валяются вразброс тысячи полторы трупов, дымится сотня воронок, а сама битва давно уже вышла из-под контроля и разбрелась по округе. За рощицей, судя по воплям и треску выстрелов, все еще дерутся. Иногда пролетает шальное ядро, выпущенное наобум и неизвестно кем. Время от времени к холму прорываются галопом осунувшиеся ординарцы с безумными глазами и сообщают одно и то же: генерал такой-то попал в переделку и просит подкрепления. Короче, разгром...

Покряхтывая, полководец угрюмо косится на свиту. Бледная свита переминается и тоже покряхтывает. На лицах — вежливое сомнение: сдаться прямо сейчас — не слишком ли торопливо?.. Может, все-таки немного погодить?..

Внезапно полководец в сердцах поворачивается к трубачу, колеблется еще секунду, а потом развязно говорит: «Да пошло оно все на хрен! Наглеть — так наглеть!.. Труби победу!»

Приблизительно так были выиграны все величайшие сражения нашей эпохи — и граф Толстой тому порукой...

Нечто подобное произошло и с подполковником Выверзневым, невольно угодившим в положение вышеописанного полководца. За чаепитие с Африканом могут съесть с потрохами — это Николай понимал с предельной ясностью. Не арестуешь — спросят: «Почему не арестовал? Сидел за одним столом — и не арестовал!..» Уйти?.. Ника сказала: только через ее труп... Ладно, допустим, ушел через труп... Все равно ведь спросят: «Как же это ты, а?.. Знал место сходки, знал время — почему не накрыл всех разом?..»

А оно ему надо?..

Минут пятнадцать Выверзнев пребывал в тупом отчаянии, не видя выхода. А потом с ним произошло то же самое, что и с полководцем: он задумался на секунду — и вдруг на красивом лице его оттиснулось выражение, соответствующее историческим словам: «Да пошло оно все на хрен! Наглеть — так наглеть!»

И подполковник Николай Выверзнев приказал трубить победу.

— Значит, так... — вымолвил он, упруго поднявшись из кресла и уперев указательный палец во впалую грудную клетку Панкрата. — Я — ваш человек в контрразведке... О том, что «Ограбанкъ» и «Дискомфортъ» засвечены, вам тоже сообщил я... Африкан — он как? Только чудотворец или еще и ясновидец?

«Херувимы» переглянулись и пожали плечами. Способности протопарторга за время его отсутствия в Баклужино неминуемо должны были возрасти... Может, и ясновидец...

— Понятно, — сказал Николай. — Значит, сведем вранье к минимуму... — Он повернулся к Нике. — К чаю что-нибудь нужно? Ну там, я не знаю, коржики, печенье...

— Ой! — всполошилась Ника. — Чай! Чаю купи...

— Ладно, сейчас схожу... — Подполковник шагнул было в направлении прихожей, как вдруг замер, пораженный какой-то внезапной и, надо полагать, неприятной мыслью. — Что-то не хочется мне тебя здесь оставлять... — с мужской прямотой сказал он Панкрату. — Пошли вместе!..

Вот что значит вовремя сыграть победу! Совсем еще недавно разбитый, смятенный, чуть ли не заживо себя хоронивший Николай снова был собран, боеготов, изобретателен. Последний же его ход просто поражал своей виртуозностью.

— Панкрат — гость! — немедленно вскинулась Ника. — Не хватало еще гостей за чаем гонять! Аристарха возьми...

Именно на такую реакцию Выверзнев и рассчитывал.

— М-м... Аристарха?.. — с сомнением промычал он, меряя взглядом Ретивого. — Да нет, Аристарх лучше побудет здесь. Так спокойней...

Все, что нужно было Николаю, это оторваться от «Красных херувимов» минут на десять.

Последний раз в жизни подполковник Выверзнев сбежал по лестнице и отворил дверь подъезда. Вечерело. Удалившись от крылечка шага на три, он выхватил из кармана трубку сотового телефона.

— Толь Толич? Докладываю обстановку. Вышел на Африкана. В девять встречаемся... Нужна твоя санкция.

— А-ы... — Такое впечатление, что генерал Лютый начал заикаться похлеще Кученога. Видимо, не ожидал он от Николая такой прыти...

— Ну что «аы»?.. Все! Край, понимаешь? У меня минут пять — не больше!.. Уничтожать его?

— А... — Кажется, генерал приходил в себя. — А почему, собственно, уничтожать?..

Голос у него был несколько блеющий.

— Толь Толич! Ну ты что, с коня упал?.. Это же Африкан! Выходи на Кондратьича, делай что хочешь, но установку мне — уточни! И быстрее давай — нас уже прослушивают наверняка!

Ну просто нет слов! Интригу подполковник плел напоследок блестяще. Заключительная фраза насчет прослушивания была — брильянт! Голубой карбункул! Дескать, каждое твое заикание, генерал, каждое блеяние — фиксируется, а то и пишется. Так что не поможет тебе твой обычный трюк: отдать полприказа — и в кусты...

— Да, и еще одно... — уже подходя к мини-маркету, добил окончательно Николай генерала Лютого. — Вместе с Африканом на явочной квартире собираются «Красные херувимы»... Так что есть возможность накрыть всех разом...

Генерал подавился вновь — и Николай не смог удержаться от злорадной улыбки. «Херувимов» Лютый берег, как зеницу ока, поскольку с каждого заказа брал втихаря весьма крупные комиссионные. Выверзнев, правда, тоже, но он хотя бы совесть знал...

— Сейчас... перезвоню... — выдавил наконец генерал — и отключился.

Над перекрестком каплей чернил в стакане воды расплывался лиловый вечер. В прозрачнейших сиреневых сумерках возникали бледные очертания неоновых реклам, вспыхивали квадраты окон. Благословенная прохлада коснулась на прощание разгоряченного лба подполковника...

Купив цейлонского чая, торт и солоноватые крекеры (на тот случай, если протопарторг не употребляет сладкого), Выверзнев вышел из стеклянного, сияющего белыми лампами теремка и хотел уже достать пачку сигарет, когда телефон застрекотал снова.

— Ну что, Толь Толич?.. — нетерпеливо спросил Николай, прижав трубку к уху. — Какие распоряжения?..

— Э-э... Полковник Выверзнев?.. — осведомился наушник глубоким звучным баритоном.

Николай тихонько крякнул.

— Подполковник, Глеб Кондратьич... — почтительно, но с достоинством поправил он.

На том конце провода недовольно помолчали, подумали.

— Нет... — вымолвил наконец баритон. — Подполковник — это слишком длинно... Пусть лучше будет — полковник...

И подполковника Выверзнева — не стало. На долю секунды Николай лишился дара речи.

— Служу Баклужино! — несколько сдавленно выговорил он.

— Вижу... — с мрачным удовлетворением изрек Президент. — Когда и где намечена встреча с Африканом?..

— В двадцать один ноль-ноль, Ефрема Нехорошева двадцать один, квартира десять...

— Тогда слушай задание... — Баритон потеплел, зазвучал более интимно. — Никакой пальбы, никаких захватов... Только присутствовать и наблюдать. Это все. Меня интересуют планы протопарторга... И учти: с этого момента ты подчиняешься не Лютому, а лично мне...

Услышав такое, Николай, признаться, ошалел вконец. Больше всего он боялся, что Глеб Портнягин потребует немедленного захвата Африкана любой ценой, и мучительно прикидывал, как бы поделикатнее убедить Президента в преждевременности этой акции... Ан фиг — полный консенсус!.. И полковничьи погоны в придачу...

— Вопросы?..

— Никак нет, Глеб Кондратьич!..

— Тогда все... — И Президент дал отбой. Кстати, весьма вовремя — Николай уже входил в подъезд. Хотел сунуть трубку в карман, но не успел — опять застрекотала. Пришлось задержаться на крылечке.

— Ну? Что решили? — жадно спросил генерал Лютый.

— Толь Толич... — взмолился Николай. — Некогда мне...

Генерал обиделся.

— Но должен же я знать... — оскорбленно начал он.

— Не должен, — жестко прервал его Выверзнев. — Теперь уже не должен. Сведения совершенно секретные и сообщить их я тебе имею право только с разрешения Кондратьича. Так что не могу, не проси...

Гробовая тишина в наушнике. Кажется, до генерала наконец дошло, что его все-таки подсидели...

С недоброй ухмылкой Выверзнев отключил сотовик и вошел в подъезд. Незримая война с бывшим участковым вступала в новую фазу...

На промежуточной площадке между вторым и третьим этажами в уголке притулился начекалдыкавшийся бомж. Поравнявшись с пьянчужкой, полковник приостановился и достал сигареты.

— Всем накрыться хвостом... — процедил он, прикуривая. — Быть на местах, носа не высовывать...

Спрятал зажигалку и бодрым пружинистым шагом взбежал по ступеням. В глазах сияли звезды — большие и светлые. Всего два обстоятельства тревожили теперь Николая. Первое — это удивительная сговорчивость Африкана. Как-то уж слишком легко согласился протопарторг изменить место встречи — и вроде бы ничего не заподозрил, что уже само по себе вызывало смутные подозрения. Но это ладно, с этим разберемся. А вот о втором обстоятельстве, честно говоря, даже думать было страшновато. Потому что называлось оно — Ника Невыразинова...

Притушив звезды в глазах и вообще убрав с лица какое-либо подобие знаков различия, Николай Выверзнев с озабоченным хмурым челом (скромный работяга-подполковник) ступил в комнату, где немедленно был исцелован Никой и лишен покупок.

— Я там своим приказал, чтобы не светились... — буркнул он, поворачиваясь к Панкрату. — И ты тоже давай с «херувимами» разберись... А то расхаживают, понимаешь, по тротуару в рясах, в бронежилетах...

Будучи профессионалом, Выверзнев редко опускался до лжи и зачищал концы преимущественно с помощью правды. Кроме того, на улице за ним, разумеется, следили и просто не могли не заметить, что до мини-маркета и обратно он шел, не отнимая трубки от уха.

Квартира звенела Никиным щебетом, с грохотом разъезжалась мебель, дребезжала посуда, над раздвинутым столом парашютно взметнулась скатерть... Подготовка к историческому чаепитию шла полным ходом...

К девяти часам начали собираться встревоженные гости. Все они были знакомы Николаю, поскольку все на него работали. При виде контрразведчика, обомлев, замирали — и, с опаской косясь на главарей, подсаживались к накрытому столу.

— Ну так где он, ваш Африкан?.. — вот уже, наверное, десятый раз капризно вопрошала Ника. — Чай стынет!..

Протопарторг не спешил. Будет печально, если, заподозрив провокацию, он не придет вообще... Подобная мысль, судя по выражению лиц, пугала Панкрата с Аристархом не меньше, чем самого Выверзнева. Страшнее могло быть только одно: Африкан ничего не почуял — и в самом деле скоро явится...

Без пяти девять Кученог, чьи волосы уже не облепляли узкое мятежное чело подобно струйкам смолы, но пушились и кудрявились от чистоты, приказал затворить окна, задернуть шторы и, скособочившись сильнее прежнего, настроил приемник на волну Лыцкого радио.

— ...разучиваем цитаты из Святого Писания, — любезно известил прекрасный женский голос. — Итак: «Не любите мира, ни того, что в мире...» Пер-

вое соборное послание апостола Иоанна. Записали?..
Отлично! Следующий стих: «Отрясите прах от ног
ваших...» Евангелие от Матфея. Записали? Прекрасно!.. «Не сотвори себе кумира!..» Вторая заповедь
Моисеева... А теперь все вместе — хором!..

И в динамике запели — стройно, мощно и ду-
шевно:

> Отречемся от старого мира,
> Отрясем его прах с наших ног!
> Нам не нужно златого кумира...

Далее в пение мелодично вплелся дверной колокольчик. Это пришел Клим Изузов и с ним кто-то
еще — впоследствии оказавшийся Африканом. Никем не узнанный, протопарторг сел прямо напротив
Выверзнева и, поскрипывая стулом, осмотрелся.
Встретившись взглядом с полковником, подался к
нему через стол и дружески полюбопытствовал вполголоса:

— А ты, мил человек, случаем, не из контрразведки?..

— Ну почему же случаем?.. — холодно отозвался тот. — Из контрразведки...

— И в чинах небось?..

— В чинах...

Неузнаваемый протопарторг уважительно кивнул. А может, просто спрятал усмешку, наклонив
лицо...

За окном куранты на Ефреме Великом внятно
пробили девять, и участники сходки, внезапно про-

зрев, увидели, что Африкан-то — вот он, уже среди них... Онемели все — даже динамик. Даже Ника!

Протопарторг поднялся, кряхтя, и отвесил собранию низкий поклон, что, учитывая его корпуленцию, было не так-то просто сделать.

— Каждому — по потребности... — протяжно молвил он в звонкой предрасстрельной тишине.

Собравшиеся шевельнулись — и встали.

— Воистину по потребности... — прошелестело в ответ — испуганно и нестройно.

— Аминь... — с удовлетворением заключил протопарторг и дал знак садиться.

Перед тем как сесть, все перекрестились — в том числе и Выверзнев. Поступок подкупающий, но рискованный: Николай был без бронежилета, зато в пиджаке, заговоренном от клинка и от пули. После крестного знамения чары, ясен хрен, развеялись, и теперь только оставалось надеяться, что ни перестрелки, ни поножовщины сегодня тут не приключится...

— Африкан! — опомнившись, взвизгнула Ника, и Выверзнев зажмурился, не решаясь даже представить, что произойдет дальше. Панкрат с Аристархом, видимо, сделали то же самое.

— А ты разливай, девонька, чай, разливай... — благостно и неторопливо молвил в пятнистой вибрирующей темноте голос Африкана. — А косыночку-то кумачовую — повяжи, повяжи, будь ласкова... Нехорошо распокрытой-то...

Николай сделал над собой усилие и осторожно разъял веки. Увиденное ошеломило. Ника, бояз-

ливо глядя на протопарторга, покорно завязыва-
ла под подбородком кончики алой косыночки...
Выверзнев был не робкого десятка (в контрразведке других не держат), но сейчас ему стало по-на-
стоящему страшно. Лучше, чем кто-либо из присутствующих, он понимал, насколько Африкан
опасен. Переход границы по воде, аки посуху, чудо
с гирей, первичные половые признаки, выросшие
на пятке у незадачливого жулика... Но чтобы вот
так — походя, парой небрежных фраз! — усмирить
Нику Невыразинову?..

Да, это еще вопрос: кто кого заманил на чаепитие...

Полковник сделал повторное усилие и осмелил-
ся взглянуть в упор на грозного собеседника. Словесный портрет Африкана он помнил наизусть, но
среди перечисленных примет отсутствовала самая
существенная... Протопарторг был на кого-то неуловимо похож, и Выверзнев судорожно пытался
припомнить: на кого именно?..

Африкан тем временем с видимым удовольствием отхлебнул чаю, надкусил крекер (сладкого, видимо, и впрямь не уважал) и, прожевав, заговорил —
все так же размеренно и неспешно:

— Что должна дать людям Пресвятая Революция?..

Некоторое время все вдумчиво ожидали про-
должения. Потом дошло, что пауза сделана не для
красоты и что протопарторг действительно интересуется мнением собравшихся.

— Свободу... — кашлянув, отважился Ретивой, за что был удостоен благосклонного взгляда.

— Верно, свободу... — как бы удивляясь слегка смекалке Аристарха, согласился протопарторг и пронзительно оглядел присутствующих из-под лохматых пегих бровей. — А где ее взять?..

Кто крякнул, кто заморгал, кто потупился... Уж больно неожиданной показалась постановка вопроса!.. В наступившей тишине отчетливо было слышно постукивание носика заварочного чайника о края чашек — бессловесная Ника в алой косынке шла вокруг стола и обслуживала гостей. Жуть — да и только...

— Чтобы дать кому-нибудь свободу, — назидательно молвил Африкан, — надо ее сперва у кого-нибудь отнять... Иначе и давать будет нечего... А у кого?

Все выжидательно посмотрели на Ретивого. Отвечай, дескать — никто тебя за язык не тянул...

— У колдунов?.. — безнадежно предположил тот.

— А сколько их, колдунов-то? — пренебрежительно хмыкнул протопарторг. — Раз, два — и обчелся! Нет, если, конечно, взять порыльно, то свободы у них много. А сгрести ее вместе — ан и нет ничего... Так что единственно возможный выход — это отнять свободу у тех, кому мы ее собираемся дать...

Он снова сделал паузу и доел крекер. Остальные машинально прикоснулись к фарфоровым ручкам чашек, но отхлебнуть так и не решились.

— Как думаете: отнимем?.. — полюбопытствовал Африкан, неспешно обмахнув усы и бороду от
крошек.

Сходка молчала, уставив напряженные лбы в
чайные приборы.

— Не отнимем! — раздельно и веско, словно ставя камень **на** камень, кирпич на кирпич, ответил себе
протопарторг. — Если сами не отдадут — ни за что
не отнимем... Стало быть, надо, чтобы отдали сами...
Как?.. — Он обвел сходку лукавым всезнающим
взглядом. — Клим!.. Вот ты, я слышал, принимал
денежные вклады от населения... Как ты это делал?

Клим Изузов, полный розовый блондин с личиком несколько поросячьих очертаний, вздрогнул и
вытер вспотевшие ладони о выпуклый животик.

— Н-ну... Известно... Под проценты...

— Под проценты!.. — многозначительно повторил Африкан, поднимая толстый указательный
палец. — Вот где собака-то зарыта!.. Дайте нам
вашу свободу, а мы ее потом вернем вам с процентами... И несли, Клим?..

— Ну а как же... Несли, конечно...

— А почему?

— Кризис был... — поеживаясь от неловкости,
пояснил тот. — И потом, мы ж навару больше всех
обещали...

— Кризис!.. — тихонько воскликнул протопарторг, вздымая брови и таинственно выкатывая глаза. — То есть с денежками было туговато. Вот так
же оно и со свободой! Чуть поприжмет — и повалит, повалит к нам народ, понесет сдавать под

проценты свою свободушку... А уж проценты-то мы пообещаем!.. Двести, триста... Да хоть тысячу!..

— Н-но... потом-то ведь все равно отдавать! — испуганно напомнил кто-то.

Африкан одарил спросившего отечески ласковым взглядом и снова повернулся к Изузову.

— Клим!.. — позвал он. — Кстати!.. А ты деньги-то вкладчикам — вернул?..

Полный блондин жарко порозовел, как умеют розоветь одни лишь полные блондины.

— Верну! — истово пообещал он. — С процентами! Честное экспроприаторское!.. Ну не сейчас, конечно... Попозже...

— Во-от... — удовлетворенно протянул Африкан. — Так же и со свободой... Вернем. Но не сейчас. А в светлом будущем. Ну а пока потерпите...

Старейший подпольщик Маркел Сотов со смятым в сплошные морщины лицом уныло вздохнул и почесал просвечивающую сквозь редкую седину макушку.

— Что, Маркел? — соболезнующе обратился к нему Африкан. — Сложно?..

— А то нет, что ли?.. — расстроенно отозвался тот. — Тебя, Никодим, послушаешь — умом тронешься. Раньше оно как-то все проще было... Кто виноват — понятно, что делать — тоже... Знаешь, что я тебе скажу? Зря мы тогда всех жидочков побили... Надо было хоть на развод, что ли, оставить...

И вдруг — словно пелена упала с глаз Николая Выверзнева. Он понял, кого ему напоминает протопарторг. Сквозь телесную оболочку Африкана с каждой секундой яснее и яснее проступал совсем другой человек, знакомый Николаю до мельчайших черт. Та же мягкая и одновременно властная речь, та же державная неторопливость и убежденность в том, что любой его жест — достояние истории... Протопарторг Африкан был точной копией Глеба Портнягина — несмотря на все их внешние различия.

Обыватель спросит: «Ну и что? Они же ведь бывшие друзья!» На то он и обыватель... А Выверзнев был психолог-практик и точно знал, что похожие люди друзьями становятся редко... Нет, сгоряча, конечно, сойтись они могут, но вскоре каждому начнет мерещится, что приятель нарочно его передразнивает... Кончается все, понятно, ссорой навек... Кому охота, скажите, постоянно иметь при себе живое зеркало? Да еще и кривое вдобавок!..

А Глеб Портнягин с Никодимом Людским несколько лет подряд (вплоть до злосчастного взлома продовольственного склада) дружили — и дружили крепко... Остается предположить, что в отрочестве это были совершенно разные натуры. А похожими их сделала многолетняя непримиримая вражда... Схватившись не на живот, а на смерть, каждый из бывших подельников незаметно, исподволь вылепливал себя по образу и подобию противника...

Кстати, никакого парадокса здесь нет. Возьмем, к примеру, златые времена, о которых недавно с тоской поминал старейший подпольщик Маркел Сотов. Скажем, почему антисемиты поголовно отличались склочным еврейским характером? Все просто. Чтобы одолеть сильного, надо самому быть сильным. Чтобы одолеть хитрого, надо самому быть хитрым. Чтобы одолеть еврея... Да-да, вот именно...

— И вот, стало быть, в чем весь вопрос... — раздумчиво и неторопливо продолжал тем временем Африкан. — Готов ли народ Баклужино отдать свою свободу в рост?.. Нет, не готов. Не прижало еще как следует... Значит, первейшая задача «Красных херувимов» — сделать так, чтобы прижало... А чем занимаются «Красные херувимы»?.. А Бебель знает чем, прости мою душу грешную!.. Взять того же Панкрата... Кремень-человек, да и в порядочности ему не откажешь...

— А откажешь — пристрелит, — тихонько, не без ехидства примолвил полный блондин Клим Изузов.

Панкрат немедленно дернулся и уставился на Клима.

— Может и пристрелить... — с уважением согласился Африкан, тоже, видать, обладавший чутким слухом. — И как же этот кремень-человек приближал Пресвятую нашу Революцию? А никак. Перебил пол-Парламента, развлек народ, желтую прессу потешил... Панкрат!.. — с мягкой укоризной молвил протопарторг, поворачиваясь всем корпусом к Кученогу. — Не пойму я: ума ты, что ли, решился?.. Вместо того чтобы ни в чем не повинных людей поприжать, ты тех, кто действительно виноват, прижимать вздумал! Да разве ж так революцию делают? Вон, смотри, карниз универмага на одном заклинании держится! Ну так и перекрести его разок, а лучше перезвезди — рухнет, да еще и, глядишь, кого-нибудь придавит! Вот тут-то народ и всколыхнется... Это уже не на колдунов, смекнет, это на нас карнизы падают... Словом, работать еще с населением и работать...

Африкан приостановил свою плавную речь и поднес чашку к губам, а Выверзнев, воспользовавшись такой оказией, оглядел исподтишка собравшихся. Панкрата крутила судорога. Был он, во-первых, не согласен, во-вторых, разобижен. Остальные тихо качали головами — то ли дивясь мудрости протопарторга, то ли наоборот. Большеглазая Ника смирно сидела в дальнем конце стола и восторженно пялилась на Африкана... Этакий тополек в красной косынке...

Наконец чашка звучно коснулась блюдца.

— Вот глядите вы все на меня и думаете... — со вздохом продолжал Африкан. — И чего, дескать, ради этот старый хрен границу переходил? По воде, аки посуху... Не сиделось ему в Лыцке!..

После таких слов головами качать вмиг перестали. Панкрата — и того слегка отпустило... Судя по всему, с предисловием протопарторг покончил. Сдвинул сурово лохматые пегие брови, упер бороду в грудь и вновь надолго задумался.

— Суета, суета... — молвил он, вскидывая многомудрые, исполненные глубокой скорби глаза. — А того не помним, что, не будь рядом православного социалистического Лыцка — прихлопнул бы Глеб Портнягин подполье — ровно муху... Ан боязно!.. Знает, поганец, что вдоль границы дождевальные установки «Фрегат» наготове... Как пройдут, орошая святой водой, — мало не покажется! Потому он и НАТО науськивает... Да кто это меня там всю дорогу за рясу дергает?!

Все вздрогнули и диковато переглянулись. Мысль о том, что кто-то из присутствующих мог залезть под стол и подергать за край рясы Африкана, не укладывалась в головах. Протопарторг нахмурился, с кряхтеньем запустил руку под сахарно-белые висячие складки скатерти и, к изумлению присутствующих, извлек за шкирку крупного домового дымчатой масти.

— Ба! — сказал он грозно и насмешливо. — Анчутка? Ты, брат, откуда?..

— А он... А она... — Вцепившись коготками в рясу и тыча пальчиком то в Нику, то в Аристарха, домовичок принялся упоенно закладывать всех подряд. — Панталончики сплела — кружевные!.. А вот он святой водой брызгать хотел!..

— Ай-яй-яй-яй-яй... — огорчился Африкан. — Нехорошо... Нехорошо Божью тварь мучить... — Он оглядел сходку. Один лишь Клим Изузов догадался скроить умильную физию, отчего окончательно стал похож на подсвинка. Остальные глядели на дымчатую нечисть с оторопелой брезгливостью. Старейший подпольщик Маркел Сотов отпрянул и занес троеперстие, явно собираясь перекрестить домовичка, но столкнулся со взглядом протопарторга — и троеперстие увяло, скукожилось, уползло под стол...

— Эт-то еще что за чистоплюйство?! — прикрикнул Африкан на всех сразу. — Вы где? В Лыцке или в

Баклужино?.. Пусть она нечистая, а все же сила!.. Ишь, скосоротились! Вот придете к власти — тогда и кривитесь — сколько влезет!.. А пока что нам любой союзник сгодится — чистый, нечистый...

Никто уже не смел и слова молвить. Протопарторг еще раз фыркнул негодующе, но, кажется, помаленьку успокаивался... Пронесло грозу.

— Так о чем бишь я?.. — рек Африкан, оглаживая широкой ладонью нежную дымчатую шерстку. Домовичок довольно заурчал. — Ах да, Лыцк... Лыцк помогает нам во всем, поможем же и мы Лыцку... Наступают для Лыцка черные дни, и приблизить их — наша святая обязанность! Если вера не закалена в пламени — грош ей цена... Это — первое. Второе... Святыня. Ну как в черные дни без святыни? — Африкан приостановился и пытливо оглядел собравшихся. Те сокрушенно замотали изможденными от сочувствия лицами. Да уж, без святыни в черные дни — это ложись и помирай...

— Что делать конкретно?.. — продолжал чудотворец. — Об этом я скажу каждому по отдельности — и в самое ближайшее время... Ну а пока...

Протопарторг не договорил, потому что в ночи за окном оглушительно грянуло, стекла содрогнулись, взрывной волной настежь распахнуло форточку. Проспект Нехорошева огласился испуганными удивленными вскриками...

— Панкрат... — опомнившись от изумления, с упреком сказал Африкан. — Ну ты что ж, другого времени найти не мог? Твоя работа?..

— Нь-нь... — начал было Кученог — и беспомощно толкнул локтем Аристарха.

— Не наша... — торопливо перевел Ретивой. — Мы сегодня вообще ничего не планировали... Кроме изъятия компромата, конечно...

Тогда протопарторг пристально взглянул на Выверзнева. Тот лишь мелко потряс головой и, поскольку пиджак так и так уже был расколдован, повторно осенил себя крестным знамением — неповинен, мол...

— Шумно живете, — заметил Африкан и встал, по-прежнему держа домовичка на руках. — Ну, что ж... Спасибо, хозяйка, за чай!.. Посидели — пора и честь знать...

Тонкий политик Клим Изузов приблизился к протопарторгу и с умильной миной почесал Анчутку за ухом.

— Расходиться — по одному? — озабоченно спросил старый подпольщик Маркел Сотов.

— Да почему же по одному?.. — удивился протопарторг и лукаво покосился на Николая. — Расходитесь — как хотите... Хоть толпой, хоть под гармошку... Верно я говорю, полковник?

За столом остались двое: Выверзнев и Ника — оба в полном оцепенении. Особенно Ника. С застывшей восторженной улыбкой она глядела во все глаза на то место, где еще недавно сидел Африкан, и иных признаков жизни не подавала... Интересно, надолго это с ней? Вот бы надолго!.. Николай достал сотовик.

— Что там за взрыв был?.. — устало осведомился он и, выслушав ответ, чуть не выронил трубку.

Ему сообщили, что пятнадцать минут назад прямо напротив подъезда фирмы «Ограбанкъ» неизвестными лицами была взорвана легковушка с динамитом. Середина здания обрушилась. Имеются легкие повреждения и в соседних домах. Количество жертв — уточняется...

Прямо напротив подъезда фирмы «Ограбанкъ»?.. То есть там, где, согласно первоначальному замыслу Африкана, должна была состояться сходка... Оч-чень интересно! Кто-то начал охоту за протопарторгом... Но кто? Контрразведка — исключается, «херувимы» вроде бы — тоже... Криминалитет? На кой дьявол баклужинскому криминалитету убирать Африкана?.. Спецслужбы НАТО?.. Бред!.. Они же так союзников лишатся... Может быть, все-таки совпадение?.. Местная разборка с «Ограбанкомъ»?..

— Песик!.. — внезапно ожив, взвизгнула Ника, срывая с головы алую косынку. — Да ты моя умница!.. Какой лапушка этот твой Африкан! Вежливый! Обходительный!.. А уж как даме ручку целует!..

...Кое-как выбравшись на улицу, Николай немедля связался с Президентом.

— Срочно давай ко мне! — отрывисто приказал Портнягин, выслушав краткий доклад полковника. — Расскажешь все по порядку...

Президент был мрачен. Он предложил Выверзневу присесть и приступить к подробному повествованию, сам же остался на ногах и принялся расхаживать по кабинету, время от времени резко поворачиваясь к полковнику и пытливо высматривая что-то у него за спиной. Николай даже оглянулся однажды, улучив момент, но, разумеется, никого сзади не обнаружил... Стало быть, в астрал вглядывается...

— Ну а сам как думаешь?.. — ворчливо спросил Президент. — Раскусил он тебя?

— Думаю, да... — честно сказал Николай. Врать — вообще глупо, а уж в такой ситуации — тем более. Наверняка страшки за спиной. Чуть соврешь — сразу же продадут. — Раскусил... Уходя, полковником назвал...

Признание Выверзнева Глеб Портнягин воспринял с заметным удовлетворением. Крупные губы его сложились в некое подобие улыбки. Такое впечатление, что Президент в какой-то степени даже гордится Африканом. И Николая вновь поразило неуловимое сходство двух заклятых врагов...

— Твои выводы!..

— На государственный переворот в Баклужино протопарторг не надеется... — сосредоточенно, обдумывая каждое слово, произнес полковник. — Сам видит, что население не поднять. Насколько я понял, собирается стравить НАТО с Лыцком, а во время заварухи спихнуть Порфирия и стать Партиархом самому. Думаю, завтра следует ожидать серии провокаций, ну и... — Николай помедлил. — Видимо, все-таки икона...

Лежащая на письменном столе ручка внезапно стала торчком, затем упала и закрутилась на месте. Президент лишь покосился хмуро и погрозил ручке пальцем.

— Вот и я тоже думаю, что икона, — задумчиво молвил он, снова поворачиваясь к Николаю. — Засада в краеведческом — оставлена?..

— Так точно. Усилить ее?

— М-м... Да нет, не стоит... — поколебавшись, сказал Президент. — Знаешь, как мы лучше поступим?.. Снимем-ка эту засаду вообще...

Полковник вздернул брови, затем твердое мужественное лицо его обмякло, даже слегка обвисло... Такое впечатление, что Портнягин решил идти навстречу всем сокровенным желаниям Николая Выверзнева...

В приемной полковника поджидал генерал Лютый. Извелся уже — надо полагать. Подхватил Николая под локоток и, опасливо озираясь, увлек в коридор — подальше от глаз секретаря.

— Ну, слава Богу, живой! — блуждая воспаленным взором, зашептал он. — Как долбануло — ну, думаю, все... Аминь Коляну!.. Как же ты уберегся — не пойму...

— Да мы ж не в «Ограбанке» заседали, — пояснил Николай, тоже понизив голос. — На частной квартире...

Генерал оторопело взглянул на полковника — и желтоватые глаза его внезапно остекленели, обессмыслились...

— А-а... — с уважением протянул он. — Вон оно что... А мне доложили — в «Ограбанке»...

Глава 11. ПОРФИРИЙ,

ПЯТЬДЕСЯТ ШЕСТЬ ЛЕТ, ПАРТИАРХ

П артиарх Лыцкий Порфирий был не в духе. Он вообще терпеть не мог неожиданностей, справедливо усматривая в них вызов своей прозорливости.

— Дидим!.. — позвал он, подавая звук несколько в нос.

Вошел заранее испуганный комсобогомолец — ясноглазый седенький старичок хрупкого сложения. По возрасту ему давно полагалось выбыть из коммунистического союза богобоязненной молодежи, но Партиарх полагал, что преклонные лета членству не помеха. Была бы душа молода.

— Ну в чем дело, Дидим?.. — Глава Лыцких Чудотворцев с отвращением шевельнул развернутый перед ним на столе свежий номер «Ведуна», официального органа Лиги Колдунов Баклужино. — Я же просил не кропить и не крестить... Пришла газета заряженная, заговоренная — значит такой ее и подавай.

Старичок задохнулся, всплеснул черными рукавами рясы.

— Да вот честное сталинское, не кропил и не крестил!.. — побожился он всуе. — Может, на таможне кто...

— На таможне?.. — Партиарх нахмурился, подумал. — Ладно, иди, разберемся... Да скажи, чтобы выговор тебе записали...

Старичок-комсобогомолец с отчетливым позвоночным хрустом махнул поясной поклон и, переведя дух, выпорхнул из кельи.

Как и всякий опытный политик, Партиарх Лыцкий Порфирий исповедовал старое правило: карать немедленно — и только невиновных. Виновные — они ведь никуда не денутся, придет со временем и их черед. Не век же им быть виновными-то...

Партиарх вздохнул и вновь занялся вражеской прессой — проглядел заголовки. «БАКЛУЖИНО ГОТОВИТСЯ К ВСТРЕЧЕ ВЫСОКИХ ГОСТЕЙ...» Ладно, пусть готовится... Так, а это что? «НОВЫЕ ПОДРОБНОСТИ ЧУМАХЛИНСКОЙ ТРАГЕДИИ...» Вот поганцы!.. Так и норовят под крылатые ракеты подвести!..

Стекла заныли — очередное звено американских самолетов вторглось в воздушное пространство Лыцка... Партиарх лишь досадливо повел бровью и приступил ко второй странице. Хм... «ТЕЛЕГА СТАРАЯ, КОЛЕСА ГНУТЫЕ...» Это о чем же?.. «Сбежавшее колесо президентского лимузина ловили всем миром...» Игриво, игриво...

Вот, мол, мы какие нехристи смелые — даже своего Президента покусываем...

И реклама, реклама... Добрая половина газеты — сплошь из одной рекламы. «ФИРМА «ДИСКОМФОРТЪ» РЕАЛИЗУЕТ КРУПНЫЕ ПАРТИИ САХАРА. КРАДЕНЫЙ — СЛАЩЕ...» Совсем обнаглели!..

Об одном лишь беглом протопарторге — ни полслова...

Порфирий отложил газету и задумался.

Итак, верный друг и соратник, провались он пропадом, почуял беду и сообразил, что во вражеском логове куда меньше опасности, нежели в дружеском. Политической слепотой Африкан отличался всегда, но вот малодушия Порфирий от него, признаться, не ждал. Ну как это — взять и сбежать? Неужели протопарторг сам не понимает, насколько в данный момент его трагическая гибель необходима Лыцку?.. Видимо, не понимает. Не желает понять!..

Ведь если разобраться: кто виноват во всей этой заварухе? Кто раздул в средствах массовой информации заурядную пьяную драку лыцких механизаторов с баклужинскими до размеров танкового сражения у хутора Упырники? Кто обещал уничтожить в воздухе специальную комиссию ООН? Кого объявили на днях политическим террористом? По ком плачет международный суд в Гааге? Из-за чьих проделок вот уже вторую неделю воют над Лыцком турбины американских штурмовиков? Из-за кого все это?..

Из-за Порфирия, что ли?! Да нет, не из-за Порфирия... Из-за тебя, дорогой товарищ Африкан!..

Даже если допустить, что ты и впрямь баклужинский шпион, — кого это оправдывает?.. Раз уж на то пошло, все самые неистовые и крикливые члены любой партии наверняка внедрены в нее врагами — на предмет раскола и хулиганских выходок... И ничего — втянулись, работают. Не хуже других...

В свое время нарком инквизиции митрозамполит Питирим представил Порфирию подробнейшую информацию об Африкане. Среди прочих сведений там фигурировали и отроческая дружба с Портнягиным, и сомнительный взлом краеведческого музея, и откровенно подстроенный побег из камеры предварительного заключения... Тем не менее Партиарх счел возможным ввести Африкана в Политбюро и приобщить к лику Лыцких Чудотворцев. Ну, подумаешь, шпион!.. Значит, золото, а не работник! Это свои — лодыри, а вражеский агент будет пахать день и ночь, лишь бы подозрений не навлечь...

Ну, не без греха, конечно... Бывает, передаст за кордон кое-какие секретные материалы — так ведь их же все равно не используют... Случая еще не было, чтобы использовали!.. Вон Рихард Зорге прямым текстом передавал, когда война начнется. Много его послушали?.. А Шелленберг!.. Все данные выложил фюреру — как на блюдечке, чуть ли не на пальцах доказал: нельзя на СССР нападать... И что в результате?.. А ведь это Зорге! Это

Шелленберг! Что уж тогда говорить о разведчиках поплоше! Да их донесений вообще не читают — недосуг...

Короче, шпион, не шпион — какая разница? Главное — что в тот момент протопарторг идеально соответствовал роли политического отморозка... Во-первых, можно было спихнуть на него при случае грехи любой тяжести, а во-вторых, все прочие Чудотворцы смотрелись бы рядом с космобородым, звероподобным Африканом чуть ли не европейцами.

«Да нехай себе шпионит! — решил Порфирий. — Зато рыло, рыло какое!..»

В ту пору Партиарх и представить не мог всех последствий злосчастного своего решения... Хотя с протопарторгом-то он как раз не промахнулся — протопарторг повел себя прекрасно: порол кровожадную чушь с высоких трибун и яростно призывал всех к беспощадной борьбе не с тем, так с этим... Ошибка Партиарха была в другом, вечная роковая ошибка политических деятелей... Как это ни прискорбно, но Порфирий недооценил идиотизм народных масс. Народные массы пошли за Африканом...

Трудно сказать почему, но каждому из нас в глубине души непременно хочется быть посаженным, расстрелянным, пораженным в правах до седьмого колена. Смутное это желание мы называем обычно стремлением к порядку и социальной справедливости... Да, говорим мы себе, меня прижмут. А может, и не прижмут. Но уж соседа прижмут наверняка... Ностальгия — не иначе. Тоска по утраченному пещерному раю. Безбожники-антропологи спорят по сей день о том, где возник человек... Видимо, все-таки в исправительно-трудовой колонии.

Так вот задача политика — нащупать в душах избирателей эту первобытную жилку, затем подкрутить колок, натянув ее до отзвона, а дальше уже — дело техники... Кричи, струна, пока не лопнешь! В этом плане, конечно, претензий к Африкану быть не может: и струнку нашел, и сыграл вполне душераздирающе... Пока население Лыцка с упоением корчевало светофоры и бегало по соседским дворам со святой водой в поисках нечистой силы — это было еще терпимо. Но ведь дальше-то пошло откровенное разжигание ненависти к Баклужино!.. Нет, конечно, внешний противник тоже необходим... Без него государство просто не выживет. Уж на что был велик Советский Союз, а стоило со всеми помириться — тут же и распался!..

Однако меру-то — знай! До войны-то зачем доводить?..

Ах, протопарторг, протопарторг... Раздразнил НАТО, смутил народ — и поди ж ты! Бежал! Заварил кашу, а расхлебывать?.. Такой тебе выпал случай принести себя в жертву, войти в историю, стать легендой... В голове не укладывается!..

Партиарх был не просто возмущен — он был искренне расстроен обывательским поступком Африкана.

Назвался политическим деятелем — будь любезен, осознай, что совесть дело тонкое. Подчас исчезающе тонкое... Но ведь не до такой же степени, в конце-то концов!..

Над Лыцком громоздились облака и шепелявили турбины. Ныли оконные стекла...

От гневных раздумий Партиарха Порфирия отвлек все тот же хрупкий ясноглазый старичок-комсобогомолец, уже схлопотавший сегодня один выговор по церковно-партийной линии. Не иначе — мало показалось...

— Что там еще у тебя?.. — брюзгливо спросил Партиарх.

— Правительственный бюллетень... о состоянии здоровья... — пугливо доложил юный душою старец, кладя на стол перед Порфирием машинописный лист. (Компьютерной техники Партиарх не понимал.)

— Африкана, что ли?.. — желчно осведомился Порфирий. — Ну и как там у него со здоровьем?..

(По официальной версии, протопарторг прихварывал. Надо же было как-то объяснить народу отсутствие всеобщего любимца!)

Хрупкий старичок вытянулся в струнку, пергаментное личико его просветлело, стало вдохновенным.

— В целом идет на поправку, но возможны осложнения... — трепетно отрапортовал он.

— М-да?.. — с сомнением молвил Партиарх, склоняясь над листом. — Осложнения — это хорошо... Да, кстати... Что там за шум на площади?..

И вправду — такое впечатление, будто под окнами высотной кельи собрался довольно многолюдный митинг.

— Да вот как раз бюллетеня ждут... В доноры просятся... Ну там... лимфу для Африкана сдать... костный мозг, ауру...

Порфирий шумно вздохнул и вернул бумагу.

— Мозг... — недовольно повторил он. — С мозгами у него все в порядке... Своими поделиться может. Да и аурой тоже... Ладно, текст одобряю, иди вывешивай...

Комсобогомолец сломился в поясе и вышел, а Партиарх вновь вернулся к прерванной череде тревожных мыслей...

Окажись Африкан более мужественным или менее умным (что, впрочем, одно и то же), проблем бы не возникло вообще. Ну похоронили бы его, ну задавили бы, как водится, в толчее пару чрезмерно любопытных старушек, переименовали бы село Звездоочитое в город Африканск... Памятник бы воздвигли на площади, мавзолей... Дальше уже мелочи... Втайне от народа извиниться перед Баклужино, перед странами НАТО, свалить все на покойного протопарторга, совершить какой-нибудь там акт доброй воли — и считай, что конфликт исчерпан!..

А теперь — как поступать прикажете?..

Объявить, что Африкан бежал в Баклужино?.. Да Боже упаси! Америка не поверит, поскольку это — правда. А Портнягин — калач тертый и наверняка будет все отрицать напропалую: и факт перехода границы, и прочие проказы Африкана, включая чудо с гирей, о котором Партиарху сообщили нынче утром...

Первым побуждением Порфирия было вычеркнуть протопарторга из списка Чудотворцев и немедленно предать событие огласке, но, к счастью, остановила мысль о том, что народ не поймет. Вернее — поймет, но правильно... А с народом, как известно, шутки плохи: сорвется — на цепь не посадишь... За своего любимца столицу разнесут. Следовательно, придется усмирять. Армия, конечно, не подведет, поскольку гражданской совести у военных не может быть по определению, но устраивать пальбу в тот момент, когда у тебя над головой ревет палубная авиация шестого флота?..

Еще никогда в жизни Порфирий не чувствовал себя столь беспомощным. Если Африкан в ближайшее время не будет предан суду в Гааге (или, на худой конец, не погибнет внезапно), американцы запросто нанесут ракетно-бомбовый удар по Лыцку. С них станется! В прошлом году Нижний Чир разбомбить грозили — за непомерно большое количество наездов автотранспорта на пешеходов... Геноцид, дескать! Собственный народ давят...

Ближе к вечеру, как было назначено, пожаловал с докладом глава контрразведки.

Нарком инквизиции Питирим (в миру — Кудеяр) являл собою полную противоположность робкому комсобогомольцу, что сидел в приемной Порфирия. Во-первых, был он до неприличия молод, во-вторых, совершенно бесстрашен... Ибо что есть бесстрашие? Это такое состояние духа, когда человек настолько очумел от страха, что ему уже все равно... В-третьих, востренькое верткое личико моло-денького митрозамполита отмечено было скорее печатью хитрости, нежели ума, — причем хорошо отмечено! С маху печать прикладывали, не иначе...

Словом, фигура довольно неожиданная.

Казалось бы, должность наркома инквизиции требует мудрого старца, но это — очередное об-щепринятое заблуждение. Дело в том, что, забрав такую силу, мудрый старец неминуемо спихнет главу государства и сядет на его место сам. По-этому в данной должности как раз более уместен ушибленный высоким доверием юноша, от кото-рого требуется одно: рвение, рвение, рвение.

Кроме того, известно, что, достигнув высшей власти, всяк норовит как можно быстрее устранить свидетелей этого своего преступления: друзей, со-ратников, а если хватит твердости характера — то и родственников. Затем приходится устранять не-посредственных исполнителей устранения — и так несколько раз подряд. Естественно, что в резуль-тате подобных ротаций кадровый состав контрраз-ведки неминуемо омолодится.

Отсюда — юность, отсюда — бесстрашие, от-сюда — сметка.

— Возможен вариант Че Гевары, — шмыгнув востреньким носиком, сообщил митрозамполит и разъял тоненькую папку без опознавательных на-клеек. — Пламенный протопарторг решил на свой

страх и риск объявить себя частным лицом, по-
встанцем, перейти границу и начать партизанскую
войну с колдунами на их собственной территории...
Пытались вразумить. Уговоры не подействовали...

— Он же, по официальной версии, болен!.. —
напомнил Партиарх.

— Ну вот в бреду, стало быть, и перешел...

— Допустим... А кто уговаривал?

— Все Чудотворцы во главе с Партиархом!.. —
без запинки отбил бойкий отрок.

— А как докажешь, что он это сделал?.. Баклу-
жино-то — молчит, не протестует!..

Все-таки запнулся митрозамполит.

— Да... — с легким оттенком сожаления признал он и отложил листок в сторону. — Поэтому я
считаю, что более приемлем следующий сценарий, —
продолжал он дробить языком как ни в чем не
бывало. — Обратиться завтра в ООН с жалобой
на спецслужбы Баклужино: дескать, выкрали Африкана и тайно умертвили... Волну народного гнева организовывать не стоит — поднимется сама...

Партиарх слушал, сдвинув брови, и время от
времени кивал. «Молодой... — одобрительно думал он. — Мысль с перепугу играет... Все-таки
правильно я его назначил...»

Негромко крякнул — и митрозамполит умолк.

— А сопротивления он по болезни оказать не
смог... Ты ведь к этому клонишь?.. — уточнил
Партиарх. — Общий упадок сил, в том числе и
чудотворных?.. Ну, допустим, допустим... А спросят: на кой это пес вообще понадобилось баклужинским спецслужбам?..

Однако на сей раз сбить наркома инквизиции не удалось.

— Боялись, как бы он их не разоблачил на процессе в Гааге...

— В какой Гааге?.. — страшно раскрывая глаза, угрожающе переспросил Партиарх. — Ты... Ты соображаешь, что говоришь? Да чтобы мы... любимца партии, любимца народа... выдали этим собакам империалистам? Этим еретикам?..

— Нет, мы-то, понятно, выдавать не хотели... — поспешил объясниться Питирим. — А в Баклужино думали, что выдадим... Ну и выкрали...

— М-да?.. — Порфирий подумал. — А в чем он собирался их разоблачать?

— Преступления подберем... Фактуры хватает...

— Почему не разоблачил раньше?

— Так ведь Гаага же... — тонко заметил митрозамполит. — Мировая огласка...

Партиарх помычал, в сомнении качнул головой:

— Тогда выходит — Африкан сам должен был потребовать суда...

— А он и требовал!.. — со всей убежденностью подхватил Питирим. — Хотел явиться в Гаагу добровольно, а мы его не пускали... боясь за его безопасность...

Партиарх призадумался.

— Труп нужен, — сурово молвил он наконец.

— Нужен... — сокрушенно подтвердил Питирим.

— А спросят: где взяли?

— Выкрали из баклужинских застенков...

— То есть сами признаемся, что наш спецназ шурует на их территории?

— Ну почему же спецназ?.. Местные патриоты выкрали — и нам передали...

— Хм... — сказал Партиарх. Все еще колебался. — Ну а умерщвлять-то как собираешься? — прямо спросил он.

Питирим крякнул. Честно сказать, задача казалась ему неразрешимой. Пока Африкан жив, статуса чудотворца его никак не лишишь! А пока у него статус чудотворца — покушаться нет смысла: ни пулей не достанешь, ни ножом...

— Н-ну, может быть... как-нибудь все-таки... вычеркнуть его из списка?.. — с надеждой молвил он.

— Как?.. — сдавленно спросил Партиарх. — Как ты это сделаешь без огласки?.. А в него три четверти избирателей верят!.. Хочешь их переубедить? Иди — переубеждай!..

Молоденький нарком инквизиции пригорюнился, затосковал.

— Динамитом попробовать? — расстроенно предположил он.

— С ума сошел? — вскинулся Партиарх. — Динамитом!.. А что тогда в ООН будешь предъявлять? Клочья?..

За окнами высотной кельи Партиарха черной глухой стеной стоял двенадцатый час ночи по лыцкому времени. Сам Порфирий восседал за столом, угрюмо вслушиваясь в зловещий шелест над столицей. «Ночные призраки» шестого флота США возобновили разведку целей. Мало им было той катастрофы...

Вся эта история с Африканом настолько удручала Порфирия, что пару часов назад он вывел из состава Политбюро и отправил на пенсию престарелого протопарторга Василия, имевшего неосторожность внешне напоминать собою Африкана. Причем формулировка была страшна: «Отстранить от занимаемой должности с острой сердечной недостаточностью...»

Тоненько прозвенев, на левую руку Партиарха опустился прозрачный худосочный комар. Видимо, прилетел откуда-нибудь из-за Чумахлинки. Лыцкие на подобное кощунство просто бы не отважились... Любой на месте Порфирия сразу бы согнал его к чертовой матери, а то и размазал единым взмахом. Но Партиарх был политик во всем. Сокрушенно покачивая головой, с мягкой укоризной следил он за тем, как, вызревая в рубиновую каплю, раздувается брюшко неразумного кровопийцы... «Ну куда же ты столько пьешь, дурашка? — казалось, говорили скорбные глаза Порфирия. — Меня, допустим, не убудет, но ты хотя бы о себе подумай...» Наконец зарвавшийся комар всполошился и, натужно зазвенев, попробовал взмыть. Поздно. Перебрал. Кровушка тут же потянула вниз... Лишь тогда Партиарх вздохнул и погрозил пальцем изнемогающему в полете насекомому...

— У, нехристь!..

И то ли этого легкого сотрясения оказалось достаточно, то ли случилось одно из мелких нечаянных чудес, которыми славен был Партиарх, но брюшко мгновенно лопнуло, оросив столешницу невинной кровью, а сам комар (вернее, верхняя его половинка) вознеслась, звеня, к потолку...

Не так ли и душа человеческая?..

Внезапно Партиарх насторожился. Встал, прошелся по келье, выглянул в окно... Внизу сиял золотыми огнями ночной Лыцк... Вдалеке над пятиэтажным магазином «Культтовары» пылали алые неоновые буковки: «СЛАВА БОГУ!» Столица мирно отходила ко сну...

И тем не менее секунду назад что-то случилось... Что-то очень и очень серьезное... Впрочем, кажется, не здесь — за Чумахлинкой...

Прозорливец не ошибся. Именно в этот миг перед зданием, где располагалась фирма «Ограбанкъ» и где должна была, по первоначальному замыслу Африкана, состояться сходка «Красных херувимов», рванула легковушка с динамитом...

— Чадо... — елейно промолвил Порфирий. — Мы же вроде договаривались: никаких взрывов...

— Взрыв — не наш, — побледнев, открестился Питирим.

Отвага — отвагой, но при виде такого смирения струхнет любой. Кротость, по Достоевскому, это вообще страшная сила, а уж кротость Партиарха... Сразу можно гроб заказывать.

— Не наш, говоришь? — с детским недоумением переспросил Порфирий. — А чей же?..

— Пока трудно сказать... Уточняем... Главное —
Африкана там не было... Видно, почуял опасность...
собрал подполье по другому адресу...

Глаза Партиарха ласково просияли, прозревая
грешную душу митрозамполита до самого донышка... Испугался — значит не врет. Потому что врут
в таких случаях — без страха и упрека. Стало быть,
взрыв и впрямь не его рук дело...

— Даже если не наш!.. — проворчал наконец
Партиарх, снова становясь придирчивым и брюзгливым. (У Питирима сразу отлегло от сердца.) — Ты-
то куда смотрел?.. Хорошо еще, что убрегся Африкан! А разнесло бы его в мелкие дребезги?.. Тут же
бы легенда возникла: дескать, жив, уцелел, тому являлся, этому... А как опровергнешь? Мы ж без трупа — как без рук! — Порфирий фыркнул, помолчал,
потом спросил отрывисто: — Что Баклужино?

— Молчит... Скорее всего свалят на пролыцкие элементы.

— Ну, это понятно... Думаешь, он уже и там
кого-то успел достать?.. Кого?

— Завтра выясним!.. — стремительно оживая,
заверил Питирим. — Кое-какие данные уже есть.
Наводчик — наверняка кто-то из «херувимов»,
скорее всего перевербованный нами шофер джипа. Не знал, что место сходки меняется, ну и дал
прежний адрес... И, видимо, не только нам...

— Что ж, оперативно, оперативно... — похвалил Порфирий.

Услышав комплимент, нарком инквизиции
встревожился вновь. «С острой сердечной недо-

статочностью...» — прозвучал в ушах официальный траурный голос диктора.

Необходимо было что-то предпринять. Причем
немедленно... И ширнутый адреналином мозг не
подвел.

— Я вот думаю, — осторожно покашляв, отважился Питирим. — А так ли уж необходим этот
труп?..

— То есть? — опешил Партиарх.

— Если похороны выльются во всенародную демонстрацию... Мне кажется, на Западе и без трупа
поверят... А у нас — тем более...

— Погоди-погоди... — отстраняясь, сказал
Порфирий. — Ты что предлагаешь?

— Самое простое. Национальный траур. По-
хоронить цинковый гроб — да и дело с концом!..

Несколько секунд Порфирий пребывал в непод-
вижности. Потом встал. Случай — редкий. Как это
ни печально, но ростом Бог незаслуженно обидел
Партиарха. Поэтому с людьми Порфирий предпочитал говорить сидя, а на трибуну всегда поднимал-
ся в одиночестве — чтобы не с кем было сравнивать.

Неслышным шагом лунатика прошелся он по
устланной ковром келье. Искоса, как бы заново за-
поминая черты лица, взглянул на Питирима.

— А как быть с самим Африканом? — вкрадчиво осведомился он.

— Самозванец! — истово отвечал нарком инквизиции.

— Как же самозванец?.. А чудеса в Баклужино
творит!..

— Да какие там чудеса? Его же весь народ хоронить будет! Искренне!.. Со слезами!.. То есть чудотворная сила сразу же перейдет с самого Африкана на его мавзолей! А уж самозванца, лишенного благодати, убрать — проблем не составит...

Партиарх слегка изменился в лице и, обойдя стол, медленно взъерзнул на высокое кресло. Кажется, выход был найден, но следовало еще продумать детали — и тщательнейшим образом...

— Ты говоришь: цинковый гроб? Значит, погиб при взрыве. То есть патриоты извлекли останки из-под обломков, передали нам... — Тут на лице Партиарха обозначилось некое сомнение. — Цинковый... — повторил он с неудовольствием. — Н-нет, несолидно! Лучше урну с прахом... Конечно, идеальный вариант — это мумия, н-но... На то, чтобы изготовить мумию, у нас просто нет времени... — Вновь призадумался. — Позволь!.. А как же официальная версия с болезнью?..

— Вполне стыкуется... Почувствовал приближение смерти — и решил пасть в бою. Тот же вариант Че Гевары, только чуть усложненный...

— Ну хорошо! А сегодняшние бюллетени? Кто их вывешивал?

— Враги — кому ж еще?.. — преданно глядя на Партиарха, молвил Питирим. — Внутренние враги... Открытый процесс над ними — сразу после похорон! Без этого — никак...

Порфирий вздохнул. Очень не хотелось жертвовать седеньким ясноглазым Дидимом — но что делать!.. Надо.

Глава 12. САШОК,

ДВАДЦАТЬ ОДИН ГОД, ЛЕЙТЕНАНТ

Везет дуракам. Ну как это: появиться средь бела дня в приметном монашеском одеянии на главной площади Баклужино — и не быть задержанным?.. На площади, полной цветов, детей и контрразведчиков, где каждый квадратный метр заговорен! Уму непостижимо... И ладно бы колдун, ладно бы чудотворец — это бы еще можно было понять! А то ведь лох лохом — и надо же! Просочился...

Оперативники, правда, говорили потом, что приняли гада за своего. Да им и в голову не приходило, что на площадь может проникнуть посторонний! Кое-кто даже утверждал, будто где-то уже видел эту волосатую гниду: не то на приеме в посольстве Башкортостана, не то при штабе танкового корпуса...

Короче говоря, никем не остановленный провокатор достиг благополучно узорчатой решетки перед Президентским Дворцом и, выждав, когда вереница широких правительственных машин выплывет из-за универмага, быстренько приковался к чугунному глухому завитку ограды. Забросил ключ от наручников в клумбу и, вытащив из-под черного подола алое полотнище с серпом и молотом, потребовал раззомбирования политзаключенных...

— Отставить!.. — отрывисто произнес в десятке шагов от места происшествия старший лейтенант Обрушин (для друзей и начальства — Павлик).

Двое сотрудников в штатском, метнувшиеся было за ключом, тут же сделали вид, что просто споткнулись, и, мечтательно вскинув брови, вновь залюбовались кустами роз.

— Сашок!.. — озабоченно позвал старший лейтенант, глядя исподлобья на приближающийся лимузин Президента, окутанный зыбким золотистым сиянием. — Займи его... А я пойду приведу разъяренных женщин из универмага...

Лейтенант Александр Корепанов скроил простецкую физию и ленивым прогулочным шагом двинулся к провокатору.

— Ты чего это, мужик?.. — наивно подивился он, остановившись перед прикованным. — А заклятие наложат?..

— Изыди, сатана! — сквозь зубы отвечал ему тот. Был он взвинчен, измождён и волосат до невозможности. — Не боюсь я ваших дьявольских козней!..

Аура — жиденькая, скорее жертвенных, нежели агрессивных оттенков... Оружия и взрывных устройств тоже не видно... Неужто и впрямь протестовать вышел?..

— Почему это «наших»?.. — обиделся Сашок. — Может, я и сам в комсобогомоле состою!..

Он приосанился и осенил себя даже не крестным, а звездным знамением, метнув собранную в щепоть пятерню молниевидным зигзагом: лоб — левый сосок — правое плечо — левое плечо — правый сосок. Однако схитрил: чуть просунул большой палец между указательным и средним, а мизинец — между средним и безымянным, так что знамение силы не возымело. Кто руку не набил — лучше не пробовать. А то в самом деле долбанет благодатью — и прощай карьера колдуна!.. Да и вообще карьера...

Приковавшийся моргнул и с недоверием уставился на слишком уж подозрительного союзника. А тот подступил поближе и, как бы нечаянно заслонив подруливающий кортеж, с интересом потрогал приколотый к рясе орден Ленина, искусно выпиленный лобзиком, раскрашенный и местами даже вызолоченный.

— А чего это он у тебя из фанеры? Под Африкана, что ли, работаешь?

Действительно, пламенный протопарторг, как доподлинно было известно лейтенанту Корепанову, тоже носил на груди подобную самоделку и уже многих ею исцелил.

— Да хоть бы и под Африкана!.. — огрызнулся волосатик, безуспешно пытаясь выглянуть из-за лейтенанта.

— Чего там?.. — простодушно полюбопытствовал тот — и обернулся.

Кильватерная колонна иномарок успела причалить к полого ниспадающим ступеням Дворца. Президент покинул лимузин и, лучась незримым для простых избирателей золотистым ореолом, стоял теперь в компании седого негра, двух махоньких очкастых японцев и рослого длиннозубого англосакса... Прочих иностранцев в расчет можно было не принимать: Москва, Петербург, Казань... Все со сдержанным удивлением смотрели на странную парочку у чугунной ограды.

— А знаешь что?.. — с азартом предложил Сашок, вновь поворачиваясь к провокатору. — Грянем «Интернационал», а? Хором! Слабо?

— Изыди, говорю!.. — беспомощно просипел тот, наглухо отгороженный от крыльца.

— Да ладно тебе! Заладил: «изыди-изыди»... Ну-ка!.. Чтоб знали! Хором! Ну! А то уйдут сейчас!..

Лейтенант Корепанов оглянулся. Все верно — комиссия ООН, ведомая Президентом, уже поднималась к распахнутым дверям... И тут наконец со стороны универмага подлетели науськанные Павликом разъяренные женщины. Впереди с брезентовым рюкзаком в отведенной руке катилась некая миниатюрная особа. Впрочем, нет, отнюдь не миниатюрная. Скорее приземистая, поскольку при всем своем малом росте была она большеголова и весьма широка в кости. Кажется, Сашок уже имел счастье встретиться с нею однажды...

— Ах вы, поганцы!.. — взвизгнула атлетического сложения коротышка, с маху опуская жесткий рюкзачок на голову Сашка. — И так мужиков не хватает, а они тут в монахи намылились?

Корепанов сноровисто упал на асфальт и, пинаемый в ребра, пополз из общей свалки.

— Э! Бабоньки! Бабоньки!.. — бормотал он, прикрывая затылок. — Меня-то за что? Я ж так, из любопытства...

Выбравшись на свет, огляделся. Комиссия ООН в полном составе стояла на крыльце и, заинтересованно прищурившись, следила за развитием потасовки. Два милиционера в парадной форме кинулись в толпу. Стараясь не причинить никому увечий, они протиснулись к прикованному и прикрыли его собой. Третий милиционер рылся в клумбе — искал ключ от наручников.

Президент с извиняющейся улыбкой повернулся к зарубежным гостям и слегка развел руками. Вот так, дескать... Защищаем жизнь и здоровье любого гражданина, каких бы убеждений он ни придерживался...

Раскованного волосатика вели к милицейской машине. Возле самой дверцы он вдруг извернулся, выпростал правую руку и, видимо, чувствуя, что терять уже больше нечего, торопливо перезвездил напоследок угол универмага. Лепной карниз второго этажа, державшийся на одном заклинании,

откололся от стены и с тяжким грохотом рухнул
на асфальт...

— Скажешь, не гад?.. — процедил вернувший-
ся Павлик, с неприязнью провожая взглядом отъез-
жающий «воронок». — Ну вот откуда он такой
взялся?.. Менты-то куда смотрели?..

Сашок, морщась, потрогал круглую румяную
щеку с царапиной от пряжки рюкзачка и нервным
щелчком сбил с лацкана хрупкое перышко папоротника.

— Слушай, ну достали дилетанты!.. — пожаловался он. — Работать уже невозможно!..

И Сашка можно было понять... Вот попробуй
растолкуй этому волосатику, что своей дурацкой
самодеятельной вылазкой он сорвал серьезную,
тщательно спланированную провокацию!.. Отморозок — он и есть отморозок... Прокукарекал — а
там хоть не рассветай! А ведь его еще и допраши-
вать придется... Зла не хватает!

Из толпы столичных жителей, пришедших при-
ветствовать прибытие специальной комиссии
ООН, выступил и остановился в растерянности
щуплый, похожий на подростка мужичок в черной
приталенной рясе. На вид ему можно было дать и
тридцать, и сорок, а со зла и все сорок пять лет. С
недоумением и обидой глядя на контрразведчиков,
он бесстыдно задрал подол и предъявил им краешек красного знамени. Дескать, что с ним теперь
делать-то?..

Старший лейтенант Павел Обрушин досадливо мотнул головой, как бы стряхивая комара,

умыслившего сесть на правое ухо: не до тебя, мол...
Мужичок мигом все уразумел и, прикрыв срам,
канул в толпу.

Всем известно, что милиция и контрразведка не-
долюбливают друг друга, но мало кому приходит
в голову, что взаимная эта неприязнь берет начало еще со школьной скамьи. Если в контрразведку
отбирают, как правило, отличников с примерным
поведением, то в патрульно-постовую службу идут
в основном мальчики из неблагополучных семей.
Иными словами, налицо слегка видоизмененный
конфликт первой и последней парты, извечная ненависть двоечника к зубриле — и наоборот.

Когда педагогов прямо спрашивают, зачем бу-
дущему рэкетиру знать тригонометрию, те обычно отвечают сердито и уклончиво, что, мол, для
общего развития. Как и всякое лишенное смысла
сочетание слов, звучит это дьявольски красиво, и
от педагога быстренько отвязываются, чтобы не
показаться дураком. Если же преодолеть застен-
чивость и задать еще более бестактный вопрос: на
кой дьявол нужно внушать завтрашним солдатам,
что драться — это нехорошо, педагог занервнича-
ет окончательно, поскольку давал подписку о не-
разглашении.

Так вот, разглашаем: всеобщее обязательное
образование есть отчаянная попытка государства
обезвредить собственных граждан с младых ног-
тей, заморочив неокрепшие детские головы абсолютно бессмысленными науками и не менее бес-

смысленными нормами поведения. Проще говоря: воспитать лохов, поскольку управлять лохами — одно удовольствие. Но пацанва настолько сообразительна, что наиболее сообразительных приходится даже отправлять в колонии для малолеток...

Поэтому подходы к подготовке сотрудников у ментовки и у контрразведки — совершенно разные. Главная задача милиции — научить бывшего трудного подростка составлять протокол из заранее затверженных слов и произносить несколько фраз подряд без матерных вкраплений. Остальное он уже все умеет — вопреки воспитанию... Задача контрразведки — прямо противоположна: сделать из бывшего паиньки и отличника хладнокровного убийцу и лжеца-виртуоза.

Кстати, задача не такая уж и сложная. Стоит интеллигенту переступить некую внутреннюю черту — и бандиту рядом с ним становится нечего делать! Вспомним того же Раскольникова... Любой громила на его месте ограничился бы одной старушкой — Родион же кокнул двух... Поэтому как-то даже обидно слышать грязные абсурдные обвинения в адрес Владимира Ильича Ленина! Все всякого сомнения, это был честнейший человек кристальной души, интеллигент с высокими идеалами, ибо пролить такое количество крови можно лишь во имя добра и справедливости...

Если верить свидетельствам современников (хотя, конечно, верить им нельзя ни в коем случае), Игнатий Лойола якобы говаривал, что, дескать, цель оправдывает средства... Да! И чем омерзительнее средства, тем более великая цель требуется для их оправдания... И коль скоро ученый обнаруживает в исторических документах совсем уже из ряда вон выходящую мерзость, он вправе предположить, что она была совершена либо во имя Родины, либо ради достижения какой-либо светлой мечты человечества.

Однако вернемся к нашим героям...

Насколько можно судить по надменным, небрежно оброненным фразам относительно дилетантов, молодые люди полагали себя умудренными профессионалами, усталыми циниками — и были, понятно, не совсем правы. Полгода работы с Выверзневым — это, конечно, школа, но для полной утраты иллюзий срок явно недостаточный...

Некую внутреннюю черту Павлик с Сашком переступили давно, и все же пудра, которой в лицее, а затем и в колледже обрабатывали им извилины, выветрилась едва лишь наполовину. Например, оба искренне верили, будто враги находятся по ту, а не по эту сторону кордона, и, стало быть, вражеский агент опаснее, чем подсиживающий тебя соратник... Павлик еще куда ни шло, а вот Сашок — тот был настолько наивен, что до сих пор полагал, будто в споре рождается истина. (Для читателей помоложе поясним: в споре рождается коллективное заблуждение, а истиной мы его называем для краткости.)

Вот и сейчас Павлик с Сашком озабоченно прикидывали, как бы это поделикатнее доложить Выверзневу, что запланированная провокация сорвана, а взамен имела место незапланированная. Как говорится, комментарии излишни...

— Разрешите, Николай Саныч?..

— Угу...

С незажженной сигаретой на отключенной нижней губе и с дистанционным пультом в руках полковник Выверзнев сидел бочком на краешке рабочего стола, напряженно всматриваясь в экран телевизора. Передача шла по служебному кабелю прямо из Президентского Дворца. Глеб Портнягин принимал высоких гостей в кленовом зале.

— В принципе особых разногласий с комправославием у нас нет, — обаятельно улыбаясь, излагал он приятным баритоном. — Это у них с нами разногласия! Вот говорят, что мы против святой воды... Да не против мы!.. Кропите на здоровье!.. Но нужно ж знать, куда кропить!.. Они ведь в агитхрамах вслепую кропят: вправо, влево, куда ни попадя... А бес — вот он! Сидит себе на потолке и смеется...

Иностранные гости взглянули на потолок, куда указал глава государства, и заинтригованно прислушались к торопливому бормотанию переводчика.

— А митрозамполит его не видит!.. — Президент возвысил голос. — Потому что не колдун! А заговоры наши? Как они все начинаются? «Выйду я, раб Божий...» Или там «раба Божия...». То есть сами-то мы себя рабами Божьими — признаем, это они нас не признают... Мы для них вообще не люди — так, антихристы беспартийные...

Президент обиженно умолк, потом вдруг грозно взглянул в пустой угол и на кого-то там дунул. Находись Сашок в зале, он бы, конечно, увидел, на кого именно, а вот так, с экрана, трудновато... Проникнуть в астрал по телевизору — это надо быть как минимум членом Лиги...

А Глеб Портнягин властно шевельнул бровью и продолжал с нарастающим возмущением:

— Запретили девкам на Великий Октябрь приворотное зелье варить — и еще жалуются, что рождаемость у них падает!.. Дескать, баклужинцы порчу навели... А то, что мы якобы раздавили танками колхозную церковь в Упырниках, — так это клевета-а... Во-первых, не церковь это была, а овощной склад, а во-вторых, никто ее не давил. От сотрясения — да, согласен: могла развалиться... Да сами они ее трактором под шумок и разутюжили!..

— Негра дай... — буркнул Выверзнев.

Сашок хотел переспросить, но выяснилось, что обращались не к нему. Глеб Портнягин свалил с экрана, а камера, мазнув по лицам сидящих за столом, остановилась на негре преклонных годов. Надо сказать, очень кстати, поскольку в следующий миг чернокожий разомкнул длинные обезьяньи губы и, сильно окая, громко спросил по складам:

— В Бок-льюжн прой-зо-шоль зрыв... Кто узорваль? И ко-во?..

Изображение дернулась. Должно быть, оператор снова хотел показать Портнягина.

— Держи негра... — процедил Выверзнев. — Укрупни...

Лицо укрупнилось, привлекательней от этого не ставши. За кадром послышался исполненный сожаления прекрасный бархатный баритон Президента:

— Если мистер Джим Кроу имеет в виду вчерашний взрыв на проспекте Нострадамуса, то пока что ни одна организация не взяла на себя ответственность за этот террористический акт. Расследование — ведется...

— М-да, — сказал Выверзнев и приглушил звук. — Что-то не ладится пока у Кондратьича... Видал, какая у негритоса морда подозрительная? Причем третий раз он уже этим взрывом интересуется... Слышишь? — Полковник поднял палец.

Сашок прислушался. Приглушенно бормотал телевизор. Кто-то возился, шурша, в кирпичной стене кабинета. То ли домовой, то ли коловертыш.

— Н-нет... Ничего не слышу...

— Вот и я тоже, — удрученно молвил Выверзнев. Прикурил, взглянул на Сашка. — Что у тебя?

— Да вот... Павлик послал... доложить...

— Ну-ну?..

Сашок трагически заломил брови и доложил о случившемся на площади. Выверзнев слушал вполуха и все косился на экран...

— Жаль... — рассеянно молвил он наконец. — Конечно, с «Интернационалом» вышло бы покрасивше... А что баб привести догадались — это вы молодцы!.. Хорошая драка получилась, я прямо залюбовался — издали... Так что благодарю за своевременные и грамотные действия!

— Служу Баклужино... — зардевшись, выдавил Сашок.

Ему еще трудно было уразуметь, что провокация — скорее искусство, нежели наука. Поэтому экспромт зачастую бывает гениален, оригинал впечатляет сильнее, чем самая тщательная подделка, а любитель, уступая профессионалу в мастерстве, сплошь и рядом превосходит его в искренности...

— У тебя все?

— Никак нет, Николай Саныч! С задержанным проблемы...

— А что такое?

— На Африкана ссылается... — Сашок замялся. — И на вас тоже...

— Да-а?.. — Выверзнев задумался, погасил сигарету. — А какой он из себя?

— Волосатый такой...

— Волосатый?.. Хм... Ладно, начинайте допрос, а я к вам чуть позже загляну...

Допрос начался с технических неполадок.

— Да что за черт?.. — озабоченно пробормотал Сашок, извлекая из восковой куколки железную иглу и поднося ее ржавое жало к ослепительной лампе. — Почему не действует?

Провокатор сидел на привинченном к полу стуле и, судя по шевелящимся волосяным покровам, надменно улыбался. Руки его были скованы за спиной.

— Может, его вручную допросить? Мануально?..

— Мы ж не менты, Сашок... — укоризненно напомнил более опытный Павлик. — Нет уж, давай как положено...

И старший лейтенант сосредоточенно оглядел разложенные на письменном столе инструменты и вещественные доказательства.

— Ну еще бы она тебе действовала!.. — проворчал он. — Рядом вон Микола Угодник лежит и этот еще, лысый... Дай-ка в сейф приберу...

Он завернул в алый шелк изъятый образок Миколы Угодника вместе с орденом Ленина и направился к сейфу. Сашок бросил пытливый взгляд на задержанного и снова пронзил куколку. Допрашиваемый тут же замычал и заворочался на стуле.

— У, нехристи!.. — сдавленно произнес он, гордо уставив на мучителя набитые волосами ноздри. — Режьте — ничего не скажу...

— Все равно слабовато... — посетовал Сашок. — А-а... Так на нем же еще чертогон!.. Слушай, помоги, а то опять укусит...

Вдвоем они кое-как освободили яростно отбивающегося провокатора от нательного креста.

— Ну, вот теперь другое дело... — удовлетворенно молвил Сашок. — Итак... С какой конкретно целью и по чьему заданию вы проникли на территорию суверенной республики Баклужино?

И волосатик пошел колоться на раз...

Примерно на двадцатой минуте допроса лязгнула тяжелая дверь подвала. Сотрудники оглянулись и выпрямились. Сашок отложил иглу.

Открытое, прекрасно вылепленное лицо полковника Выверзнева было сумрачно. Видимо, предварительная беседа Президента с представителями ООН по-прежнему шла из рук вон плохо. Хмуро кивнув, полковник взял со стола протокол допроса.

— Эк понаписали!.. — подивился он, проглядев первый лист. — Лыцкий агент? Надо же! Прямиком из-за Чумахлинки?..

Павлик с Сашком, почуяв нутром неладное, переглянулись. Кажется, переусердствовали... А полковник рассеянным жестом отодвинул истыканную иглой восковую куколку и присел на край стола, со всевозрастающим интересом вчитываясь в протокол.

— Да раскуйте вы его... — ворчливо приказал он, не поднимая головы.

— Так, Николай Саныч!.. — всполошился Павлик. — Он же сейчас углы крестить начнет!..

— Не начнет, — сказал Выверзнев. — Раскуйте.

Пожав плечами, Сашок освободил поганца от наручников.

— Йо-о!.. — поразился Выверзнев какому-то новому перлу. — Попытка покушения на Президента... по личному заданию Африкана... Ребята, вам что, очередного звания сильно захотелось?

Молодые люди дружно порозовели в четыре щеки.

— Круто, круто... — с уважением молвил полковник. — И главное, всего ведь полчаса допрашивали, даже меньше!..

Он отложил протокол и, не слезая со стола, повернулся к волосатику. Выкатив глаза, тот с безумной надеждой смотрел на своего избавителя. В жесткой бороде сияли слезы.

— А ну-ка оставьте меня с ним минут на десять...

Сашок и Павлик беспрекословно повернулись и вышли. При помощи нехитрых колдовских приемчиков они, конечно, запросто могли бы подслушать беседу боготворимого ими Николая Саныча с задержанным, но, разумеется, не посмели. А жаль. Половину бы иллюзий как ветром сдуло...

— Виталя... — позвал полковник, дождавшись негромкого лязга железной двери. — Так когда ты виделся с Африканом?

— Позавчера в ночь... — просипел горлом доморощенный провокатор.

— Почему не сообщил?

Кудлатая башка бессильно упала на грудь.

— Понятно... А на площадь зачем выперся? Африкан велел?

— Нет... Сам...

— Да ты что? Это за каким же лешим?

— Подначил он меня... И на колдунов я в обиде...

— А на колдунов-то за что?

— Дом сломали... Обещали сразу же в новый переселить — не переселили...

— Эх, Виталя-Виталя... — с упреком сказал полковник. — А ко мне обратиться?.. Ну вспомни: было хоть раз, чтобы ты попросил, а я тебе не помог?..

Подавив рыдание, Виталя вскинул мохнатое, как у домового, личико. Наслезенные глаза обезумели. Пористый кончик носа побелел. Не иначе — гордыня обуяла...

— В содеянном — не раскаиваюсь!.. — Голос Витали, по идее, должен был окрепнуть, зазвенеть, но вместо звона вышел скрип. — Знал, на что иду, и готов на любую расплату!..

— А в чем тебе раскаиваться-то?.. — удивился Выверзнев. — Мы, собственно, так все и планировали, только с другим исполнителем. Сработал ты чисто, даже вон карниз универмага перезвездить сообразил... А расплата — как обычно... — Полковник вздохнул, слез со стола и запустил руку во внутренний карман пиджака. Вынул пачку, отлистнул несколько зеленых бумажек, извлек ведомость. — Распишись вот здесь — и свободен... Понадобишься — дам знать...

Медленно и неловко Виталя поднялся с привинченного к полу сиденья. Пошатываясь, подошел к столу. Непонимающе взглянул на доллары, на ведомость, потянулся было за шариковой ручкой и вдруг замер. Ах, будь здесь Павлик с Сашком — уж они-то бы наверняка заметили, что аура Витали пошла пятнами! Да и полковник, хотя и не был колдуном, мог бы, кажется, обратить внимание на общую взвинченность провокатора. Однако в данный момент Выверзнева интересовали куда более важные проблемы: Африкан, странное поведение комиссии ООН, загадочный взрыв у подъезда «Ограбанка»...

— Да здравствует Пресвятая Революция!.. — испуганным шепотом сказал Виталя. Затем дрогнувшей рукой ухватил еще не расколдованное орудие допроса и, всхлипнув от ужаса, одним судорожным движением свернул восковой куколке голову.

Отчетливо хрустнули позвонки, волосатое лицо страдальца нелепо вздернулось, оскалилось, выпучило глаза — и с этой-то жуткой гримасой бедолага черным длинным мешком осел на бетонный пол подвала.

Полковник поспешно прибрал ведомость, баксы — и кинулся к самоубийце, зная наверняка, что можно уже не кидаться... Перелом позвоночника, да еще и у основания черепа?.. Нет, безнадежно...

— Ах ты, дурачок-дурачок! — удрученно произнес наконец Выверзнев, поднимаясь с колен. — Ну как же можно... так все принимать близко к сердцу!..

Сзади лязгнуло — гулко и негромко. Николай оглянулся. На железном пороге стояли, остолбенев, Павлик с Сашком. Молодые люди с ужасом глядели то на оскалившийся труп Витали, то на восковую куколку со свернутой головой, то на полковника...

— Медэксперта пригласите... — буркнул Выверзнев.

Долговязый Павлик сглотнул и кинулся выполнять поручение. Снова лязгнула дверь.

— Николай Саныч... — с запинкой вымолвил Сашок. — Это вы его?..

— Нет... Сам...

— А... А как теперь это оформить?..

Полковник задумался на секунду, взглянул на распростертое тело, поиграл желваками.

— Как-как... — расстроенно сказал он. — Его ж бабы из универмага били! Ну вот, стало быть, позвонок и сдвинули...

Каких-либо особых сложностей безвременно почивший Виталя контрразведке не доставил. Эксперт не глядя подмахнул акт, и тело отправили в морг. Все знали, что день прибытия комиссии ООН будет сумасшедшим. Отягощать его добавочными проблемами не хотелось никому...

К полудню сумасшествие обострилось... Очередной переполох возник сразу после окончания предварительной беседы, когда зарубежные гости, покинув Президентский Дворец, садились в машины, чтобы ехать в Чумахлу, где им должны были предъявить следы варварского артобстрела. Внезапно двое неизвестных в опасной близости от иностранцев начали применять друг против друга приемы кунг-фу. Когда же их повязали, выяснилось, что оба они глухонемые и что вовсе не драка это была, а жаркая полемика относительно галстука негра: от Кардена или не от Кардена?..

В двенадцать ровно Сашок не выдержал.

— Николай Саныч!.. — жалобно возопил он, врываясь в кабинет. — У меня по списку одиннадцать лыцких провокаций! А на проспекте сейчас уже двадцать первая идет!..

В отличие от молодой поросли полковник Выверзнев вел себя все спокойнее и спокойнее. Казалось, нарастающая неразбериха действует на него умиротворяюще.

— Серьезно, что ли? — переспросил он. — Ну так включи их в список — делов-то!..

— Но мы же их не планировали!..

— Значит, Африкан планировал, — невозмутимо откликнулся Николай Саныч. — А может — так, самотек...

Сашок взялся за пылающий лоб и тихонько застонал.

— Мигрень?.. — осведомился Выверзнев, запуская руку в ящик стола, где хранились таблетки.

— Крыша едет... — сдавленно признался Сашок. — Николай Саныч! Скажите честно! Вы что, завербовали Африкана? Он что, на нас работает?..

— Ну почему же? — мягко отозвался Выверзнев. — Африкан работал и работает против нас... Просто задачи наши в данном случае полностью совпадают... Застращать комиссию ООН лыцкой угрозой, накалить обстановку...

— В астрал уйду... — безнадежно пообещал Сашок.

— Не вздумай! Ты мне еще тут понадобишься. — Полковник вздохнул и, помрачнев, добавил: — Беда, Сашок, в другом... Что-то ни у нас, ни у Африкана ни черта пока не выходит... А Павлик где?

— Вы ж его в Чумахлу откомандировали!..

— А! Ну да... Стало быть, поедем с тобой... Надо, видишь ли, встретиться с одним авторитетом...

— С кем?! — Сашок не поверил собственным ушам.

— С Черепом... — терпеливо пояснил Выверзнев. — Весьма любопытные данные на него поступили... Кстати, Африкан утром осматривал краеведческий... На белом «мерседесе» приезжал... Чуешь, чем пахнет?

Безработный Максим Крохотов был оскорблен случившимся на площади до глубины души. Выверзнев его еще таким не видел ни разу.

— Нет, ну обидно, Николай Саныч!.. — навзрыд жаловался Максим, мечась по кухне и взмахивая черными широкими рукавами приталенной рясы. В углу на спинке стула праздно сиял алый шелк непригодившегося знамени. — Ну я же вас никогда еще не подводил!.. И вдруг взять променять меня на какого-то... недоделанного!.. Ну хотя бы намекнули заранее, что не доверяете! Но вот так-то зачем же?..

— Да ладно тебе... — миролюбиво проворчал Выверзнев. Он сидел, закинув ногу за ногу, хмурился, курил... Много курил полковник. — Мы ж тебе за беспокойство заплатили... Какой-никакой, а навар...

— Да разве в этом дело?.. — тоненько взвыл Максим. — У меня ж ведь тоже гордость есть! Ну, видел я этого вашего... волосатого!.. Ряса — болтается! Явно чужая! Дикция — ни к черту! Уже в десяти шагах ни слова не разберешь!.. А я — рясу приталил, «Вставай проклятьем» выучил... Эх, Николай Саныч! Да я его, «Проклятье» это, так бы на площади грянул, что нас бы тут же, не глядя, в НАТО приняли! С перепугу!..

— Комиссия-то не из НАТО... — тонко заметил стоящий в дверях Сашок. — Из ООН...

— Да это — что в лоб, что по лбу!.. Обидели вы меня, Николай Саныч... Иду домой, как дурак, в рясе этой — глаза уже не знаю, куда девать... Домового по дороге встретил — и тот лыбится... Эх!..

— Ладно, Максим, не горюй. — Выверзнев погасил сигарету. — Какие твои годы!.. Снимай-ка ты свое облачение да поди на часок прогуляйся, лады?..

И разобиженный Максим Крохотов, ворча, отправился переодеваться. Честолюбив. Первоклассный будет провокатор... Без огонька в этом деле никак нельзя...

Настоящая фамилия Черепа была отнюдь не Черепанов и даже не Черепицын, как предположили бы многие, а всего-навсего Калинников. То есть Черепом его прозвали за внешность. Росту он был среднего, а все остальное соответствовало кликухе.

— Зачем вызывал, начальник?..

— Да вот о прошлой жизни побеседовать... — невозмутимо отозвался Выверзнев. — Как там оно у тебя в прошлой жизни?

— Все путем... — осторожно ответил Череп.

— Никто больше на пятнадцать сребреников не кинул?

С помощью чего Череп строил гримасу — непонятно. Кожа да кости. Ни единой лицевой мышцы...

— Зря смеешься, начальник... Тебе вот смех, а я в натуре верю...

— Да я думаю!.. Раз Есаула схоронили — значит веришь.

— А как иначе? Уважать перестанут...

— Это понятно... — Выверзнев покивал. — Стало быть, выходит, Кученог тебя не в прошлой, а в этой жизни достал?..

Череп дернулся и вопросительно уставился на полковника.

— Легковушка с динамитом... — напомнил тот. — Череп!.. Ты ж вроде никогда в политику не лез... Жить надоело?.. Ну, подойди к Панкрату, прямо скажи: так, мол, и так, надоело. И станет у тебя одной прошлой жизнью больше...

Секунду Череп сидел, наморщив высокое, стиснутое впалыми висками чело.

— А с чего это я к нему подойду?..

— Ну, давай я подойду, если хочешь...

Морщины облегченно разгладились.

— Да кто ж тебе позволит, начальник?.. — с искренним недоумением сказал Череп. — Ты что, бугра своего не знаешь? Ну, давай я тебе про него что хочешь расскажу... Он меня еще до распада области два раза сажал...

— Понял! — бодро и весело прервал его полковник. — Это все, что я хотел выяснить. Лейтенант, проводите...

Сашок моргал. Сбитый с панталыку Череп поднялся со стула и, слегка приподняв плечевые кости, вышел в прихожую. Так и не уразумел, видать, что к чему...

— Николай Саныч... — закрыв за гостем дверь, растерянно обратился к Выверзневу более сообразительный Сашок. Румянца на его округлых щеках заметно поубавилось. — Что же это выходит?.. Что генерал Лютый... — Он свел голос на шепот. — ...заказал вас Черепу?..

— Не меня... — ворчливо поправил Выверзнев, прикуривая очередную сигарету. — Африкана... Меня ему взрывать смысла нет... Просто выбора не было у Толь Толича. Ему же стукнули, что мы с Африканом в одной компании будем...

— И вы теперь... доложите об этом Президенту?.. — со страхом спросил Сашок.

Позабавленный испугом юного сотрудника Выверзнев вздернул брови и насмешливо оглядел Сашка.

— Достоевского читал?

— Д-да... Кое-что...

— «Дневник писателя», например?

— Н-нет...

— Так вот сказано у Федора Михайловича: «В России истина почти всегда имеет характер вполне фантастический...» И ты хочешь, чтобы с этой фантастикой я пошел к Кондратьичу?..

— Но он же колдун, Николай Саныч! Глава Лиги!.. Неужели не поймет?..

— Понять-то — поймет. А вот неправдоподобия не простит. И правильно сделает!.. Потому что неправдоподобие, запомни, — это первый признак непрофессионализма...

Выверзнев помолчал, потом тоскливо глянул на облупленный потолок кухни.

— Тишина... — заметил он. — С самого утра...

И тут наконец Сашок сообразил, в чем дело. Сипловатый вой американских турбин умолк. Небо над Баклужино оглохло. Да и над Лыцком, наверное, тоже... Погода начинала хмуриться. Со стороны Чумахлинки ползла чреватая молниями туча свинцовых оттенков.

Внезапно полковник прихлопнул левый карман пиджака, как бы ловя за руку незримого жулика. Видимо, пейджер у него был настроен на вибрацию, а не на звуковой сигнал. Выверзнев извлек устройство, нажал кнопку...

— «Машку... уломали...» — прочел он сообщение вслух. — Ну вот тебе и разгадка... Лыцк принял все условия НАТО... Включая выдачу Африкана...

— Не может быть!.. — ахнул Сашок.

— Не может, — хмуро согласился Выверзнев. — А значит, скорее всего так оно и есть...

В этот миг из вентиляционного отверстия послышалось тихое призывное поскуливание. Полковник нахмурился, сунул пейджер в карман и, встав, открепил гипсовую решетку. В квадратной черной дыре немедленно возникло мохнатое личико гороховой масти. Выпуклые глазенки так и выскакивали.

— Сегодня в четыре икону будут брать из краеведческого! — с ходу отрапортовал Лахудрик. — Африкан, Панкрат, Ника — и дымчатый с ними, если не врет!..

Глава 13. АНЧУТКА,

ВОЗРАСТ НЕИЗВЕСТЕН, КОНСПИРАТИВНЫЙ

Человеку для счастья достаточно склероза... Сделанного не поправишь, а мерзавцем себя считать тоже не хочется. Проще уж все забыть и спать спокойно. Домовым в этом смысле — еще хуже, чем нам с вами. Мы-то живем от силы лет восемьдесят, а они-то лет триста... Ну вот сами прикиньте, сколько гадостей можно натворить за триста лет!..

А впрочем, срок жизни тут особой роли не играет, поскольку неприятные факты своей биографии и люди, и домовые забывают практически мгновенно. Поэтому не стоит напоминать старому диссиденту о том, что в психушку его отправила теща, а вовсе не КГБ, как ему теперь представляется. Он просто не сможет в это поверить и, пожалуй, чего доброго, решит, что вы на него клевещете...

Особенно успешно все дурное забывается во дни удач. Даже сны Анчутке являлись на этот раз такие ласковые, что просто не хотелось просыпаться. Никто не учинял ему допросов, никто не гонялся со святой водой, не замахивался кадилом, не заставлял стучать на квартиросъемщика. Снились ему дымчатые сородичи — доброжелательные, душевные...

— Братан, братан... — напевно окликали они. — Сливок хочешь?.. Не магазинные — рыночные...

Анчутка приоткрыл выпуклый любопытный глазенок — и узрел прямо перед собой глубокую керамическую миску со сливками. Вскинул личико — и обнаружил рядом с миской присевшего на корточки Кормильчика.

— Мохнатый зверь на богатый двор... — лучась радушием, приветствовал проснувшегося главарь лыцкой мафии. — Ты на нас, братан, не серчай... — искательно добавил он. — Ну не разобрались поначалу... С кем не бывает?..

Анчутка вылез из-за ребристой батареи парового отопления и облизнулся. Как и всякий домовой, при виде рыночных сливок он терял волю.

— Думали, ты лох... — доверительно сообщил Кормильчик. — Кто ж знал, что у тебя крыша такая!.. С Батяней за одним столом сидишь...

— С Батяней? — не понял Анчутка. — С каким Батяней?

Кормильчик удивился, потом призадумался, что-то про себя, видать, смекнул — и с уважением взглянул на сородича.

— Нет, ну Африкан, конечно, покруче... — вынужден был признать он. — Но это ж в Лыцке, прикинь!.. А здесь-то все-таки Баклужино... Здесь мы все под Батяней ходим... Да видел ты его за столом: большой такой, почти с Президента... А чего это ты сливки не ешь?..

Анчутка зажмурился — и лизнул. Трудно было даже решить, что приятнее: лакать сливки или же слушать вкрадчивые речи дымчатого главаря мафии. Льстил главарь: понятно, что не за столом сидел Анчутка во время сходки, а под столом... И тем не менее поправлять Кормильчика не хотелось.

За окном в непривычно тихом рассветном небе монументально громоздились облака. На проспекте кто-то одиноко скандировал натощак: «Yankee, go home!» и «Руки прочь от Лыцка!» Потом вдруг — ни к селу ни к городу: «Пушкин, убирайся в Африку! Есенин, убирайся в Рязань!..» Видимо, репетировал — связки разминал...

Конспиративная квартира была обставлена по-спартански: ящик патронов в углу да прислоненный к стеночке гранатомет. Пусто и гулко. Ни страшка, ни угланчика, ни барабашки. За стеной, завернувшись в плащ-палатку, похрапывал Африкан.

— Мы же все дымчатые, братан... — журчал Кормильчик, сопровождая слова проникновенной распальцовочкой. — Чего нам делить-то?..

Тут стену пронизало зыбкое алое сияние — протуберанец, оторвавшийся от мощной кипучей ауры протопарторга. Что-то, должно быть, приснилось... Возможно, Пресвятая Революция... Косматое мерцающее облачко проплыло сквозь домовых, обдав обоих не то жаром, не то холодом.

Кормильчик встряхнулся, как щенок, окутавшись золотыми и красными искорками. Золотые (если приглядеться) имели форму серпа и молота. Красные были пятиконечны.

— Слышь, братан... — опасливо понизив голосок, молвил он. — У нас толкуют: ты вчера с самой Никой разобрался. Она тебя типа опустить хотела, ну, как Голбечика... Панталончики уже сплела... Ну а ты ее типа вроде как с понтом причесал, завил... Бантик повязал... розовый... Правда, что ли?..

Анчутка только зажмурился и уклончиво промурлыкал в ответ нечто невнятное. Опровергать не стал... Хотя, если честно, повязал-то не он — повязала сама Ника по просьбе Африкана. И не бантик, а косынку... И не розовую, а кумачовую...

Да ладно, пусть их толкуют...

За стеной хрипловато откашлялся Африкан. Кормильчик тут же встрепенулся, сообразил, что времени маловато.

— Я к тебе вот чего, братан... — озабоченно и торопливо проговорил он. — Проснется бугор — скажи, Батяня, мол, просил передать: засада в краеведческом снята... По дружбе, понял? Так что, если нужна ему доска, пускай берет...

— Умгу... — в упоении отозвался Анчутка, размашисто вылизывая керамическое донышко миски.

С первыми лучами солнца выбрались на разведку.

— Х-х... — озабоченно произнес Панкрат, вглядываясь в затененное заднее стекло «мерседеса».

В черном кашемировом пальто, в шляпе с мягкими полями и в белом кашне выглядел он весьма импозантно.

— Вижу... — равнодушно откликнулся с переднего сиденья Африкан, головы не повернув. Не было у него такой привычки. Если уж поворачивался — то всем корпусом...

Действительно, за «мерседесом» давно уже следовал хвост в виде «тойоты» с чумахлинскими номерами. Должно быть, столица патрулировалась всеми силами МВД республики, в том числе и оперативными группами стажеров-нигромантов. Естественно, что выпускники колледжа имени Ефрема Нехорошева просто не могли не обратить внимание на «мерседес», окутанный алой косматой аурой.

— Ты мне вот что лучше скажи, Панкрат... — задумчиво молвил Африкан. — Сам-то ты почему ни разу не попытался?.. Охраны — никакой, двери — и то зачаровать не смогли...

— П-п... — начал было Панкрат, потом досадливо крякнул и толкнул Аристарха.

— Это ж другая икона! — с готовностью пояснил Ретивой, давно уже привыкший исполнять при Кученоге ту же роль, что Аарон при Моисее. — Оригинал продан Портнягиным за границу, сейчас находится в какой-то частной коллекции... Ну мы и подумали: подделку-то какой смысл экспроприировать?..

— Хм... Вот вы как рассуждаете?.. — ворчливо отозвался Африкан. — А откуда же чудотворная сила, ежели подделка?

— Да нет там никакой чудотворной силы... — помявшись, возразил Аристарх. — Доска и доска... Это уже портнягинские шестерки про чудеса гонят, чтоб история наружу не выплыла...

Свернувшись клубочком, Анчутка дремал на коленях Африкана и к разговору особо не прислушивался. Слова Кормильчика он протопарторгу передал, а остальное его мало трогало...

— Хай, пал!..

Анчутка вздрогнул и открыл глазенки. Из бардачка глядела рыжая наглая мордашка гремлина.

— Ладн йессь?.. — спросила нечисть почти без запинки. Наблатыкался, поганец! Способный... «Мерседес»-то новенький, от силы второй месяц бегает по баклужинским дорогам — а он, глянь, как уже русским владеет!..

— Не-а, — испуганно шепнул в ответ Анчутка. — Откуда? Завязал я с ладаном... Давно завязал...

Гремлин недоверчиво шевельнул носопыркой. От бороды и от рясы Африкана явственно веяло опиумом для народа и прочей наркотой.

— Щ-щет!.. — шаркнул инородец и снова исчез в бардачке.

«Мерседес» затормозил у краеведческого музея. «Тойота» с чумахлинскими номерами проплыла мимо и вильнула в переулок. Наверняка сдали объект следующей группе наблюдателей.

Водитель выскочил наружу и, шустро обежав машину спереди, открыл дверцу протопарторгу. Тот поставил косолапую ступню на парапет (так и расхаживал босиком!) и, кряхтя, выбрался из кабины. Вослед ему пушистым дымчатым комочком выкатился Анчутка.

— Значит, говорите, нету никакой силы?.. — усмехаясь в обширную пегую бороду, сказал Африкан. — А вы почувствуйте, почувствуйте...

Панкрат и Аристарх переглянулись. Подпольщики не были ни чудотворцами, ни ясновидцами. И тем не менее каждый внезапно ощутил некое биение, исходящее из правого крыла музея.

Анчутка поежился. Флюиды низали пушистое тельце навылет.

— Я смотрю, вы сюда ни разу и не заглядывали... — мудро подметил Африкан. — Понимаю: некогда...

— Н... н-н... — начал Панкрат, выкатывая глаза и дергая за рукав онемевшего Аристарха.

— Так это что же?.. — очнувшись, проговорил тот. — Выходит, икона все-таки — настоящая?!

Африкан издал шумный страдальческий вздох — почти стон. Наивность подпольщиков подчас удручала...

— Если народ верит, что икона настоящая, — терпеливо пропустил он сквозь зубы, — значит, настоящая...

— Т-то есть н-никакой разницы?.. — Аристарх даже начал заикаться, чего обычно никогда себе не позволял. Кученог был обидчив и подозрителен — мог подумать, что передразнивают.

— Никакой, — подтвердил Африкан.

«Херувимы» были потрясены. Слова протопарторга прозвучали для них откровением. Хотя в чем откровение-то?.. Когда еще было сказано, что глас народа — глас Божий?..

Поэтому скептики могут подсчитывать хоть до пятого знака, с какой силой вылетала пуля из фашистского пулемета и на сколько метров она должна была отбросить от амбразуры рядового Александра Матросова. Если народ верит, что подвиг был, — значит был. И не фиг тут подсчитывать!..

Утро плавно переходило в день. Народ стягивался к центру города, где вот-вот должна была начаться встреча специальной комиссии ООН, митинги, провокации... Короче, праздник.

Мимо причаленного к тротуару «мерседеса» в направлении Дворца Президента прошествовал щуплый, похожий на подростка мужичок в черной приталенной рясе. На вид ему можно было дать и тридцать, и сорок, а со зла и все сорок пять лет... Лицо — отрешенное, вдохновенное... В светлое будущее идут с такими лицами.

— Ваш? — спросил Африкан, кивнув на прохожего.

— Нь-нь... — Панкрат затряс головой. — П-п...

— Да я так и понял... — сказал со вздохом протопарторг. — Ну что ж... Поехали обратно...

— А-ы?.. — Кученог растерянно потыкал пальцем в сторону парадного крыльца музея.

— Не время, Панкрат... — мягко урезонил его Африкан. — Ну, допустим, возьмем мы ее сейчас... И кто об этом узнает? Кто в это поверит?.. Нет уж, брать так брать — с грохотом и с чудесами! Ты думаешь, почему дружок твой, контрразведчик, засаду снял?.. Именно поэтому... Чтобы шуму было поменьше. У них же наверняка еще пара дубликатов наготове. «Как украли? Кто украл?.. — скажут. — Ничего подобного! Вот она, икона-то: как висела — так и висит...» Стало быть, задача наша — подобрать даже не исполнителей, а свидетелей... Таких, чтобы тут же раззвонили по всему городу. Та, например, художница, у которой мы вчера чай пили... Ты вроде, Аристарх, говорил: она уже отдельные церковно-партийные поручения выполняла...

«Херувимы» содрогнулись. Аристарх сглотнул.

— У нее телефона нет... — сипло сказал он.

— Курьера пошлем, — утешил Африкан. Насмешливо взглянул на подергивающееся несчастное лицо Кученога. — Да отделайся ты от меня, Панкрат, поскорее... Вот уйду я с иконой в Лыцк — и станешь ты снова сам себе хозяин... Анчутка!.. Вылазь, поехали...

Услышав зов, домовичок мигом вылез из-под «мерседеса» и юркнул в кабину.

Прав был прозорливец Африкан: для святого дела и нечисть сгодится. Панкрату с Аристархом очень уж не хотелось идти по указанному протопарторгом адресу, и оба ловко уклонились от задания, сославшись на то, что неразумно, мол, использовать главарей подполья в качестве простых курьеров. Субординация, то-се... А посвящать простых курьеров в суть тайного замысла тоже не стоило. Поэтому послать пришлось Анчутку.

Как и всякий порядочный домовой, Анчутка предпочитал со двора носа не высовывать. Но раз Африкан говорит: «Надо», — значит надо...

Такое чувство, что на улицы сегодня вышло все население столицы. Кто ликовал, кто ругался... На площади у подножия Царь-ступы разворачивался митинг крутого замеса под лыцким флагом. «Люди!.. — гремел динамик. — Вспомните, кем вы были и что вы ели!.. Кем вы стали и что вы едите теперь?..» Перед Дворцом Президента кого-то уже били, причем мужиков среди бьющих не наблюдалось — одни бабы с сумками... Потом набежали менты, отняли у баб их жертву, хотели запихнуть в «воронок» — и тут ни с того ни с сего обрушился лепной карниз универмага. Слава Богу, никого не прибило...

Зазевавшись, Анчутка чуть было не угодил под скоростной трамвай, с лязгом и грохотом выползший из бетонной норы на свет Божий. Припав к шершавой стене какого-то министерства, домовичок с бьющимся сердчишком смотрел, как проплывает мимо этот страшный аквариум на колесах. Внутри аквариума сидели и стояли баклужинцы, сплошь уткнувшиеся в раскрытые книжки...

Да, меняются времена. Раньше небось, до распада области, за чтение в общественном транспорте запросто можно было и по рылу схлопотать. А теперь, глянь, все наоборот... Ничего не попишешь — столица. Положение обязывает...

Имей Анчутка склонность к философским размышлениям, он бы неминуемо задумался: как же так? Читать — читают, а живут — как жили... Когда ж поумнеют-то?

Но философствовать Анчутка не любил, да и не умел — так что придется это сделать за него...

Борхес, ссылаясь на свидетельство Блаженного Августина, утверждает, что в конце IV века люди перестали сопровождать чтение голосом... Мы же, ссылаясь на Николая Васильевича Гоголя, утверждаем, что примерно с середины XIX столетия чтение не сопровождалось уже и мыслительными процессами... Хотя, возможно, данный качественный скачок произошел у нас много раньше. Когда человек читает молча, не шевеля губами, это заметно всем и каждому. Но подметить, что читающий к тому же еще и мозгами не шевелит, мог только Гоголь с его поистине дьявольской зоркостью...

Да, мы — самые усердные читатели в мире, и никакого парадокса здесь нет...

Примерно так рассуждал бы Анчутка, имей он склонность к умозаключениям...

Добравшись до перекрестка двух проспектов (Нехорошева и Нострадамуса), домовичок проник в угловой дом и, пробираясь по вентиляционным трубам, быстро достиг третьего этажа. Дыра, выводящая в кухню, была забрана гипсовой решеткой, а решетка для домовых, следует заметить, — препятствие непреодолимое, поскольку сплошь состоит из крестов. Хотя — это что!.. Был однажды Анчутка в доме сталинских времен — так там вообще: то в виде звезды решетка, то в виде серпа с молотом. Жуть — да и только!..

— Слышь, дымчатый... — тихонько окликнули из темноты.

Анчутка всмотрелся и различил чуть выдвинутую из стены мордочку горохового цвета.

— Ну ты, я гляжу, отважный! — подобострастно восхитился незнакомец. — Не боишься?..

— В первый раз, что ли? — процедил Анчутка и тоже ушел в стену.

Бояться-то он, по правде сказать, боялся, но уж больно хотелось сделать приятное Африкану...

Ника Невыразинова в заляпанных краской брючках и такой же маечке стояла посреди кухни и, критически прищурившись, разглядывала ослепительно белую скрипку на фоне разделочной небрежно обожженной доски.

Осмотрительно выйдя из стены лишь наполовину, Анчутка помедлил, являя собой нечто вроде барельефа, потом набрался храбрости и мелодично прочистил горлышко.

Ника обернулась.

— Ка-кой пушистенький!.. — в полном восторге вскричала она.

— Я — от Панкрата... — поспешно предупредил домовичок, на всякий случай упячиваясь в стену поглубже. Вчера он это все уже проходил... Сперва погладит, потом понянчит, а там, глядишь, кружевные панталончики, голубенький бантик — и аминь!..

— Ой, Панкрат!.. — Ника всплеснула руками.

— И от Африкана... — добавил Анчутка.

— Ой, Африкан!..

К счастью, Панкрат с Африканом интересовали теперь Нику гораздо больше, нежели заурядный дымчатый домовенок.

— Противный Панкрат!.. Он обещал взять меня на теракт!.. Ну и когда же?..

— Сегодня!.. — выпалил Анчутка. — В четыре часа дня возле краеведческого музея...

Зрачки Ники расширились.

— Со стрельбой?.. — ахнула она.

— Н-не знаю... — честно ответил Анчутка. — Сказано: встречаетесь с Панкратом у крыльца и ждете нас с Африканом. Икону брать будем!.. — не удержавшись, похвастался он.

Ника подхватилась, кинулась к платяному шкафу и настежь распахнула дверцы. По комнате полетели выбрасываемые вместе с вешалками наряды.

— Блин! Надеть нечего!..

Наконец на свет явился камуфлированный комбинезон.

— Н-ну... вот это вроде ничего... — в сомнении молвила Ника и вопросительно оглянулась на домовичка. — А?..

Но домовичок уже сгинул. Из стены торчало только чуткое ушко, тут же, впрочем, скрывшееся. Причем было оно почему-то не дымчатого, а нежно-горохового цвета...

Среди белесых тектонических руин «Ограбанка» копошились ярко одетые спасатели и скромно одетые мародеры.

— Не слушают родителей... — вздыхая, сетовал вполголоса один из них. — Приходит вчера под утро весь в синяках! Ну сколько раз можно повторять: не ходи ты ночью по освещенным местам... Там же ментов полно!..

Анчутка приостановился послушать и вновь столкнулся все с тем же невзрачным мужичком в приталенной рясе. Только на этот раз шел мужичок в обратном направлении: не к Дворцу, а от Дворца. Да и не шел он, точнее сказать, а плелся. Личико его обрезалось от горя.

Что до Анчутки, то он передвигался незримо — перебегая вдоль стен и подпитываясь от жилья. То есть увидеть его мужичок вроде бы возможности не имел... Однако известно, что в минуты сильных потрясений в человеке просыпаются дремлющие способности, о которых он и не подозревает.

Короче, встретившись взглядом с Анчуткой, мужичок жалко скривил рот и произнес с проникновенной горечью:

— Нет, но, главное, на кого променяли!.. На какого-то волосатика... Чего лыбишься-то?.. И ты туда же?..

Должно быть, все-таки заметил...

Анчутка опасливо посмотрел ему вслед. Из-под черного подола рясы волочился по асфальту краешек алого полотна...

В этот миг сердечко ударило, как колокольчик, и надолго замерло. Увы, Анчутка хорошо знал, что это означает. Первый раз подобное ощущение он испытал, когда беднота еще только шла раскулачивать Егора Карпыча, за которого ему долго потом пенял следователь НКВД Григорий Семенович Этих. В другой раз Анчутка почувствовал то же самое перед тем, как арестовали завмага Василия Сидоровича Лялькина, изъяв у него из-под паркетины брильянты и прочее. Домовые всегда чуют сердечком, когда хозяину дома грозит опасность...

Анчутка заковылял по тротуару со всей быстротой, на какую был только способен. Страх нарастал с каждым шажком. Умишком своим домовичок понимал, что особых неприятностей у столь могущественного чудотворца, как протопарторг, быть не может, но ничего не мог с собой поделать...

Вокруг шумела столица. Прошла непонятно откуда взявшаяся компания моряков киевского военно-морского флота. За каждой бескозыркой вились многочисленные шелковые ленты всех цветов радуги...

Облака громоздились выше и выше. Со стороны Лыцка наезжала чреватая молниями туча свинцовых оттенков.

Изнемогая от тревоги, Анчутка проник в подъезд, вскатился по лестнице и прошел в конспиративную квартиру сквозь стену. Жуткое зрелище предстало его глазенкам.

Протопарторг Африкан сидел на ящике с патронами — громоздко и недвижно, как глыба, причем глыба, выветрившаяся настолько, что толкни — рассыплется и осядет грудой трухи. Одышливый рот — как у театральной трагической маски. Большие руки бессильно уронены на колени. Обессмыслившиеся незрячие глаза устремлены в противоположный угол.

Даже на берегу Чумахлинки перед переходом государственной границы Африкан не выглядел столь плачевно.

Но самое главное — аура... Вместо мощного алого сияния, сравнимого разве что с солнечной короной в моменты полного затмения, грузную фигуру протопарторга облекало теперь что-то весьма неопределенное, рыжеватое с подпалинами... Изредка в подозрительной этой дымке сквозил алый косматый язык, но тут же съеживался, гас...

Это уходило доверие избирателей, уходила народная любовь. Где-то там, далеко, за Чумахлинкой, безутешный Лыцк прощался со своим любимцем — с предательски выкраденным, убиенным и вновь выкраденным Африканом, о чем Анчутке было, конечно же, невдомек... Кое-кто в Лыцке поначалу просто отказывался верить в гибель пламенного протопарторга, но рыдающие толпы, скорбные голоса в динамиках, приспущенные флаги с черным крепом — все это быстро убеждало усомнившегося, и еще одним кумачовым протуберанчиком в ауре чудотворца становилось меньше. И по мере того как увитый траурными лентами лафет проплывал главной площадью Лыцка, уже носящей имя Африкана, благодать покидала Анчуткиного хозяина, переходя на урну с Бог знает чьим прахом и на возведенный за ночь мавзолей...

Дымчатая шерстка стала дыбом. Поскуливая от жалости, Анчутка подобрался к Африкану, вцепился коготками в рясу.

Протопарторг с трудом перекатил глаза на домовичка — и уставился непонимающе.

— Все-таки вычеркнул... — с безмерным удивлением хрипло вымолвил он. — Смотри ж ты! Себя не пожалел, а вычеркнул... Как же это он решился?..

В комнату, сначала робко, потом осмелев, стали помаленьку проникать представители астральной фауны: проплыла стайка угланчиков, за спиной протопарторга сел и грузно ссутулился средних размеров страшок. Откуда-то взялся шустрый маленький барабашка, пробежался по потолку, тронул люстру. Потом упал на стол, дернул протопарторга за рукав рясы... Ах ты, гад!.. Небось, когда Африкан был в силе, ручонки-то не распускал! А теперь отвага прорезалась?..

Вне себя Анчутка ухватил прозрачного наглеца за шкирку (ловить барабашек за все прочее бесполезно — не удержишь) и готов был уже метнуть тварь сквозь стену, как почувствовал вдруг, что к Африкану подкрадывается еще одна опасность — на этот раз смертельная. В дверном замке шуршала отмычка.

В страхе Анчутка огляделся и увидел, что из-за стоящего в углу гранатомета злорадно таращится изумленная дымчатая мордашка Кормильчика, видимо, опять присланного Батяней — сообщить о каком-нибудь новом свидетельстве дружбы.

— Помоги, братан!.. — взмолился Анчутка.

Кормильчик цинично посмотрел на него — и сгинул. В этот миг дверь распахнулась, и в прихожей возник молодой человек в рясе и с тупорылым пистолетом. Анчутка видел этого юношу в первый раз, протопарторг — во второй. Шофер джипа.

— Привет из Лыцка!.. — зловеще произнес вошедший.

Африкан с отвращением взглянул на водилу, уже вскинувшего оружие, и лишь брезгливо скривил рот. Утрата собственной жизни по сравнению с утратой народного доверия казалась ему пустяком.

Да, но Анчутке так не казалось! Домовичок (для убийцы он был незрим) взвизгнул и с маху швырнул в злодея барабашкой. Цепкая тварь охлестнула всеми четырьмя руками курносое рыло пистолета и упоенно затрясла добычу. То ли от неожиданности, то ли от толчка киллер нажал на спуск. Грохот и пороховая вонь... Пули полетели куда попало — только не в Африкана, по-прежнему сидевшего неподвижно.

На лице убийцы отобразился ужас. Бедняга решил, будто его подставили. Не являясь ни колдуном, ни ясновидцем, он не мог удостовериться воочию, что благодать покинула протопарторга. Происшедшее показалось негодяю чудом. Стало быть, соврали... Стало быть, в силе еще лидер правых радикалов...

В нежных Анчуткиных ушонках звенел отголосок выстрелов, и поэтому тяжкий стук от упавшего на пол пистолета прозвучал еле слышно. Убийца, мелко звездясь, пятился к двери... Потом резко повернулся — и вылетел стремглав из квартиры...

— Зря... — равнодушно каркнул Африкан.

Башенные часы на Ефреме Великом пробили вдалеке три часа пополудни.

— Анчутка... — обессиленно позвал протопарторг. — Поди скажи Панкрату, что все отменяется... А то ждать будет... Не дай Бог еще чего натворит... от большого ума...

Анчутка отступил, наежинился и упрямо затряс головенкой. Оставить хозяина одного?.. В таком состоянии?.. Как и всякий порядочный домовой, на это он пойти просто не мог...

Протопарторг взглянул на домовичка из-под всклокоченной пегой брови и заставил себя усмехнуться.

— Ладно... Тогда — вместе... Помоги-ка подняться...

Вдвоем они покинули конспиративную квартиру и, оставив ее открытой, спустились по лестнице, выбрались на проспект... Казалось, Африкана покинула не только чудотворная, но и физическая сила: ковылял, изнемогая. Каждый шаг приходилось одолевать... Наряд протопарторга внимания не привлекал — по случаю приезда специальной комиссии ООН город был наводнен провокаторами в рясах.

Навстречу шли два милиционера, лица которых показались Анчутке знакомыми. Да и голоса тоже.

— У, ш-шакалы... — приглушенно возмущался один из них. — Как прибыла комиссия — сразу небось хвост поджали!.. Слышь?.. Молчат... Ни самолетика не подняли!..

— Да это не из-за комиссии... — ворчливо отвечал ему второй. — Африкан загнулся... Ну, этот... экстремист... В Лыцке сегодня хоронят... Только что передали...

— И чего?..

— Ну так американцы-то! Они ж его выдачи требовали... А теперь и требовать нечего...

Протопарторг остановился и долго глядел им вослед.

— А-а... — потрясенно протянул он наконец. — Вон оно что, оказывается...

— Глянь! — с надеждой выпалил Анчутка, тыча пальчиком.

Африкан нехотя взглянул. В рыжеватой сомнительной дымке, окутывавшей руку, упрямо сквозили алые прожилки и волокна.

— Думаешь, кто-то еще верит, что я живой? — с сомнением проговорил протопарторг. — Да нет, Анчутка, вряд ли... Скорее всего пьяные лежат и ни о чем пока не знают...

Над головами потемнело, затем полыхнуло. Гром откашлялся — и гаркнул... Далее тучи, словно испугавшись собственной выходки, стали стремительно разбегаться, и над проспектом Нострадамуса снова проглянула синева...

Двинулись дальше. Вернее сказать, двинулся один Анчутка. Услышав сзади болезненное покряхтывание протопарторга, он оглянулся и увидел, что тот изо всех сил пытается стронуть правую ступню, как будто приросшую к асфальту. Домовичок кинулся было на помощь — и тут с ним произошло то же самое. Правую ножку — ровно примагнитило.

— Ну все, Анчутка... — с мрачным удовлетворением подвел итог Африкан, прекращая попытки. — Аминь, приколдовали! Не иначе — контрразведка работает...

Интимно прошепелявили шины, и к бровке прильнул длинный темный автомобиль. Выплыл — словно из небытия. Дверцы разом распахнулись — и какие-то люди в штатском кинулись к Африкану.

— Ну, слава Богу, успели... — с облегчением выдохнул, останавливаясь перед протопарторгом, статный моложавый красавец лет тридцати. Полковник Выверзнев. Батяня.

— Куда успели?.. — с язвительной горечью осведомился Африкан.

— Не куда, а откуда... — поправил полковник. — За вами сейчас, гражданин Людской, как минимум три бригады киллеров охотятся. Из-под носа у них, можно сказать, вас выхватили... — С этими словами он вежливо, но твердо взял Африкана за локоть. — Прошу в машину!..

— Как?.. — брюзгливо спросил протопарторг, безуспешно пытаясь отнять босую ступню от тротуара.

— Сашок!.. — процедил Выверзнев, оборачиваясь. — Ну в чем дело?..

Юный круглолицый Сашок мстнулся к протопарторгу и в три пасса расколдовал ногу. Двое кряжистых сотрудников тут же подхватили Африкана и сноровисто затолкали его в кабину. Тот было оглянулся, ища глазами Анчутку, но дверцы захлопнулись — и машина рванула с места.

Поскуливая, Анчутка сидел на корточках посреди тротуара и время от времени силился оторвать от асфальта правую ножку. Находись он поближе к стене здания, можно было бы зарядиться от жилья и попробовать расколдоваться самому. А так — хочешь, не хочешь — придется сидеть и ждать, пока заклятие не выдохнется. Силенок хватало лишь на то, чтобы сохранять невидимость. Хорошо еще колдун попался молоденький. Вот если кто матерый, из Лиги Колдунов, заклятие наложит — день просидишь прикованный, а то и сутки...

Откуда-то взялись трое граждан, уже встретивших комиссию ООН. Колеблясь, как полосы на государственном стяге, они остановились рядом с Анчуткой.

— В Лыцке — как?.. — с недоумением жаловался один. — Выпьешь — двухпартийная система, протрезвеешь — опять однопартийная. А у нас в Баклужино даже и не знаешь, пьяный ты или протрезвел уже...

Второй слушал и время от времени ронял башку — вроде бы соглашался.

— Вы мне дайте автомат!.. — куражился третий. — Я их, козлов, враз перестреляю!.. Загубили область!.. Всех, гады, продали!..

— Халявщик ты, — твердо сказал первый. — Автомат ему! Да ты хоть знаешь, сколько он сейчас стоит, автомат?.. А самому на ствол заработать? Слабо?..

Вроде бы заклятие стало помаленьку выдыхаться... Анчутка поднапрягся — и пяточка с чмокающим звуком отделилась от шершавого покрытия. Домовой метнулся вправо, влево — и остановился в растерянности. Ну и куда теперь? Следовать за Африканом в контрразведку или пойти предупредить Панкрата? «Херувимов» Анчутка побаивался, но в то же время понимал, что, кроме них, никто ему сейчас не поможет...

И домовенок торопливо заковылял в сторону краеведческого музея.

Он опоздал всего на несколько минут. На крыльце музея шел захват — и тоже с применением самой черной магии... Члены террористической организации «Красные херувимы» застыли без

движения в скучающих позах. Видимо, заклинанием их накрыло совершенно внезапно. Меж ними,
сноровисто изымая все взрывчатое и огнестрельное, сновали хмурые озабоченные люди в штатском. Разоружив, снимали боевика со ступеней и
уносили в фургон.

Круглыми от ужаса глазенками Анчутка смотрел, как исчезают в черном проеме рифленые по-
дошвы ботинок Аристарха Ретивого. Колыхну-
лось, словно помахало на прощание, белое кашне
заносимого в фургон Панкрата. Все. Уехали...

Горестно уронив хрупкие плечики, домовой подобрался к опустевшему крыльцу. Больше рассчи-
тывать было не на кого — только на себя...

— Не поняла!.. — прозвучал сзади мелодичный
голос — и домовичок, вздув дымчатую шерстку,
подскочил на месте.

Обернулся. Перед ним в пятнистом десантном
комбинезоне и с помповым ружьем в руках стояла
оскорбленная в лучших чувствах Ника Невыразинова, опоздавшая, по обыкновению, на полчаса...

— Не поняла! — холодно повторила она. — Где
остальные?

Глава 14. ГЛЕБ ПОРТНЯГИН,

СОРОК ЧЕТЫРЕ ГОДА, ПРЕЗИДЕНТ

Экстренный выпуск «Краснознаменного вертограда», целиком посвященный грандиозным похоронам Африкана, Глеб Портнягин читал на грани апоплексического удара. Ах, сволочи! Ведь это ж надо, что придумали!.. Портнягин заставил себя оторваться от мерзкой газетенки — и прочистил чакры...

За стеклами потемнело, затем полыхнуло. Гром откашлялся — и гаркнул. Президент схватил трубку.

— Ну и что это у нас делается за окном?.. Ах, из Лыцка приползло?.. И что теперь? Мне самому облака разгонять?..

Он бросил трубку, едва не разбив аппарат. Ополоснулся изнутри энергией — и вновь взбычился над распластанным по столу «Вертоградом»...

Следующая заметка взахлеб расписывала чудеса, уже имевшие место во время погребения... Комсобогомолка Сериознова при одном только взгляде на мавзолей протопарторга излечилась от бесплодия и забеременела прямо на площади. Несколько слепых, дотронувшихся до лафета, на котором везли урну с прахом Африкана, прозрели политически и прилюдно заявили, что в следующий раз обязательно придут на выборы...

У, словоблуды!.. Портнягина душила ненависть. Трудно было с этим смириться, но на сей раз Партиарх Порфирий переиграл его с блеском... Пришлось прочистить чакры повторно.

Погода за окном стремительно улучшалась... И попробовала бы она не улучшиться! Наконец замурлыкал телефон, которому, честно говоря, давно уже пора было замурлыкать...

— Ну?..

— Привезли, Глеб Кондратьич...

— Что он?

— Жив... — как-то слишком уж уклончиво отозвались на том конце провода.

— Ведите!..

Глеб Портнягин откинулся на спинку кресла и воззрился на дверь. Лицо Президента окаменело — и не потому, что он опасался, как бы какой-нибудь подкравшийся со спины страшок не выдал ненароком его чувств. Во-первых, страшки сидели, как положено, за портьерой. А во-вторых, глава Лиги Колдунов Баклужино в данный момент ничего не думал скрывать. Большое человеческое сердце Президента, о котором столь часто писали столичные газеты, било, как колокол. Наконец кивнула

сияющая дверная ручка — и в кабинет, сильно ссу-
тулившись и глядя исподлобья, косолапо ступил...

Президент задохнулся и встал.

В кабинет ступил обрюзгший старик с сокра-
товской выпуклой плешью и пегой разлапой бородой. Был он почему-то бос и одет в просторную
старую рясу с бурыми подпалинами... Для полно-
ты картины не хватало только венка из полевых
цветов. Боже, что с нами делает время!.. Неужели
с этой вот дряхлой развалиной Глеб Портнягин
когда-то, по молодости лет, пытался взять на пару
продовольственный склад? Боже мой, Бож-же
мой!..

За понурым плечом вошедшего возвышался
статный полковник Выверзнев. Красивое мужественное лицо его выражало приличную случаю
сдержанную скорбь.

Глеб Портнягин повел бровью. Полковник понимающе наклонил голову — и вышел, а запавшие от жалости глаза Президента вновь обрати-
лись к бывшему другу и подельнику.

Душераздирающие зрелище... Вместо мощного алого ореола — какие-то жиденькие клочья и
колтуны из рыжеватых паутинчатых лучиков.
Даже кинозвезды, чья аура давно выпита зеркалами и съемочными камерами, не выглядят столь удручающе.

Следом за Африканом прямо сквозь стену в кабинет вперлась целая толпа обрюзгших сгорблен-
ных страшков. Огромное горе протопарторга
было для них все равно что званый обед.

Президент вышел из-за стола, шагнул навстречу и бережно, как на похоронах, обнял бывшего друга.

— Эх, Никодим... — с болью выговорил он.

Сократовская плешь протопарторга ткнулась в широкую грудь колдуна.

— Глеб... — В горле поверженного всклокотнуло рыдание. — Ты не поверишь... сам сдаваться шел...

Продолжая придерживать за плечи нетвердо стоящего на ногах Африкана, Глеб Портнягин подвел его к креслу, усадил.

— Мерзавцы, ах мерзавцы... — сдавленно приговаривал он. — Что же они с тобой сделали!..

Опустившись в кресло, Африкан сгорбился окончательно.

— В Гаагу отправишь? — старчески шамкая, осведомился он с видимым равнодушием к своей дальнейшей судьбе. Предыдущих сочувственных слов протопарторг либо не расслышал, либо не принял всерьез.

Глеб выпрямился. Глаза его метнули темные молнии.

— В Гаагу?.. — оглушительно переспросил он, широко разевая львиную пасть. — Ну, нет!.. Такого подарка они от меня не дождутся!..

Гневно оглянулся через плечо и легким дуновением развеял толпу рассевшихся посреди кабинета страшков. Раздражали...

Медленно, скорее с досадливым недоумением, нежели с надеждой, Африкан поднял измученное лицо, всмотрелся... Зная Портягина с детства, на пощаду он даже и не рассчитывал... Одного не учел Никодим: с возрастом люди иногда становятся мудрее. Особенно если достигнут высшей власти...

Великодушие Президента застигло Африкана врасплох — и протопарторга накрыло синдромом Иоанна Грозного, любившего в трудные минуты предаться самоуничижению...

— Глеб... — надломленно, с покаянной слезой в голосе выдохнул Африкан. — Прости меня, Глеб!.. Кругом перед тобой виноват, кругом!.. Даже тогда... Даже тогда на складе... Не урони я там ящик с водкой — хрен бы нас повязал участковый! — У протопарторга вновь перемкнуло гортань. — Глеб, я уйду из политики!.. — надрывно поклялся он. — Уже ушел... Давай забудем все... Давай снова станем друзьями...

Эта сбивчивая речь произвела на Президента весьма сильное впечатление, но отнюдь не то, на которое надеялся втайне сам Никодим. Поначалу Глеб Портягин слушал протопарторга с изумлением, переходящим в оторопь. Когда же дело дошло до заверений в дружбе, тяжелое лицо колдуна из бронзового стало чугунным. Воздух в кабинете отяжелел, как перед грозой. По углам испуганно заклубились угланчики и прочая мелкая проглядь. Под потолком треснул ветвистый разряд, а за всколыхнувшейся гардиной поднялась яростная толкотня...

— Да на хрен ты мне здесь нужен в друзьях? — воздевши к люстре огромные кулаки, грянул Портнягин во всю мощь своих обширных легких. — Ты мне там!.. Там во врагах нужен! — И Президент неистово ткнул в сторону Лыцка. — Пока ты там — ты страшилище! Тобой в Америке детей пугают!.. Им же против тебя союзник позарез необходим!.. А союзник — это кто? Это — я!.. Это — Баклужино!.. Значит, гуманитарная помощь, значит, вступление в НАТО!.. Займы, инвестиции, черт побери!.. А теперь?.. Слышишь?..

И оба старых врага оторопело прислушались к тишине над Президентским Дворцом.

— Все... — простонал Глеб. — Отлетались... Только что сообщили: десантный вертолетоносец «Тарава» развернулся в Щучьем Проране и идет обратно в Каспий!.. Ничего не будет... Нет тебя в Лыцке — значит и бояться нечего! А ты тут какую-то партизанщину самодеятельную развел!.. Ну вот чего ты забыл в Баклужино? Зачем ты сюда вообще приперся?..

— Меня там убрать хотели, Глеб...

— А со мной ты связаться не мог?.. Связаться, объяснить: так, мол, и так, убрать хотят, выручай... Что тебе нужно?.. Икону?.. На, возьми икону, возьми что хочешь, возвращайся в Лыцк, спихни этого недоноска Порфирия, но верни мне Запад!.. Верни мне союзников!..

Сморгивая слезы умиления и не веря своим ушам, Африкан смотрел на взбешенного Глеба... Видимо, все-таки в глубине души протопарторг был очень хорошим человеком. Потому что только очень хороший человек может оказаться таким дураком.

Враг — это вам не друг. Друзья — как девушки с вокзала: только свистни — тут же и набегут... А вот врага следует выбирать осмотрительно, как супругу, — чтобы раз и на всю жизнь.

Взять того же Наполеона... Ведь как начинал, как начинал! И что в итоге? Ватерлоо — и остров Святой Елены. А почему? Да потому что старыми врагами слишком легко бросался!.. То с одним повоюет — помирится, то с другим, то со всеми сразу. Вот и пробросался...

То ли дело Петр Первый!.. Как выбрал себе Карла, так всю жизнь с ним и воевал. Застрелили Карла — с его наследниками продолжал воевать. Потому и Великий! Историк Ключевский что про них написал? «Враги, влюбленные друг в друга». Соображал историк, что пишет... Враг — он кто?.. Он прежде всего — учитель твой! Он — лучшая твоя половина! Чем больше он тебя бьет, тем умнее ты становишься. Поэтому врага надо беречь. К примеру, видишь: трудное у него положение — ну так помоги ему и ни в коем случае не добивай. Скажем, свалял он дурака под Полтавой — тут же окажи ответную любезность: устрой сам себе конфузию на реке Прут...

Вообще нужно быть очень наивным человеком, чтобы, попав в беду, кинуться за помощью к друзьям. Друзья скорее всего пошлют вас куда подальше, а вот враги — навряд ли. Конечно, при условии, что вы себе выбрали умных врагов...

В остальном же и те, и эти удивительно схожи между собой. И прав, бесконечно прав был полковник Выверзнев, когда, еще будучи подполковником, выразился в том смысле, что вражда, мол, — это продолжение дружбы иными средствами.

— Да теперь-то что толковать!.. — с горечью сказал Африкан. — Если бы да кабы... Поздно, Глеб...

— Это почему же поздно?..

— Н-ну... — Вместо ответа протопарторг, не вставая с кресла, неловко повел плечами и руками, словно предъявляя все изъяны костюма, неудачно купленного по дешевке. — Сам видишь. Нет уж, похоронили — значит похоронили...

— На покой собрался?.. — задохнувшись, зловеще спросил Портнягин. — Жди!.. Скажите, какие нежности: похоронили!.. Ничего!.. Воскреснешь как миленький!..

— В таком виде?.. — Африкан еще раз безнадежно оглядел свою жиденькую ауру.

— Да почему же в таком?.. — рявкнул Глеб, выведенный из себя неподатливостью Никодима. — У тебя же в руках икона будет! Чудотворная, прикинь!..

Протопарторг покряхтел, посомневался:

— Чудотворная... Нет, Глеб, без народной поддержки даже с иконой в руках ничего не сотворишь...

— А вот это уже не твоя печаль... — процедил Портнягин, хватая телефонную трубку. — Матвеич у меня в шесть секунд любое чудо организует... Если надо — всю Лигу подключим, но чудеса — будут!.. Выверзнева ко мне!.. — отрывисто повелел он и снова повернулся к Африкану. — Когда назначен налет на краеведческий?

Тот лишь улыбнулся в ответ — ласково и печально, как улыбаются, вспомнив наивные отроческие мечты об ограблении продовольственного склада.

— Сегодня в шестнадцать... — со вздохом ответил он.

Портнягин взглянул на часы:

— Ну, с этим сроком мы уже пролетели... Стало быть, все переносится на семнадцать тридцать... Ровно в семнадцать тридцать на глазах у всех ты выносишь чудотворную из музея. По тебе открывают огонь... — Президент запнулся, пощелкал пальцами. — Вот тут-то и нужно первое чудо... — озабоченно сообщил он то ли Африкану, то ли самому себе.

— Ты понимаешь или нет, что официально я — покойник? — Протопарторг через силу возвысил голос. — Ну, допустим, в Баклужино поверят, что я жив... А в Лыцке?

— Лыцк тоже обработаем... — сквозь зубы ответил Глеб и пробежался по кабинету. — Значит, так... Ты выбираешься на шоссе и с иконой в руках движешься в сторону Чумахлы. М-м... — Портнягин помедлил. — Н-нет... — добавил он с видимым сожалением. — Артобстрела устраивать не стоит — ооновцы не поймут... Ограничимся взрыв-пакетами...

— Разрешите, Глеб Кондратьич?..

Портнягин обернулся. В тамбуре, придерживая дверь, стоял подозрительно угрюмый полковник Выверзнев.

— Заходи! — бросил Портнягин и далее — напористым, не допускающим возражений голосом: — У краеведческого музея сейчас собрались терро-ристы и ждут... — Президент вонзил пристальный взор в пустоту за плечом Выверзнева. — Что стряс-лось?..

— Уже не ждут, Глеб Кондратьич... — виновато доложил полковник. — Все повязаны...

— Кто приказал?!

Полковник потупился и не ответил. Однако первый чародей страны понял его без слов. Мимика страшков, столпившихся за спиной Выверзнева, была достаточно красноречива...

— Лютого мне!..

— Да он уже здесь, Глеб Кондратьич...

В кабинет генерал Лютый проник бочком.

— Вредительством занимаешься?.. — свистя-щим шепотом осведомился Глеб Портнягин. — Что? Ностальгия одолела?.. По должности участ-кового затосковал?.. Присаживайся!.. — приказал он, кивнув бровью в сторону длинного стола для посетителей. Обернулся к Выверзневу. — Ты — тоже!..

Присели. Генерал Лютый украдкой покосился на Африкана. Никаких теплых чувств во взгляде его не прослеживалось. Как, впрочем, и в ответном взгляде протопарторга.

— А ну-ка прекратить! — громыхнул Президент, ляпнув по столу тяжеленной ладонью. — Ишь, искосырились!.. — Перевел дух и продолжал сквозь зубы: — Все мы сейчас в одной луже! Вот выплывем — тогда и разбирайтесь промеж собой: кто там кого укусил, кто кого дубинкой огрел... Кто под кого динамит подкладывал...

Оба контрразведчика замерли на секунду, потом с огромным уважением посмотрели на Глеба Кондратьича. А тот уже мыслил вовсю. Выразительные пальцы Президента трогали хмурое чело, словно нащупывая нужную извилину.

— А может, и хорошо, что всех повязали... — задумчиво пробормотал наконец Портнягин. — Искать не надо, собирать. Ну-ка, этого... лидера их... дерганого... Тоже сюда!

Генерал Лютый торопливо выхватил сотовый телефон и отдал приказание немедленно доставить задержанного Кученога в кабинет Президента.

Протопарторг старчески почмокал губами. Кажется, оживал. Из-под лохматых пегих бровей насмешливо с пониманием глянули глубокие пристальные глаза.

— Значит, даешь ты мне, Глеб, икону... — с расстановкой и вроде бы даже укоризненно проговорил он. — Спроваживаешь меня в Лыцк... По старой, говоришь, дружбе... Или там, я не знаю, вражде... Ой, Глеб!.. Ты уж не крути, скажи сразу: чем с тобой расплачиваться буду?..

Снайперский вопрос! Президент крякнул и опустил глаза. Потом встал, прошелся по кабинету. Брови — сдвинуты, губы — задумчивым хоботком. Наконец остановился перед креслом протопарторга.

— Запуск боевой ракеты по моему Президентскому Дворцу — организуешь?.. — негромко осведомился он.

Генерал с полковником, напрочь забыв о присутствии сзади страшков, ошалело взглянули друг на друга, и каждый мысленно покрутил пальцем у виска. Впрочем, Африкан тоже несколько обомлел. Запустить по дворцу Портнягина боевую ракету?.. Да он об этом всю жизнь мечтал!..

Президент Республики Баклужино с надеждой смотрел на своего бывшего подельника. И то ли показалось Президенту, то ли в самом деле поприбавилось алых прожилок в ауре Африкана: вспыхнули, заиграли...

Тот подумал, пошевелил бородой.

— Хм... Ракету! — буркнул он и поправил орден. — Легко сказать... Там только название одно, что ракета. Кропил — знаю... Нет, взлететь-то она, конечно, взлетит... Ежели освятить да с молитовкой, то, глядишь, с Божьей помощью до границы дотянет. А вот дальше...

— Дальше — уже забота моя, — с облегчением прервал его Глеб. — Перехватим, зачаруем — и точнехонько в шпиль!

— Только взрываться в ней нечему, — честно предупредил Африкан. — Покулачили крепко...

— А и не надо!.. — Повеселевший Президент звучно свел и потер большие ладони. — В крайнем случае дворец заминируем. Но сделать это необходимо завтра, во время очередной встречи с комиссией ООН... — Лицо его вновь омрачилось. — Да, и вот еще что, — озабоченно добавил он. — Хорошо бы пометить ракету... Написать на ней что-нибудь этакое... «Смерть колдунам!» или там, скажем, «Наш ответ империализму!». Чтобы ясно было, откуда запустили... Короче: «Привет из Лыцка!..»

Кученога доставили в нерасколдованном состоянии. Детскими нетвердыми шажками он приблизился к столу Президента, чем-то похожий на гиббона в долгополом кашемировом пальто. Глаза Панкрата не выражали ничего, кроме благостного слабоумия.

Портнягин досадливо поморщился и одним мановением мизинца снял чары. Кученог вздрогнул — очнулся... Узрев прямо перед собой врага человечества номер один, судорожно сунул правую руку под белое кашне, но пистолета, понятное дело, нигде не раскопал.

— Так... — властно сказал Президент. — Уговаривать мне тебя некогда. Поэтому слушай внимательно... Боевиков твоих сейчас освободят... Вместе с ними ты отправляешься к музею и завершаешь то, что начал. Врываешься в правое крыло и, пока Африкан будет брать икону, устраиваешь там как можно больше шума...

Продолжая испепелять Портнягина исполненным ненависти взором, Панкрат Кученог содрогнулся и мелко затряс смоляными кудрями. Дескать, с чернокнижниками — никаких переговоров.

— Хорошо... — процедил Президент. — Не веришь мне — поверь хотя бы ему...

Зачарованный плавным широким жестом первого чародея страны, Кученог обернулся. При виде откинувшегося в кресле Африкана дернулся, придурковато закатил глаза, и полковник Выверзнев, зная пристрастие главы подполья к эпилептическим припадкам, поспешно встал, готовясь подхватить оползающее в конвульсиях тело. Однако припадка не последовало.

— Ах ты, гад!.. — злобно выпалил Кученог, выпрямляясь и делая шаг к протопарторгу. — Лиге продался?..

Ни Африкан, ни Портнягин, ни Выверзнев, ни Лютый, ни даже сам Кученог в первые секунды не уразумели, что произнесено это было чисто, без заикания... Человеческая психика тоже имеет пределы прочности. Видимо, шок оказался настолько сильным, что выправил речь и осанку Панкрата раз и навсегда.

— Бог с тобою, Панкрат... — с шутливым упреком молвил Африкан, поднимаясь из кресла. — Кто кому продался?.. Мы с Глебом по-прежнему враги — ну и что из этого?.. Вас вон с полковни-

ком тоже ведь друзьями не назовешь, а гляди, как
сработались...

Плавный размеренный говор протопарторга
обволок Панкрата подобно теплой колышущейся
влаге. Чудотворная сила покинула Африкана, но
красноречия он не утратил... Чтобы заговорить
зубы главе подполья, ему потребовалось немногим
более пяти минут.

Еще пять минут ушли на то, чтобы развернуть
посреди стола подробную карту города и соста-
вить план операции по изъятию чудотворной иконы. Но тут в кармане генерала Лютого ожил сотовый телефон. Извинившись, генерал отступил в
сторонку и злым звонким шепотом произнес в
трубку:

— Слушаю... Кто-кто?.. Позвоните в другое время... Как ограбили?!

Услышав это восклицание, все вскинули головы и тревожно уставились на генерала. Из наушника явственно раздавалось взволнованное стару-
шечье кваканье.

— Ну, что там еще?.. — процедил Президент.

Закончив разговор, Лютый некоторое время
стоял и моргал, плетью уронив руку с сотовиком.
Два генеральских страшка устроили за его спиной
целую пантомиму. Глава Лиги Колдунов холодно
смотрел, с каким злорадством и торжеством энергетические двойники Толь Толича корчат рожи
полковнику Выверзневу — расширяют рот, высо-
вывают язык... Наконец Лютый, как ему самому

казалось, взял себя в руки и, притушив внутреннее ликование, повернулся к Портнягину.

— Звонила директриса краеведческого музея...— доложил он. — Десять минут назад на музей был совершен вооруженный налет. Зданию нанесен ущерб, чудотворная икона — похищена.

Такое впечатление, что это роковое известие позабавило Президента — и только. С огромным интересом разглядывал он суровое непроницаемое рыло бывшего участкового.

— Чья работа?..

— Гражданки Невыразиновой... Директриса ее опознала... — нехотя выдавил генерал и хмуро покосился на Николая. Ты уж прости, дескать. Дружба — дружбой...

— Хозяйка конспиративной квартиры, — вздохнув, пояснил Африкан. — Тоже из «херувимов»... Я ее как раз собирался задействовать в акции...

Пожимая плечами, озадаченно покручивая головой, Президент вернулся за свой рабочий стол, сел.

— Подробности!.. — негромко потребовал он, прихлопнув тяжелой дланью номер «Краснознаменного вертограда».

— Грабили на пару с дымчатым домовым... — скупо сообщил генерал.

— Анчутка... — понимающе наклонил голову Африкан.

Задумчиво вздернув брови, глава Лиги Колдунов продолжал изучать генерала Лютого. Чувствовалось, что Президент сильно разочарован.

— Толь Толич... — молвил он наконец. — Я не спрашиваю тебя, с какой целью ты хотел накрыть все подполье разом... Но уж коли решил повязать всех — вяжи всех!.. А ты даже этого сделать не смог... Да и с динамитом тогда... Стареешь, Толь Толич, стареешь...

Страшки за спиной генерала прижухли, зато встрепенулись за спиной полковника.

— Что будем делать? — полюбопытствовал Глеб Портнягин, переводя взгляд на Выверзнева.

— Мне кажется, все идет великолепно, — нагло заявил тот и как ни в чем не бывало продолжал: — Честно сказать, в нашем плане меня кое-что тревожило с самого начала... Во-первых: отсутствие внезапности... К блокпосту Африкан выходит, насколько я понимаю, часам к девяти и всю ночь идет в Лыцк с иконой в руках, творя по дороге всяческие чудеса... Поначалу с нашей помощью, а потом уже — своими силами. Ход, конечно, красивый, проверенный: побег Наполеона с Корсики... Но получается, что мы даем противнику целую ночь на то, чтобы опомниться...

— Ну-ну?.. — подбодрил его Президент.

Страшки за спиной полковника возбужденно потерли руки.

— Второе, — невозмутимо гнул свое Выверзнев. — Убедить Баклужино труда не составит — в нашем распоряжении средства массовой информации... Но главная-то задача — убедить Лыцк!

— Короче! — проскрежетал Президент. — Что предлагаешь?

— Африкан должен воскреснуть в Лыцке. Иначе всей нашей затее — грош цена...

— Хм... — Президент задумался, прикинул. — Ну... а как ты это видишь конкретно?..

Если бы не страшки, Портнягин бы и впрямь решил, что план операции обдуман полковником заранее.

— Работаем по сценарию воскрешения царевича Димитрия — то есть на фоне нарастающих слухов, что похоронили не того и что Африкан на самом деле жив... Спасся чудом... В Лыцке сейчас разлив, и несколько населенных пунктов отрезаны от столицы. Там-то, я считаю, в первую очередь и надлежит заняться обработкой общественного мнения... Таким образом мы хотя бы частично вернем Африкану веру избирателей, то есть все ту же чудотворную силу...

— И сколько на это уйдет времени?.. — ревниво вклинился генерал. Лучше бы ему, конечно, пришипиться, но не мог же он смотреть спокойно, как Батяня развивает успех!..

Президент недовольно покосился на генерала — и смолчал.

— Думаю, хватит двух часов с момента начала операции, — спокойно ответил Выверзнев Лютому. — Восстановить благодать в прежнем объеме мы за это время, понятно, не сможем, да этого и не потребуется. Для начала в Лыцке гражданину Людскому надо будет совершить одно-единственное и довольно скромное чудо, а именно: стать на некоторое время незримым для простых избирателей...

Портнягин мыслил... Он видел, что, пытаясь вывернуться из неприятного положения, полковник Выверзнев противоречит сам себе. Если Африкан, согласно сплетне, уцелел после взрыва в Баклужино, то за каким, скажите, чертом ему воскресать в Лыцке? За каким чертом ему вообще воскресать?! Впрочем, это-то как раз меньше всего занимало Президента... Он знал, что сплетня в первую очередь должна быть нелепой — иначе ей просто никто не поверит... Достаточно ли она нелепа — вот что интересовало в данный момент Глеба Портнягина...

Он вопросительно взглянул на протопарторга и, признаться, оторопел. Аура Африкана и впрямь потихоньку наливалась алым зыбким сиянием. Означать это могло лишь одно: граждан Лыцка, верящих в то, что протопарторг жив, становилось с каждой минутой все больше и больше...

Собственно, в чем состоит истинная мудрость? Во-первых, в том, чтобы уяснить себе, куда мы катимся, и, если катимся в нужном направлении, убедить окружающих, будто происходит это исключительно благодаря тебе.

В этом смысле полковник Выверзнев все сделал правильно: предвидел надвигающиеся события и решил, так сказать, в них вписаться. Единственная к нему претензия: немножко опоздал.

Слухи возникли раньше, чем он их начал распространять...

Что же произошло изначально?.. Лыцкая Партиархия не смогла утаить от простых избирателей свое согласие выполнить требования блока НАТО. А людская молва не могла не связать этого позорного факта с гибелью протопарторга, при котором, как известно, Америка боялась Лыцка до судорог, да и богопротивный атлантический блок сидел тише травы ниже воды, а то и наоборот...

То есть к тому моменту, когда Николай Выверзнев только еще собирался изложить свой хитроумный план, в Лыцке вовсю уже выдавали желаемое за действительное: дескать, жив отец наш, вот-вот объявится и задаст кое-кому чертей по первое число... И желаемое становилось действительным.

— Н-ну... я смотрю, обсуждать это уже нет смысла... — промычал наконец Президент. — Африкана мы переправим в Лыцк прямо сейчас... А каким образом туда попадет икона?

— Кто грабил, тот и доставит, — твердо сказал Николай.

—Это... гражданка Невыразинова?.. Хм... А согласится?

— Думаю, да.

Глава 15 (начало). ВСЕ СКОПОМ,

ВОЗРАСТ — РАЗНООБРАЗНЫЙ, РОД ЗАНЯТИЙ — ТОЖЕ

—Значит, так... — сосредоточенно произнес Николай, берясь за шнурок дверного колокольчика. — Говорю — я, а вы вдвоем — на подхвате... Позволь, а где Панкрат?..

— Да внизу задержался... — смущенно отвечал Ретивой. — У подъезда...

Вид у Аристарха был несколько диковатый. Слишком уж много впечатлений обрушилось на него сегодня: заклятие, арест, освобождение... И самое главное — Кученог, переставший заикаться. А также дергаться и кособочиться...

— То есть как задержался? — не поверил Выверзнев. — На дело идем!..

— Одноклассницу встретил... — ошалело глядя на Николая, пояснил Аристарх. — Н-ну... вот и... разговорились...

Выверзнев приглушенно заматерился и прыжками ринулся вниз по лестнице. Выскочил из подъезда — и понял, что, кажется, опоздал. Стройный импозантный брюнет Кученог беседовал с пикантной блондинкой бальзаковского возраста. Точнее, беседу вела она, но, когда выпадала возможность вставить несколько слов, Панкрат делал это с видимым наслаждением.

— Достал он меня своей ревностью, Панечка! — заливалось склочное сопрано. — Развод, и только развод!.. Вчера на пять минут опоздала — я, говорит, тебе нос откушу!.. Да на фиг он мне такой сдался?.. Скажи!..

— Ситуация... — гордый собою, плавно вымолвил Кученог.

На глазах у Выверзнева, продолжая беседовать в том же духе, парочка повернулась и под ручку направилась к скамейке посреди двора. Николай хотел было окликнуть переродившегося Панкрата, но раздумал. Опыт подсказывал Выверзневу, что с Кученогом теперь лучше дела не иметь. Перестав быть уродом, Панкрат утрачивал всякую ценность в глазах контрразведки. Ну зачем ему теперь политика — нормальному человеку?.. Ясно было, как Божий день, что Аристарх Ретивой, при всех своих теплых чувствах к Панкрату, тем не менее вскорости спихнет его и станет главой подполья сам...

Николай круто повернулся и единым духом взбежал на третий этаж.

— Работаем без Кученога... — сказал он Аристарху и, не вдаваясь в подробности, дернул за шнурок звонка.

Хорошо еще, что дверь квартиры номер десять распахивалась вовнутрь, а не наружу: иначе бы Ника с ее манерой открывать каждый раз причиняла гостям серьезные увечья...

— Явились?.. — выпалила она с порога, сверкая глазами то на Песика, то на Аристарха. — Ну и что все это значит?.. Почему я должна, как дура, брать музей на пару с каким-то домовым? Мы как договаривались? Где Африкан? Где Панкрат?..

— Тихо ты, тихо... — сдавленно проговорил Выверзнев и опасливо оглядел лестничную клетку. Столь интригующее начало произвело на Нику определенное впечатление. Быстро пропустив гостей в прихожую, она в свою очередь пристально осмотрела площадку и прикрыла дверь почти бесшумно.

Пройдя в большую комнату, Николай упал в кресло и долго не мог произнести ни слова. Чудотворная стояла в углу рядом с прислоненным к стеночке помповым ружьем. В противоположном углу с очумелым видом переминался взъерошенный домовичок дымчатой масти, явно готовый в случае чего дать тягу.

— Ты хоть сама понимаешь, что натворила?.. — безнадежно спросил Выверзнев.

— А что я натворила?! — немедленно взвилась Ника. — Ни Панкрата, ни Африкана — вообще никого! Стою на крыльце, как дура, одна, в камуфле, с ружьем!.. Жду! Никто не подходит!..

— Да нельзя... нельзя тебе было брать эту икону!

— Почему нельзя?.. А это что в углу стоит?..

— Нет, я не могу... — простонал Николай. — Аристарх, ну хоть ты ей растолкуй!..

— А как это я растолкую? — испуганно сказал Аристарх. — Ты же сам говорил, что данные секретны...

Отменно сказано! Можно было побиться об заклад, что после таких слов Ника выпотрошит обоих, но до истины докопается... Так оно и случилось. Уже через несколько минут совершенно измочаленный Николай Выверзнев сидел в кресле, уронив лицо в ладони, и старческим бессильным голосом излагал все как на духу:

— Наша сотрудница...

— Ах, ваша сотрудница?..

— Да... наша сотрудница... должна была взять чудотворную икону и выйти к блокпосту... А у баклужинских пограничников задание: попытаться ее задержать... но при виде иконы все они падают ниц... по команде...

— Прелестно!.. Значит, как выкрадывать икону — так я, а как падать ниц — так перед ней?..

— На лыцкой стороне все тоже падают ниц...

— Ах, и на лыцкой тоже?..

— Да... К мосту сбегаются толпы комсобогомольцев... Ну, в смысле, наши люди в комсобогомоле, а там уже все прочие... Сопровождаемая толпой, сотрудница идет с иконой в Лыцк...

— А почему не я?!

Ахнула тишина. Выверзнев и Аристарх, глядя на разъяренную Нику, слегка отшатнулись. Анчутка наполовину ушел в стену.

— Да потому что я тебе запрещаю! — опомнившись, рявкнул Выверзнев.

Собственно, с этого момента операцию можно было считать начавшейся...

Приблизительно в то же самое время или даже чуть пораньше того в служебное помещение чумахлинского блокпоста ворвался разъяренный кряжистый отрок в бронежилете поверх пятнистого комбинезона.

— Пристрелю падлу!.. — кровожадно пообещал он.

— Какую?.. — с интересом спросили у него, прекращая чистить оружие.

— Какую-какую!.. Хренопятую! Лезет и лезет за шлагбаум! Вышвырну — опять лезет!..

— А чего это он?

— Чего-чего... Африкан его перед смертью проклял, а наши расколдовать не могут!.. Теперь вот к мавзолею рвется — в Лыцк...

— А как проклял-то?..

Отрок хотел снова заругаться, но вместо этого взгоготнул, повеселел и ясными простыми словами сообщил товарищам по оружию, как именно покойный протопарторг проклял стащившего ботинки воришку и что у того выросло на пятке...

— Да гонишь!.. — усомнился кто-то.

— Не веришь — поди посмотри...

Несчастный сидел понурясь на обочине метрах в двадцати от шлагбаума. Правая нога была замотана тряпицей.

— Здорово, контрабандист... — приветствовал его один из подошедших. — Давай показывай, чего ты там без пошлины в Лыцк провезти хотел... Декларацию заполнять будем...

Калека затравленно посмотрел на балагура и не ответил.

— Показывай давай, а то обыщем... — Погранец слегка повысил голос.

— На, обыскивай! — остервенело бросил калека и ткнул в воздух спеленутой пяткой.

Пограничники с несколько оскорбленным видом отодвинулись и заложили руки за спину.

— Гля, обиделся!.. — с удивлением сообщил один другому.

— Жрать охота... — злобно сказал калека. — С утра не жрамши...

Сторговались за буханку хлеба и банку тушенки. Обиженный Африканом бедолага размотал тряпицу и выставил половозрелую пятку на всеобщее позорище. Потом, не обращая внимания на жизнерадостный гогот погранцов, накинулся на жратву. Утолив первый голод, вскинул голову и заметил, что народу вокруг поприбавилось.

— Так! — решительно сказал он, вновь пеленая ступню. — А вы куда, на халяву? Ишь, деловые...

— Сколько за погляд? — ухмыляясь, осведомился огромный шофер следующего за бугор фургона.

— Червонец, — отрубил калека, кладя перед собой кепку. Еще раз осмотрел толпу и, заметив миловидное девичье лицо с наивно распахнутыми глазами, добавил сурово: — С баб — четвертак!..

Машин у моста скопилось в тот день много. В кепку летели алые червонцы с профилем Нехорошева и радужные четвертаки, где старый колдун Ефрем был изображен вполоборота. Затем уникумом заинтересовались интуристы — и в кепке зазеленело.

Озадаченно помаргивая, страдалец пересчитал выручку, как вдруг сообразил, что за такую сумму он запросто может нанять любого контрабандиста и без проблем переправиться на тот берег. Огляделся. Облака над лыцкой стороной уже розовели и золотились, отражаясь в перламутровой наклонной поверхности Чумахлинки. Вдали в недвусмысленной близости от нейтральных вод болталась моторка известного браконьера Якоря. Сам Якорь беседовал с кем-то, уцепившимся за борт, — должно быть, с водяным... Потом дернул тросик стартера — и лодка двинулась к баклужинскому берегу. За клиентом поплыл...

Калека еще раз заглянул в лежащую перед ним кепку — и поймал себя на мысли, что за кордон его уже как-то не тянет. Здесь-то все-таки какая-никакая, а Родина...

Середина и конец мая для маломерного флота время сложное. Впрочем, другого флота на Чумахлинке и не водится... Мало того, что разлив, а тут еще чехарда с календарями! То в одну сторону поверхность наклонена, то в другую... Сколько из-за этого моторок каждой весной опрокидывается — лучше не считать...

В Баклужино воду уже неделю как подобрало, а в Лыцке она только-только еще собирается пойти на убыль — застоялась в низинах и оврагах, подернулась пленкой, как глаз курицы...

Паспорт у Якоря был баклужинский, поэтому в светлое время суток он в территориальные лыцкие воды старался без нужды не соваться. В тот самый час, когда над левобережьем начинает розоветь и золотиться закат, а правобережью еще хоть бы хны, за кормой плеснуло не по-рыбьи, затем на борт легла пятерня с перепонками — и показалась лягушачья морда размером чуть меньше человеческой. Глаза — как волдыри.

— Ну и чего?.. — лениво спросил Якорь.

— Да за тобой послали... — простуженно, с хрипотцой отвечал речной житель.

— А чего надо?.. — все так же равнодушно осведомился старый флибустьер речных затонов.

— В Лыцк кое-кого переправить...

— Обождут... — обронил Якорь. — Стемнеет — тогда...

— Не! Не обождут... — сказал водяной. — Велено: прямо сейчас...

Якорь потянулся.

— Слышь, Хлюпало... — поинтересовался он через зевок. — А хочешь, гребень на дембель подарю? Бороду расчесывать...

В следующий миг лодка резко накренилась, и контрабандист едва не вошел торчмя головой в пологий скат реки.

— Ты чего?! — заорал он. — Шуток не понимаешь?..

Лягушачий рот распялился ширше прежнего.

— Не-а!.. — хрипловато и глумливо отозвался Хлюпало. — И те, что тебя ждут, — тоже...

— А кто ждет?.. — малость ошалев, спросил Якорь.

— «Херувимы» ждут... Погранцы ждут... Президент...

— Какой еще, в жерлицу, Президент?..

— Какой-какой... Портнягин!

— Да поплыл ты... куда подальше!.. — пробормотал Якорь, но мотор все-таки запустил...

Черт его знает, Президент — не Президент, но народ на берегу скрытого от посторонних глаз затончика собрался и впрямь крутой. Заплатили столько, что Якорь поначалу глазам не поверил. Правда, предупредили: лучше сам утони, а клиента — доставь. Сказали, где высадить, сказали — встретят... А когда Якорь заикнулся, что хорошо бы до сумерек подождать — успокоили: мол, никто ничего не увидит и не услышит... Стало быть, колдуны...

Клиент оказался грузным, лысым и бородатым. Одет в рясу. Не иначе — шпион...

— Слышь, — сказал ему Якорь, присмотревшись. — А ведь я тебя уже однажды в Лыцк переправлял... Понравилось, что ли?..

* * *

Правый берег был еще позолочен закатом, а по левому уже воровато крались сумерки лиловых денатуратных тонов, когда баклужинцы внезапно и без каких-либо видимых причин подняли заставу в ружье. С недоумением и тревогой наблюдали пограничники Лыцка за странными действиями противника. Такое впечатление, что их баклужинские коллеги с минуты на минуту ожидали нападения со стороны Чумахлы — из глубины своей же собственной территории.

Дальше началась и вовсе какая-то загадочная чертовщина. На шоссе загремели взрывы. Вне всякого сомнения, кто-то с боем прорывался к мосту. Неистово полосовали прожектора, слышались надсадные команды... Затем суматоха перекинулась на левый берег. Неизвестно откуда взявшиеся толпы молодых и не слишком молодых граждан Лыцка хлынули на шоссе, заполнили терминал, проникли к шлагбауму. От них-то и стало известно, что комсобогомолка Ника в одиночку средь бела дня грабанула краеведческий музей в Баклужино, похитила чудотворный образ Лыцкой Божьей Матери и теперь направляется, осененная благодатью, прямиком к блокпосту...

Начальник лыцкой заставы попробовал связаться со штабом, но пока связывался, на шоссе в скрещении прожекторных лучей показалась одинокая стройная фигурка в черной прекрасно сидящей рясе. Видно было, как, не в силах противиться чудотворной силе иконы, пятятся и, роняя оружие, повзводно простираются ничком поганые пособники колдунов. Шлагбаумы поднялись сами собой...

Единственный человек на баклужинской стороне, не павший ниц и не пустившийся наутек, сидел на обочине, выставив перед собой босую ступню, и оцепенело смотрел, как шествует мимо большеглазое существо в черной рясе и с иконой в руках.

Поравнявшись с убогим, Ника вдруг остановилась и, видимо, по наитию навела на него чудотворный образ... Лишь тогда бедняга сообразил, что давно уже пора удирать. Вскочил — и стремглав кинулся прочь, припадая на правую ногу и стараясь касаться покрытия лишь кончиками пальцев... Однако не удержался и с маху ступил на асфальт всем весом. Повалился, обмер в ожидании боли... Потом, отказываясь верить в случившееся, сел, ощупал пятку. Пятка была как пятка — без каких-либо излишеств...

Ошалело перевел глаза на удаляющуюся по мосту Нику... Это уходило счастье: безбедные сытые дни, шорох зеленых кредиток в кепке и — чем черт не шутит! — благосклонность какой-нибудь состоятельной натуралки, уставшей от натурализма...

— Да чтоб тебе пусто было!.. — плачуще выкрикнул он, грозя кулаком вослед чудотворице. — Ведь только-только жить начинал!..

Коньяк «Старый чародей» чумахлинские виноделы гнали в основном на экспорт.

— Вмажем!.. — решительно сказал Выверзнев, разливая по трем стопкам благородную влагу. — За удачу!.. Без нее нам сегодня — аминь...

Дело происходило в бывшем кабинете Толь Толича.

— Кому удача, а кому... — Полковник Лютый не договорил, скривился и безнадежно махнул рукой. Сильно переживал...

— Толь Толич... — укоризненно молвил Николай. — Ну ты что, Кондратьича не знаешь?.. Разжалует сгоряча, потом снова пожалует... при случае... — Он взглянул на часы.   Однако они уже там к мосту подходят... Матвеич!.. С чудесами точно проколов не будет?..

Матвеич принял стопку без закуски, пожал мятыми плечами и возвел скучающие глаза к потолку — то ли прикидывая, то ли дивясь наивности начальства. Когда же это у Матвеича проколы были?.. Тем более с чудесами...

Лежащая на краю стола трубка сотового телефона верещала ежеминутно. Стопку до рта не давала донести.

— Слушаю... Входят на мост? Как там Ника держится?.. А, черт! Ну не может без отсебятины!.. Ага... Наши пали ниц... А лыцкие?.. Тоже?.. Кто стрелял?!

Лютый и Матвеич пристально взглянули на Выверзнева. Тот дослушал и с загадочным видом отложил трубку на край стола.

— Лыцкий погранец пальнул с перепугу... — в недоумении, словно бы не зная, как относиться к такой новости, сообщил он. — Тут же и затоптали... Слава Богу, промазал...

Поднял непригубленную стопку, но до рта опять донести не сумел.

— Да чтоб тебя! Слушаю! Так... То есть вы уже в столице? Ах, даже на площади?.. Быстро... А, на джипе добрались? Ну, с Богом, ребята, с Богом!..

Вновь сменил трубку на стопку, но на этот раз поступил мудрее — сначала выпил, а потом уже поделился новостью:

— Африкан — в Лыцке. Стал в очередь к мавзолею...

— Зримый?.. — ворчливо спросил Лютый.

— Пока — да...

— Не узнают его?..

— Н-ну, в крайнем случае подумают, что похож. Прикрытие у него вроде надежное — всех тамошних агентов подняли... Давайте-ка еще по одной... для успокоения нервов...

Проводив Лютого и Матвеича до дверей кабинета, временно исполняющий обязанности шефа контрразведки Баклужино Николай Выверзнев хотел вернуться к столу, когда из стены вышел вдруг дымчатой масти домовой с конвертиком в правой лапке.

— Вовремя... — сварливо заметил полковник. — Ну так что с тобой делать будем, а?.. Клювом щелкаешь, Лютому стучишь... Африкана из-за тебя чуть не замочили...

— Батяня! — испуганно пискнул домовой. — Это же не он! Это я!..

Николай всмотрелся. Перед ним, взъерошив шерстку, стоял и опасливо протягивал конвертик вовсе не Кормильчик, а любимец Африкана Анчутка.

— Та-ак... — озадаченно протянул Выверзнев, принимая из замшевых пальчиков неправедную мзду. — А я-то, признаться, думал, ты с Африканом в Лыцк отправишься... Хотя да!.. Ты же сам оттуда бежал... А что с Кормильчиком?..

— Завили Кормильчика! — ликующе известил домовенок. — Всей диаспорой завивали! И бантик привязали... голубенький!

— Давно пора... — проворчал Выверзнев, бросая конверт в ящик письменного стола. — А братва, значит, тебя в главари выбрала?..

— Батяня... — укоризненно мурлыкнул Анчутка, и замшевые пальчики его слегка растопырились. — Ну ты сам прикинь...

Николай глядел на него с интересом и прикидывал, каким же авторитетом должен пользоваться домовой, на руках Африкана пересекший границу по воде, аки посуху, отбившийся от Ники и ограбивший с ней на пару — жутко молвить! — краеведческий музей... Да, это лидер. Это легенда... Живая легенда...

— Ну что ж... — задумчиво молвил Батяня. — Верной дорогой идешь, Анчутка...

Глава 15 (окончание).

ВСЕ СКОПОМ,

ВОЗРАСТ — РАЗНООБРАЗНЫЙ, РОД ЗАНЯТИЙ — ТОЖЕ

День клонился к вечеру. Над Лыцком подобно знаменам реяли алые облака с золотой бахромой. Победно реяли...

Партиарх Порфирий стоял у окна своей высотной кельи и смотрел вниз, на мавзолей Африкана. Толпа еще не рассеялась, но упорядочилась. По площади вилась Чумахлинкой нескончаемая очередь к безвременно почившему протопарторгу. Была она как бы вся черна от горя, поскольку многие пришли в рясах. Там, внизу, наверняка творились неслыханные доселе чудеса. Будучи первым ясновидцем страны, Партиарх отчетливо различал ало-золотое лучистое сияние над мавзолеем.

Несколько раз Порфирию мерещилось, будто в очереди стоит сам Африкан, чего, конечно, просто не могло быть. Долго, ох долго будет он еще мерещиться Партиарху...

Явился с докладом озабоченный митрозамполит Питирим. Партиарх принял его, стоя у окна, — даже не стал влезать на свое возвышенное кресло, настолько был удовлетворен видом осененного благодатью мавзолея.

— Как там Дидим? — не оборачиваясь, с затаенной грустью спросил Порфирий.

— Сперва упрямился... — сокрушенно сообщил молоденький нарком инквизиции. — А как растолковали, что все это не во зло, а во благо, — тут же и подписал... Теперь вот покаянную речь разучивает...

— А самозванец?.. Ну, тот, который в Баклужино...

Питирим тихонько покряхтел, и Порфирий оглянулся. Верткое личико митрозамполита выглядело удрученным.

— Упустили, что ли?

— Хуже... — признался Питирим. — Сидит в баклужинской контрразведке.

— Сам сдался?

— Нет, захватили... На пять минут раньше нас успели...

Однако даже это прискорбное событие не смогло расстроить Партиарха.

— Думаешь, Портнягин отправит его в Гаагу?.. Вряд ли... Там ведь скорее всего решат, что он им двойника подсунуть хочет... Нет-нет... Портнягин, конечно, мерзавец, но отнюдь не дурак... У тебя все?

— Нет, к сожалению... — сказал, как в прорубь шагнул, Питирим. — Все-таки подгадил нам напоследок протопарторг!.. Выяснилось, что он планировал выкрасть из музея чудотворный образ

Лыцкой Божьей Матери (митрозамполит перезвездился) и с ним вернуться в Лыцк...

— Что ж, это неглупо, — после краткого раздумья признал Партиарх. — Вернуться героем... А героев сразу не убивают — сначала чествуют... Но его же, ты говоришь, арестовали?..

— Арестовали... — со вздохом подтвердил Питирим. — И его, и подпольщиков... А одна фанатичка (по слухам, любимица Африкана) осталась на свободе... В шестнадцать тридцать пять она ограбила музей самостоятельно. А полчаса назад вышла к блокпосту и прорвалась на нашу сторону...

— С иконой? — отрывисто уточнил Партиарх.

— С иконой...

Порфирий насупился и все-таки вернулся за стол. Взъерзнул на высокое сиденье, огладил столешницу... Последнее известие было самым неприятным. Во-первых, если икона возвращается в Лыцк, то одной претензией к Баклужино становится меньше... А во-вторых, как-то это все сразу осложняет международную политическую обстановку... Впрочем, есть тут и положительные стороны: восторг трудящихся, например... А то, стоило с НАТО договориться, сразу брожение какое-то завелось в народе...

— Но она точно не агент Портнягина?

— Скорее всего нет... Слишком уж засвечена...

— А что Баклужино?

— Требует выдачи.

— Чьей?

— Обеих...

Партиарх подумал, вздохнул.

— Перебьются! — решил он. — Божью Матерь не выдадим!.. Фанатичку? Н-ну, эту можно... Со временем... Что там сейчас происходит? Я имею в виду — на границе...

— Народ сбежался... — уныло сообщил митро-замполит. — Всей толпой идут в Лыцк, несут икону... К утру будут здесь.

И к утру они были там. Однако слухи о возвращении в Лыцк чудотворной иконы и об отважной комсобогомолке с победным именем Ника достигли столицы куда раньше самой процессии... Задолго до рассвета все улицы, прилежащие к главной площади, были вновь запружены народом. Многие плакали от счастья.

С первыми лучами солнца людское скопище всколыхнулось и зашумело. Пытаясь очистить дорогу шествию, попятились — и задавили еще четверых старушек в придачу к тем пятерым, что были задавлены вчера.

Это был звездный час Ники Невыразиновой. В черной рясе и алой косынке, с чудотворным образом в руках, ступила Ника на площадь. Глаза художницы пылали. Наконец-то она удостоилась такой встречи, какую заслуживала! Толпы склонялись перед ней в благоговении. Хотя, конечно, не столько перед ней, сколько перед иконой, однако многие, сравнивая чудотворный образ с большеглазым лицом Ники, не могли не отметить определенного сходства. (Между нами говоря, ничего удивительного: копиист, выполнявший в свое время тайный заказ Портнягина, был близко знаком с Невыразиновой.)

Толпа раздалась, образовав узкий прямой проход к мавзолею Африкана. И по этому-то проходу Ника приблизилась к приземистому, но тем не менее величественному сооружению.

Лыцкие Чудотворцы (все Политбюро в полном составе) стояли на первой ступеньке. На третьей, вознесшись над остальными, стоял один Порфирий. Выше, по сторонам от прямоугольного, заполненного чернотой проема, располагались только замершие навытяжку часовые...

Обеими руками Ника воздела икону — и тут произошло то, о чем жители православного социалистического Лыцка долго еще будут впоследствии рассказывать внукам и правнукам.

Негромкий, но мощный вздох прокатился над толпой, и трудно было сказать: сама ли толпа ахнула, или же все-таки звук этот донесся из мавзолея. Затем в наступившей тишине послышались шаркающие шаги, и из темноты проема косолапо ступила на свет Божий знакомая до слез сутулая грузная фигура, облаченная в старую просторную рясу с бурыми подпалинами... С недовольным видом внезапно разбуженного Африкан оглядел простирающуюся у ног бесконечную брусчатку голов...

Запоздало почуяв беду, Партиарх Порфирий обернулся — и, к ужасу своему, встретился глазами с протопарторгом. Страшная пауза длилась секунду, а то и две. Наконец сердце Партиарха не выдержало — и он черной тряпкой опал на свежеуложенные мраморные плиты...

Толпа взревела. Агент баклужинской разведки, следивший за происходящим с крыши одного из домов, торопливо набрал номер сотовика, хитро приконтаченного к взрывному устройству. Рев людской был настолько оглушителен, что грохота не услышали. Медленно и беззвучно мавзолей за спиной протопарторга как бы провалился сам в себя.

В недоумении Африкан посмотрел на тело Порфирия, потом — на часового. Часовой стоял без сознания... Перевел взгляд на Нику. Та шла прямо на воскресшего протопарторга, протягивая чудотворный образ.

Он принял икону — и в этот миг не только ясновидцы, но даже простые избиратели узрели, как возникло и взмыло до небес зыбкое золотисто-алое сияние. Благодать помножилась на благодать, аура — на ауру...

Вне всякого сомнения, это была самая блестящая операция баклужинских спецслужб, проведенная за границей.

Хотя, если вдуматься, в чем их заслуга-то?.. Произошло неизбежное. После сговора с блоком НАТО Партиарх Порфирий сам напросился на роль Бориса Годунова. Шепотки о том, что из-под развалин «Ограбанка» извлекли вовсе не Африкана, а какое-то совершенно постороннее тело (зря, что ли, урну хоронили вместо мумии!), поползли еще во время траурной церемонии. Заставляла задуматься и поспешность погребения... Словом, народ уже тогда был морально готов ко второму пришествию протопарторга. А когда народ бывает готов к чему-нибудь морально, это что-нибудь неминуемо сбывается.

Даже если бы Африкан не встретился с Глебом Портнягиным и не воспользовался помощью баклужинской контрразведки, аура так или иначе налилась бы вскоре алым сиянием и погнала его в Лыцк все с той же иконой в руках...

Кое-кто скажет: ну а если бы Анчутка промахнулся, метнув барабашкой в убийцу? Если бы, короче, застрелили Африкана?.. Да воскрес бы как миленький!.. Коли верит народ, что Африкан жив, — стало быть, жив. И не фиг тут мудрствовать!..

Ладно. Предположим: убили — и не воскрес! Все равно ведь тут же найдется кто-нибудь похожий! Или даже непохожий — такое тоже бывало... По большому счету: разница-то в чем?.. Лжедимитрий Второй действовал нисколько не хуже Лжедимитрия Первого...

Обыватель, разумеется, ужаснется, ахнет: «Как это никакой разницы? Человека-то — нет!» Но на то он и обыватель, чтобы сходить с ума по пустякам и задавать совершенно вздорные вопросы. Ну, скажем: «Почему должен погибнуть обязательно я?..» И никак его не убедишь взглянуть на это дело с государственной точки зрения...

Да, но если все прекрасно осуществилось бы само собой, то зачем понадобились Выверзневу эти лишние хлопоты: вводить в действие Нику, взрывать мавзолей?.. То есть как это «зачем»? Как это «зачем»?.. А звание генерал-майора?.. А кресло шефа баклужинской контрразведки?.. Поймите вы наконец: свержение Партиарха Порфирия было лишь средством! А истинной-то целью операции, как ни крути, было свержение Толь Толича!..

Африкан не обманул подельника. Да он и не собирался его обманывать. Очередная беседа Глеба Портнягина со специальной комиссией ООН должна была произойти в десять утра в кленовом зале Президентского Дворца. Полдевятого протопарторг прибыл с иконой на заброшенный комплекс ПВО. Из шести изделий лишь одно — хотя бы в общих чертах — напоминало ракету. Его-то и взгромоздили на пусковую установку, а отступив, сокрушенно покачали головами. Особенно удручающе смотрелись дыры в обшивке — результат прошлогодних учений, когда сгоряча пытались перегрузить изделие, не дождавшись полной остановки гироскопов. Бешеные волчки выскочили наружу и наделали много бед, прежде чем армейский митрозамполит сообразил смирить их молитвой...

Выбирать, однако, не приходилось... Да и время поджимало. Разом и кропили, и освящали, и красили... Понятно, что без накладок не обошлось: заодно освятили художника-шрифтовика, что ползал по корпусу изделия, нанося на него надпись: «Лыцк — не сломить!» Закончив работу, бедолага сломал кисточку, опрокинул краски — и ушел в монастырь. А двое прапорщиков, опрометчиво сунувшихся под кропило, тут же, не сходя с места, покаялись в лихоимстве и потребовали над собой трибунала...

К десяти подготовка была закончена. Африкан вынул трубку сотового телефона и набрал номер Глеба.

— У меня все готово... Пускать?

— Талан на гайтан... — растроганно отозвался Президент, и у протопарторга защемило сердце... Повеяло юностью. Именно эти слова произнес Глеб Портнягин той давней весной, когда они вдвоем остановились в нерешительности перед железными дверьми продовольственного склада...

Ровно в десять был произведен пуск изделия. Понятно, что в обычных условиях далеко бы оно не улетело... Но в данном случае слишком многие были заинтересованы в удачном старте. Осененная благодатью и направляемая с земли идеологически, ракета покувыркалась со свистом и грохотом в воздухе, затем выровнялась и стремительно ушла в сторону Баклужино... Над Чумахлинкой, черт его знает с чего, вырубился жидкостный реактивный двигатель. Либо забилась какая-нибудь трубка, либо кончилось топливо, а может, иссякла благодать...

Но это уже было несущественно... Серебристую, остроносую, оперенную палочку эстафеты дружно приняла вся Лига Колдунов. Подхваченный коллективным заклинанием неслыханной мощи, очарованный реактивный снаряд, при полном отсутствии бортовых приборов, узрел цель и ринулся к ней неведомо на чем...

Как и предсказывал вчера Глеб Портнягин, угодил он точно в шпиль. Попадание было исключительным. Пронзив перекрытия, ракета с грохотом просунула рыло прямиком в кленовый зал, словно бы желая полюбопытствовать: «А чем это вы здесь, господа хорошие, занимаетесь?» Взрываться в ней, разумеется, было нечему, и все-таки без жертв не обошлось. Мистера Джима Кроу (того самого негра преклонных годов) ударило куском штукатурки с потолка, а у длиннозубого англосакса, как это принято у них за границей, отшибло память...

И самое главное — на любопытном носу ракеты, начертанное крупными алыми буквами, пылало гордое слово: «Лыцк...» Остального можно было не читать...

Мир содрогнулся. Десантный вертолетоносец «Тарава» вновь вошел в Щучий Проран. Блок НАТО заявил, что намерен нанести ракетно-бомбовый удар по Лыцку немедленно — благо разведка целей была проведена заранее. Все же предъявили для приличия очередной ультиматум. В ответ Партиарх Всего Лыцка Африкан, сменивший скончавшегося от острой сердечной недостаточности Порфирия, с присущей ему дерзостью заявил, что сам выйдет навстречу поганой палубной авиации США. Чтобы легче было целиться...

В Лыцке, как, впрочем, и в Баклужино, объявили повышенную боевую готовность, разослали повестки рядовым и офицерам запаса. В Чумахле срочно подняли по тревоге силы гражданской обороны и привели в исполнение давнюю угрозу относительно мобилизации домовых.

Старший лейтенант Павел Обрушин (для друзей и начальства — просто Павлик) был срочно откомандирован в Чумахлу — как крупный специалист по домовым, коловертышам и прочей городской нечисти. Угрюмый и долговязый, он сидел на положенной набок табуретке посреди актового зала, откуда вынесли зачем-то всю мебель, и проводил инструктаж:

— Значит, повторяю... Американцы объявили, что ровно в три часа начинают бомбардировку Лыцка. Но!.. Повторяю: но!.. Возможно, что это — умышленная дезинформация... То есть бомбардировка может начаться на час раньше, на час позже, а может и не начаться вообще... Пусть это вас не огорчает и не радует... Рано или поздно она начнется... Не сегодня — так завтра...

Разношерстные чумахлинские домовые смирно сидели на корточках вокруг инструктора. Слушали, затаив дыхание, и боязливо лупали глазенками.

— Ваша задача... Разойтись по домам и быть там предельно внимательными... Предельно!.. Если вдруг почувствуете, что вашему дому грозит опасность (в данном случае разрушение), немедленно известите хозяев и старшего по званию. Ни в коем случае не пытайтесь своими силами сбить крылатую ракету с курса или отразить ее каким-либо другим способом. Даже если это у вас получится, ракета наверняка попадет в дом соседа, откуда мы уже эвакуировать жильцов просто не успеем... Что?.. Вопрос?.. Кто там ручонку тянет?..

Из пушистой толпы встал невзрачный лопоухий трехцветка, с которым старший лейтенант беседовал вчера утром относительно Африкана, и, запинаясь, спросил:

— А... почему американцы будут нас... бомбить?..

— Повторяю... — процедил Павлик. — Для особо тупых... Бомбить нас американцы не будут...

Они будут бомбить Лыцк... Но!.. Крылатая ракета, хотя и считается весьма высокоточным оружием, все равно может случайно... Понимаете? Случайно!.. промахнуться и угодить не туда...

— А... почему она так... может?..

— Да потому что ладан гремлинам не фиг было
продавать!.. — не выдержав, рявкнул Павлик. —
Наркобароны хреновы!..

Закончив инструктаж и распустив мобилизо-
ванную нечисть по домам, старший лейтенант
Павел Обрушин поднялся с табуретки, поставил
ее как следует и, подойдя к распахнутому настежь
окну, оперся на подоконник. Актовый зал штаба
гражданской обороны располагался на четвертом
этаже, и вид с этой высоты открывался широкий.
Внизу из зелени садов выступали крыши частного
сектора. Чуть поодаль лежали пыльные развали-
ны двух окраинных кварталов, подвергнутых недавно лыцкими варварами жестокому артобстре-
лу... Еще дальше сверкала и ершилась Чумахлинка,
а на том ее берегу... Павлик выпрямился и досадливо мотнул головой — как бы стряхивая комара,
умыслившего сесть на правое ухо.

На том берегу чешуйчато сверкающей Чумахлинки шевелилась огромная толпа. Но даже не это
поразило Павлика. Выпускник колледжа имени
Ефрема Нехорошева, дипломированный колдун,
он ясно различал взмывающее в зенит зыбкое ало-
золотое сияние, осеняющее народ. Коллективная
аура... Такое явление обычно возникает во время
молебнов, митингов, погромоı и прочих массовых

проявлений единомыслия. На погром не похоже. Стало быть, либо митинг, либо молебен...

Средоточие сияния, несомненно, приходилось на грузного невысокого человека в просторной рясе, стоящего впереди всех с иконой в руках... Вот оно что! Значит, не шутил Африкан, когда заявил, что сам выйдет навстречу крылатым ракетам. Фанатик — он и есть фанатик!.. (Павлик был возмущен до глубины души.) Людей-то зачем привел? Сколько их там? Тысяч десять? Нет, больше... Двадцать, тридцать... И все почему-то с разинутыми ртами... Поют, что ли?..

Павлик торопливо пробормотал заклинание и прислушался.

Кипит наш разум возмущенный... —

пели на том берегу.

Ну, естественно... Кстати, ало-золотистая вздымающаяся до небес аура и впрямь вскипала благородной яростью, раскаляясь кое-где добела...

Уловив краем глаза движение по эту сторону Чумахлинки, Павлик заставил себя оторваться от завораживающего зрелища и взглянул на шоссе. Там в направлении блокпоста на приличной скорости шли две машины: черный лимузин и чуть поотставший джип с охраной. Неужели Президент?.. Куда это его понесло?..

Додумать Павлик так и не успел... Лежащая в развалинах окраина Чумахлы вспучилась грязным облаком, а долю секунды спустя пришла громоподобная ударная волна. Ладно еще окно, у которого стоял инструктор, было распахнуто — в двух соседних вылетели стекла. Сады взбурлили, с одной из крыш сдуло пару листов шифера. Воздух потемнел от взметнувшегося с земли сора...

Остается лишь поражаться, насколько грамотно старший лейтенант Обрушин провел инструктаж... Бомбардировка Лыцка началась раньше назначенного срока и именно с промаха.

Как только Портнягину доложили, что на противоположном берегу Чумахлинки собралась неслыханно огромная толпа, он тотчас прервал экстренное заседание Лиги Колдунов и, не теряя ни минуты, выехал к месту грядущих событий. Зачем?.. А в самом деле — зачем? Что за нужда? Все счеты были сведены, итоги подбиты. Африкан честно запустил ракету по его дворцу, а больше никто ни о чем не договаривался...

Искать разумные объяснения этой странной эскападе Глеба Портнягина бесполезно. Потому что единственной ее причиной был страх. Страх за кореша...

Неужели у него и впрямь хватило глупости выйти навстречу палубной авиации США? На что же он рассчитывает? На то, что в толпу стрелять не будут?.. Ну разумеется, не будут!.. Будут стрелять в Африкана, а за остальных потом в крайнем случае извинятся...

На повороте к блокпосту Президент приказал остановить машину и с несвойственной себе поспешностью выбрался наружу. И именно в этот миг крылатая ракета угодила в руины частного сектора...

— Глеб Кондратьич! — цепляясь за рукав пиджака, истошно, по-бабьи заголосил референт. — Нельзя вам здесь быть!.. Опасно!..

Движением локтя Портнягин стряхнул его с рукава, но сзади уже набегали мордовороты из охраны... Пришлось обездвижить всех одним заклинанием.

На округу тем временем лег тяжкий шепелявый гул турбин. Над поймой, содрогая и морщиня гладь заливных лугов, хищно и лениво разворачивалось «крыло» американских самолетов.

Убийцы!.. Портнягин ненавидел их. Ненавидел эти акульи оскаленные рыла, эти черно-желтые стабилизаторы, ненавидел сиплый тупой звук двигателей... Ибо там, на левом берегу Чумахлинки, среди огромной вдохновенно поющей толпы стоял с иконой в руках единственный близкий ему человек...

— *Заклятие...* — вкрадчиво шепнул некий внутренний голос (возможно, болтунец). — *Наложи на них заклятие... Ты глава Лиги...*

Какой соблазн!

«С ума сошел? — мысленно прикрикнул Президент. — Тут же все выплывет наружу!..»

— Ты про черные ящики?.. — глумливо осведомился все тот же шепоток.

«Я про гремлинов! Ящик, допустим, смолчит, но гремлины-то молчать не станут!..»

Портнягин не выдержал и зажмурился, но даже это ему не помогло. Вспышка в небе на миг затмила солнце. Веки как бы истаяли, став желто-розовыми и почти прозрачными. А потом по округе словно хватили огромным тугим кулаком — блуп!.. Звук был настолько плотен и упруг, что воспринимался чуть ли не осязательно.

Глеб сделал над собой усилие и открыл глаза, нечаянно подгадав мгновение, когда в небе полыхнула еще пара таких же ослепительных вспышек — и по округе уже хватили не одним, а двумя кулаками сразу.

Осененная золотисто-алым сиянием толпа на том берегу стояла невредимая. Зато в вышине над почерневшей Чумахлинкой вздувались несколько белых шаров с темными прожилками. Из густого молочного дыма, беспорядочно кувыркаясь, выплывали черные обломки. Это, не устояв перед чудотворной силой иконы и благородной яростью лыцкого народа, взрывались в воздухе штурмовики шестого флота США...

Президент стоял оцепенев.

— Дружище... — еле слышно выдохнул он.

На столь щедрую благодарность Глеб даже и не рассчитывал. Нет, не обломки — золотой дождь падал на Баклужино: займы, инвестиции, гуманитарная помощь... Вступление в НАТО, черт побери!..

И этот дурак еще собирался выйти в тираж! Чуть ли не сам в Гаагу просился!..

— Нет, дружище... — сдавленно произнес Глеб Портнягин, чувствуя, как на глаза наворачиваются слезы. — Мы еще с тобой повоюем...

...И ПОБЕДА—ЗА НАМИ !

В стране заходящего солнца

По мнению японских специалистов, чрезмерное увлечение работой не менее вредно, чем наркомания. В Японии убеждены, что «трудоголиков» следует лечить и перевоспитывать.

(Из газет)

— В наркологию? — не поверил Руслан. — Как это в наркологию? За что?

— Не за что, а почему, — ворчливо поправил его майор, проглядывая вчерашний протокол. — Лечиться пора... И скажи спасибо, что в наркологию, а не к судье. Припаял бы он тебе сейчас пятнадцать суток принудительного отдыха... А так ты, считай, сутками отделался... Ого! — подивился он, приподнимая брови. — Еще и сопротивление при задержании оказал?..

— Да не оказывал я!

— Как это не оказывал? «Совершил попытку отнять изъятое орудие правонарушения...» Было?

— Ну было, но...

— Поехали, — сказал майор и, сложив протоколы в папку, поднялся из-за стола.

В подержанный японский микроавтобус загрузили пятерых: четверо попались вчера по той же самой статье, что и Руслан, пятого, как ни странно, взяли за пьянку. Этот сразу отсел поглубже в уголок и с ухмылкой стал разглядывать остальных.

— Довыделывались, чижики? — осведомился он не без ехидства. И, не получив ответа, продолжал самодовольно: — А мне вот все побоку!.. В наркологию? Давай в наркологию... Напужали ежа... голым профилем! Взять с меня нечего, а укол-то, он денежек стоит!..

— Примолкни, а? — хмуро попросил Руслан. — Без тебя тошно...

Плечо после вчерашнего удара резиновой палкой ныло до сих пор. Алкаш открыл было рот, но, взглянув на мрачные лица товарищей по несчастью, счел за лучшее не куражиться и последовал совету Руслана. А тот, кряхтя, запустил пятерню за ворот рубашки и принялся разминать ушиб...

— Дубинкой, что ли? — скорее с любопытством, нежели с сочувствием осведомились справа.

— Ну!.. — процедил он.

Майор все не показывался. Шофер в граждан-ском придремал, уронив руки на руль, а голову — на руки. Дверца открыта, документы вернули — бери и смывайся! Только ведь некуда смыться-то... Адрес теперь в ментовке известен, если что — домой на-грянут...

— Так тебя, значит, не в конторе загребли? — сообразил наконец сосед справа. — Посреди ули-цы, что ли?.. А как это ты умудрился?

— Как-как! — сердито сказал Руслан. — В ноч-ном киоске гвоздодер купил... А рядом доска ва-ляется, гвоздь из нее торчит... Ну, я распаковал гвоздодер да опробовал...

Спросивший негромко присвистнул.

— То есть «с особым цинизмом»... — с видом знатока перевел он услышанное на язык протокола. — Да еще, наверно, сопротивление довесят, раз палкой звезданули...

— Уже довесили... — Руслан вздохнул и отвернулся.

— А нас с корешем прямо в фирме взяли, тепленькими... — небрежно растягивая слова, сообщил, как похвастался, все тот же сосед, надо полагать, попадавший в такую переделку не впервые. — Рабочий день кончился давно, а мы сидим пашем... Вдруг — трах-тарарах!.. Дверь с петель снесли, врываются в намордниках, с автоматами... «Встать! Лицом к стене! Руки за голову! Проверка!..» К-козлы... «Да мы ж, — говорю, — не за тем остались! Мы ж эти... из сексуальных меньшинств!..» А какое там — «из сексуальных»! Компьютеры врублены, на столе — документы...

К концу рассказа он все же скис и, вяло махнув рукой, прервал дозволенные речи.

— А меня вот жена сдала, — помявшись, решил поддержать разговор мужичок с морщинистым пожамканным личиком. Подумал — и добавил в сердцах: — Сука... Из-за комода с ней погрызлись. На хрен, говорю, покупать — сам сделаю! А она мне, слышь: сделаешь — заложу... Сделал вон уже, говорит, одно убоище — взглянуть страшно... Ну ладно! Вот пускай хоть наволочку еще одну сошьет! Простыню одну пускай попробует подрубит!.. Гадом буду, пойду в ментовку и стукну!

— За домашнее хозяйство не привлекают, — напомнил сквозь зубы Руслан. — Тем более баб...

— Ни черта себе законодательство!.. — не преминул съязвить приунывший сосед справа. — Это, наверное, только у нас в России так заведено: раз баба — значит всегда права...

Пострадавший через супругу морщинистый мужичок выругался вполголоса, но тут наконец рядом с машиной объявился майор. Осунувшийся, озабоченный, он уселся на переднем сиденье и, захлопнув дверцу, положил папку на колени.

— Хорош спать! — бросил он встрепенувшемуся водителю. — Погнали...

После мерзкого, тускло освещенного клоповника, где нар было куда меньше, чем задержанных, весенний денек сиял особенно приветливо. Машина проскочила мимо ряда ярко окрашенных круглосуточных киосков, за стеклами которых соблазнительно мерцали столярные и слесарные инструменты. Раньше ларьков было пять. Теперь — три. Второй и четвертый куда-то делись, и теперь на их месте остались лишь два квадрата долбленого асфальта. Давят, давят ларечников... Скоро, глядишь, и стамеску негде будет купить...

На красный свет остановились неподалеку от стройки. Там за невысоким бетонным забором вовсю кланялись два новеньких итальянских крана и блестели щеголеватые каски оливково-смуглых рабочих. Тоже, видать, откуда-нибудь из Италии. По найму...

— Господин майор! — жалобно и почему-то с украинским прононсом обратился к начальству неугомонный нарушитель, что сидел справа от Руслана. — Ну шо ж это деется! На глазах пашуть, а вы смотрите!..

Майор хмуро покосился в окошко, посопел.

— Это иностранцы, — буркнул он. — Им можно...

— Та я вроде тоже... — с надеждой усилив акцент, намекнул задержанный.

— А вот не фига по российскому паспорту жить!.. — огрызнулся майор. — Иностранец... блин!

Машина свернула в извилистый пыльный переулок и вскоре затормозила возле облупленного угла пятиэтажки, стены которой когда-то давным-давно были выкрашены в тоскливый желтовато-серый цвет, ставший со временем еще более серым, тоскливым и желтоватым. С торца здания имелось снабженное навесом ветхое деревянное крылечко, ведущее к распахнутой двери. Чуть ниже таблички с надписью «Наркология» не без особого цинизма было процарапано: «Нам секса не надо — работу давай!»

Врачиха, как выяснилось, еще не прибыла, и задержанным велели подождать в предбаннике, увешанном душераздирающими плакатами. На одном из них изможденный трудоголик с безумными, как у героев Достоевского, глазами наносил страшный удар топором по розовому сердечку с двумя ангелочками внутри — женой и сыном. Страшная молниевидная трещина разваливала сердечко надвое.

— А не знаешь, чья сегодня смена? Пряповой или этой... постарше?.. — отрывисто осведомился у Руслана встрепанный нарушитель, до сей поры не проронивший ни слова.

— Без понятия, — со вздохом отозвался тот. — Я тут вообще впервые...

— Лучше, если постарше, — понизив голос, доверительно сообщил встрепанный. — А Пряпова — зверь. Вконец уже затыкала... процедурами своими...

Руслан неопределенно повел ноющим после вчерашнего плечом и перешел к следующему плакату. На нем был изображен горбатый уродец, опирающийся на пару костылей, в левом из которых Руслан, присмотревшись, вскоре узнал молоток, в правом — коловорот. Внизу красовалось глумливое изречение:

РАБОТАЙ, РАБОТАЙ, РАБОТАЙ: ТЫ БУДЕШЬ С УРОДСКИМ ГОРБОМ!

Александр Блок

Третий плакат был особенно мерзок. Рыжая младенчески розовая девица стояла телешом в бесстыдно-игривой позе и с улыбкой сожаления смотрела на согнувшегося над письменным столом хилого очкарика, вперившего взор в груду служебных бумаг. «И это все, что ты можешь?» — прочел Руслан в голубеньком облачке, клубящемся возле ядовито изогнутых уст красотки.

* * *

Наркологиня Пряпова оказалась холеной, слегка уже увядшей стервой с брезгливо поджатым, тронутым вишневой помадой ртом. Переодевшись, вышла в белом халате на голое тело и равнодушно оглядела доставленных.

— Ну, это старые знакомые... — безошибочно отсеяла она спутников Руслана. — А вот с вами мы еще не встречались... Часто вкалываете?

— Н-ну... как все... — несколько замялся он. — Дома, перед едой, для аппетита... А так я вообще-то лентяй... Для меня шуруп ввернуть или там полку повесить...

— А вот это я слышу каждый день... — невозмутимо заметила она, присаживаясь за стол. Майор любезно пододвинул ей протокол, касающийся вчерашних подвигов Руслана. — Кроме заядлых трудоголиков, к вашему сведению, никто себя лентяем не считает... Ну а конкретно? Вот вы купили вчера гвоздодер. В двенадцатом часу ночи. Зачем?

— Так гвоздь же из пола вылез! — вскричал Руслан. — Два раза ногу об него сшиб! Хотите — разуюсь?..

— А чем вам помешал тот гвоздь, который вы выдернули из доски прямо у киоска? В присутствии свидетелей. При детях...

Руслан смешался окончательно.

— Не видел я, что там дети... — буркнул он.

— То есть контролировать себя вы уже не можете... — с удовлетворением подвела итог нарколог Пряпова. — Женаты?

— Разведён...

— Ну вот видите! Значит, и жена не выдержала... Как ей с вами жить? Дома всё время грохот, опилки... В постели ей от вас никаких радостей! Потому что устаёте, работаете до упаду... Выматываете и себя, и окружающих...

— Да мы с ней развелись, когда ещё закон о трудоголиках не вышел...

Наркологиню Пряпову это не смутило ничуть.

— Дело не в законе, — холодно обронила она, — а в невозможности обстановки, которую вы создали... Вы бы хоть себя пожалели! Вы же худой как скелет!

— Я — худой? — возмутился Руслан. — Простите, но мои семьдесят три килограмма всегда при мне!

Майор и врачиха переглянулись с утомлённым видом.

— Что ж, пойдёмте проверимся... — Она встала.

Провожаемый сочувственными взглядами прочих трудоголиков, Руслан был препровождён в крохотный процедурный кабинетик с кушеткой, затянутой зелёной клеёнкой. Первым делом зверь-наркологиня смерила жертве давление и нашла его повышенным.

— Вот видите...

— Да оно у меня всегда такое! И потом, я ж ночь не спал!

— Бессонница? — хищно спросила она.

— Да нет! Нар не хватило...

— Хорошо. Раздевайтесь. Нет, рубашку можно не снимать.

Она скинула халат и, подстелив простынку, возлегла. Руслан покорно разулся, снял брюки, трусы и, наскоро приведя себя в состояние относительной готовности, принял протянутый пакетик с презервативом. А то еще, не дай Бог, импотентом объявит...

— Так... — озабоченно хмурясь, командовала она. — Глубже... Еще глубже...

«Интересно, чем эта тумбочка облицована? — механически двигая тазом, думал Руслан. — Неужели натуральный шпон? Или нет... Наверное, все-таки пластик. Уж больно узор ровный... Колька говорит, он такую машинку себе смастерил: заряжаешь в нее полено и начинаешь крутить... А резец плавающий... Ну и разматываешь заготовку, как рулон...»

— Достаточно, — сухо сказала наркологиня, сменяя фронтальную позицию на коленно-локтевую. — У вас что, всегда такая задержка оргазма?

Захваченный врасплох Руслан не нашелся, что ответить, но тут дверь в процедурную приоткрылась.

— Ольга Петровна, можно я карточки возьму? — спросил с едва уловимой картавинкой вежливый девичий голос.

— Леночка, вы же видите, у меня пациент!.. — не оборачиваясь, раздраженно ответила наркологиня. — Подождите минуту... А вы продолжайте, продолжайте, чего остановились?

«Минуту? — Руслан ударился в панику. — То есть у меня всего минута...»

Он плотно зажмурился, чтобы не видеть холеного гладкого крупа наркологини, и наддал, отчаянно пытаясь представить себе что-нибудь и впрямь соблазнительное. Однако успехом это не увенчалось.

— Достаточно, — объявила Пряпова. — Одевайтесь.

И пока смущенный и расстроенный Руслан освобождался от презерватива, наркологиня надела халат и, присев к столу, принялась заполнять какую-то карточку.

— Лечиться будем... — с прискорбием сообщила она. — Довели вы себя... Ваше счастье, что болезнь не слишком запущена. А то еще полгода — и, учтите, импотенция была бы вам обеспечена...

— Следующий... — буркнул Руслан, в унынии покидая процедурную.

За то время, пока наркологиня проверяла, насколько он подорвал здоровье чрезмерными нагрузками, народ в приемной успел отчасти смениться. Майор с алкашом, которому все было побоку, куда-то отбыли. Зато возникла рыхлая зареванная женщина лет сорока. Время от времени она ударяла жирным кулачком в сгорбленную повинную спину одного из трудоголиков и, плача, величала ударяемого то варваром, то иродом. Не иначе — жена...

Картавая черноглазая блондинка Леночка выписала Руслану счет, просмотрев который он опешил:

— Да нет у меня с собой таких денег!

И это было чистой правдой. Мелочь ему наутро вернули до копеечки, а вот купюра покрупнее пропала. В описи изъятого при обыске о ней также ни словом не поминалось...

— Принесете потом, — успокоила Леночка. — Все равно вам завтра в девять утра на повторную процедуру... А не явитесь — отправим в клинику с милицией...

Дома Руслан кое-как принял душ и, добравшись до дивана, сразу провалился в сон. Проснулся часам к двум — от голода. Смастерил пару многоэтажных бутербродов и включил телевизор. На экране, как по заказу, возникла атлетического сложения тетя в белом халатике. Руслан чуть не подавился.

— А что мы можем? — запальчиво вопрошала она. — Что мы можем?.. Отъявленный трудоголик, самостройщик, пробу ставить негде, а в клинику его не отправишь, пока нет заявления от соседей или от родственников!..

Руслан приглушенно чертыхнулся и перескочил на другую программу. Там хрустели челюсти и расплескивались витрины. Положительный герой кончал отрицательного. Руслан потосковал с минуту и вновь потянулся к пульту. Картина сменилась. На экране зашевелился розовый клубок обнаженных тел.

— Трахни меня в задницу, милый... — равнодушно прогнусил переводчик.

Н-да, лучше уж вернуться на первый канал, что вскоре Руслан и сделал. Мелькнуло серьезное личико ведущей, а затем глазам предстало насупленное гладко выбритое рыло какого-то государственного мужа.

— Нет... — покряхтывая, заговорил гладковыбритый. — Здесь я с вами решительно не согласен... Трудоголики наносят обществу гораздо больший вред, чем наркоманы. Если наркоманы даже в какой-то степени положительно влияют на товарооборот, то трудоголики в прямом смысле подрывают экономику страны... В мировом сообществе государств давно уже сложилась система разделения обязанностей. Мы разрешаем Западу добывать наше сырье, а Запад предоставляет нам товары и кредиты... Если же мы начнем еще что-то производить сами, хотя бы даже для внутреннего рынка, то равновесие неминуемо нарушится...

— То есть выходит, что борьба в основном ведется со злоупотреблениями именно в области производительного труда? — сосредоточенно наморщив лобик, перебила ведущая. — Но ведь трудоголики встречаются и среди бизнесменов, и среди служащих... Даже среди преступников...

— С медицинской точки зрения — да... — вынужден был признать гладковыбритый. — С медицинской точки зрения все они наносят одинаково непоправимый вред своему здоровью... Но я повторяю: речь идет еще и о здоровье социума в целом. Простите, но как-то даже нелепо сравнивать общественно полезный бизнес и самую черную созидаловку!..

— Однако созидалы, как их называют, тоже ведь приносят определенную прибыль, разве не так?.. — не отставала въедливая ведущая. — В конце концов, они покупают инструменты, материалы...

— Это мнимая прибыль! — вскинулся гладковыбритый. — Алкоголик, допустим, купил бутылку — выпил. А этот купит молоток и тут же сколотит десяток табуреток. Причем семь из них — на продажу...

Руслан прожевал последний кусок бутерброда и собрался уже погасить ящик вовсе, но тут в дверь позвонили. Сердце екнуло. Слава Богу, что хоть тайник с инструментами не раскрыл... Руслан оставил телевизор включенным и пошел открывать.

На пороге стоял друг и учитель Колька. Смотрел он, как всегда, исподлобья и вообще вид имел самый угрюмый. Светлый ношеный костюм, в руке — банка «Холстена». Впрочем, Руслан готов был поспорить, что в банке этой содержится отнюдь не пиво, а, скажем, нитрокраска или что-нибудь в этом роде. Хотя с виду банка целень-кая, невскрытая... И запаха не чувствуется...

— Привет, — насупившись, бросил Колька. — Мне тут шепнули: замели тебя вчера... Правда, что ли?

— Правда... — со вздохом отвечал Руслан. — Заходи, чайку попьем...

Гость ругнулся шепотом и, покручивая голо-вой, переступил порог. Пока он разувался, Руслан заглянул на кухню, поставил чайник. Затем оба проследовали в комнату, где взахлеб бормотал те-левизор.

— Вот вы говорите: наносится ущерб, — про-должала вредничать ведущая. — А так ли уж он велик?.. Ну процент, ну, от силы, полтора процен-та... И потом, разве могут изделия, производимые психически неуравновешенными людьми, одиноч-ками, конкурировать с продукцией известнейших западных фирм?..

— А вы представляете, сколько это будет в де-нежном выражении — полтора процента? — осер-чал гладковыбритый. — Это очень много! Это недо-пустимо много!.. Что же касается конкуренции... — Рыло насупилось. — Тут еще вот какой нюанс... Часто самопальную продукцию покупают не за качество и не за красоту, а как бы в пику закону... Процветает тайная торговля так называемыми трудофильмами, откровенно смакующими процесс работы... Пиратски тиражируются и, что самое печальное, пользуются спросом запрещенные Минздравом старые ленты тоталитарных времен...

— Туши агитку! — хмуро скомандовал Колька. — И давай рассказывай. Как ты влетел-то?

Руслан послушно выключил телевизор и стал рассказывать. Колька слушал и свирепо гримасничал.

— Короче! — прервал он, уперев крепкий указательный палец в грудь хозяину. — Ты в наркологии что-нибудь подписывал? Ну, бумагу там какую-нибудь...

— Да нет, — печально отозвался Руслан. — Вот только счет дали... Надо зайти оплатить... Мне тут завтра в девять процедуру назначили...

— И не вздумай даже! — взвыл Колька, выхватывая у него из рук заполненный Леночкой бланк. — Не ходи и не плати! Совсем с ума стряхнулся?.. Заплатишь разок — они ж потом с тебя не слезут, так и будут деньги тянуть...

— А если не явлюсь — в клинику положат... — сдавленно сообщил Руслан.

Устрашающе сопя, Колька изучал документ. Наконец фыркнул и пренебрежительно швырнул бумагу на стол.

— А вот заклепку им в скважину! — торжествующе объявил он. — Деньги — только через суд, понял?.. И запомни: без твоего согласия никто тебя на лечение не отправит... Ты знаешь вообще, что там за лечение? Сунут в палату на месяц — и лежи сачкуй. Ни лекарств, ничего... Та же камера, короче... А сдерут — как за гостиницу...

Он поставил банку на стол и хищно оглядел углы, явно проверяя, не завалялась ли где оставленная по оплошности стружка или какая другая улика.

— И гвоздодер изъяли... — в полном расстройстве пожаловался Руслан. — Главное, хороший гвоздодер... Теперь, наверное, уничтожат... придурки!..

— Ага, уничтожат! — сатанински всхохотнул Колька. — Как это ты гвоздодер уничтожишь? Либо налево толкнут, либо сами будут пользоваться...

— Менты?!

— А что ты думаешь? У них там в подвале и столярка, и слесарка, и все, что хочешь... Нас гоняют, а сами... Да бесполезно с этим бороться! Ну не может русский человек что-нибудь своими руками не смастерить!.. У меня вон друг один в ментовке служит. Зашел к нему однажды в отделение, а тут как раз мужика задержали — с трехлитровой банкой олифы... Ну, понятное дело, штрафанули, а мент, слышь, берет олифу и у всех на глазах выливает в раковину. Мужик аж чуть не заплакал...

— Скоты!.. — Руслан скрипнул зубами.

— Ты слушай дальше!.. — заорал Колька. — Остались мы с ним вдвоем, ну, с ментом этим...

Открывает он дверки под раковиной, а там вместо трубы ведро стоит, ты понял? Он в ведро, оказывается, олифу слил! А ты говоришь: гвоздодер... Кстати, о гвоздодере, — спохватился он вдруг. — С соседями у тебя как? Тихо-мирно?

— А при чем тут соседи?

Колька сочувственно покосился на Руслана, прицыкнул зубом, покачал головой:

— Да-а... Учить тебя еще и учить... А ну-ка показывай, где инструмент держишь!

— А чай?

— Да Бог с ним, с чаем...

Пожав плечами, Руслан провел Кольку в коридорчик и там не без тайной гордости предъявил фальшивую заднюю стенку кладовки, за которой скрывался инструментарий.

— Угу... — одобрительно промычал Колька, оглаживая кусачки, тисочки и прочее. — А вот молоток — на фиг! И на будущее: никаких гвоздей!.. Только шурупы! Буравчик — штука бесшумная, отвертка — тоже... Вот попомни мои слова: будешь молотком громыхать — обязательно найдется какая-нибудь сука по соседству и звякнет в наркологию... по телефону доверия! Знаешь, как у них фискальная служба поставлена? А ты теперь на учете...

— Здра-авствуйте!.. — возмутился Руслан. — А скажем, полку вешать на стену? Все равно ведь шлямбуром придется или дрелью...

— Шлямбур тоже забудь! Дрелью — сколько угодно, но не электрической, понял? Берешь обыч-

ную ручную дрель — и потихоньку, чтобы ни одна
зараза не услышала... Ладно. Тащи посуду...

— Так-то вот, Русланчик, — прихлебывая крепкий горячий чай, вещал друг и учитель Колька. На
его выпуклом широком лбу быстро проступал
пот. — Держи теперь ухо востро... Вот послушай,
что со мной позавчера было. Только-только утром
глаза продрал — звонок в дверь... Открываю. А
там — два пацана в форме. Ни слова не говоря,
лезут на антресоли и достают сумку с этой моей
машинкой... Ну, ты понял, о чем я, да?..

Руслан ошеломленно кивнул.

— Настучал, короче, кто-то... — пояснил Колька, хотя все было ясно и так. — Снимают сумку,
ставят на стол, открывают... «Откуда взяли?» Ну я
им и говорю... — Колька с удовольствием сделал
паузу и подлил себе заварки погуще. — «Иду,
говорю, — вчера вечером по набережной, а впереди мужичок с этой вот сумкой крадется... И что-то
показался он мне подозрительным... А я в добро-
вольной дружине состою, в охране досуга граждан, вот, пожалуйста, удостоверение...»

— Правда, что ли, состоишь? — всполошился
Руслан.

— А как же! — с достоинством сказал Колька. — Кстати, и тебе советую вступить... «Свист-
нул, — говорю, — в свисток, а мужичок сумку
бросил — и бежать... Ну, я в нее заглянул, а там
этот вот инструмент. Явно незаконный... В ми-

лицию нести — поздно, ночь на дворе... Хотел с утра к вам пойти, а тут вы и сами явились...»

— Ловко! — с искренним восхищением вымолвил Руслан.

— А? — победно вскричал Колька. — Понял, в чем суть? Купил — есть статья! Сам сделал — есть статья! А отнял — нет такой статьи! Ну нету!.. Они на меня смотрят — и молчат. Прибалдели, короче... Потом головами, знаешь, так покрутили... Ну ты, дескать, мужик, даешь! Я говорю: «Не-е, ребят!.. Другого ничего не будет, другого вы тут ничего не услышите... Вот что сказал — то и пишите...» — Тут Колька покряхтел, похмурился. — Правда, пришлось им, конечно, еще на лапу дать... — с неохотой признался он. Потом бросил на хозяина быстрый взгляд исподлобья и вдруг приказал: — А ну-ка, лапы на стол!

Руслан заморгал, но подчинился.

—Пемзой, пемзой по утрам оттирай, — ворчливо заметил друг и учитель Колька, разглядывая и ощупывая правую длань хозяина. — А потом — кремом... Тебя ж за одни мозоли возьмут! Вот посмотри у меня... — И он предъявил ухоженные мягкие руки, глядя на которые нельзя было даже и подумать, что их владелец — один из самых закоренелых и неисправимых трудоголиков района.

Проводив друга и учителя, Руслан накинул дверную цепочку и медленно отер ладонью внезапно вспыхнувшее лицо. Нахлынуло нестерпимое желание: рвануть дверь кладовки, раскрыть тайник... Нет, так не пойдет... Все должно быть нежно и красиво... С бьющимся сердцем он прошел на кухню, где вымыл обе чайные чашки и, опрокинув их на решетку сушильного шкафчика, вернулся в прихожую.

Широкая гладильная доска на трубчатых ножках, в течение минуты освобожденная от матерчатой крышки и прикрепленная двумя болтами к панели, обернулась ложем небольшого ладного верстачка. Невольно задрожавшими пальцами Руслан раскутал извлеченную из кладовки мешковину — и сердце сжалось сладостно и болезненно...

Впервые он увидел ее валяющейся посреди тротуара в самом неприглядном виде, и все же это было — как удар ножом в сердце. Он еще не знал, зачем она ему нужна, где пригодится, да и пригодится ли вообще, эта полуметровая дощечка шириной с ладонь, но уже тогда, при первой встрече, стало вдруг ясно до боли, что другой такой нет, что пройти мимо и не поднять ее с земли — свыше его сил...

И вот теперь, уложив ее на верстачок, он любовно огладил шероховатую серую поверхность. Потом ухватил шерхебель, помедлил еще немного и наконец, не выдержав, с наслаждением снял первую длинную стружку. Обнажилась соблазнительная сияющая ложбинка. Торопливо, порывисто он раздел шерхебелем верхнюю сторону, затем отло-

жил грубый инструмент и с трепетом взял руба-
нок...

Пьянея от страсти, плавно и размашисто он
вновь и вновь вторгался в роскошную, упругую и
в то же время податливую древесину. Стыдливо
кудрявились ее нежные завитки, то пряча, то вновь
обнажая самые сокровенные места. Лепеча, шепе-
лявя и всхлипывая, она подставляла сильным муж-
ским ласкам звонкую бледно-розовую плоть, и
Руслан уже задыхался слегка, чувствуя, что еще
несколько мгновений — и они оба сольются в сла-
достном чудном экстазе...

Однако слиться им так и не пришлось. В дверь
позвонили вновь, причем нехороший это был звонок — резкий, долгий, властный. Захваченный
врасплох Руслан замер у верстака. Не открывать!
Только не открывать! Все ушли. Никого нет дома...

Звонок повторился, а затем, к ужасу Руслана,
звякнув натянувшейся цепочкой, дверь приотво-
рилась. Кретин! Знал же, знал, что язычок замка
иногда заедает, и даже не проверил! Тихонько зас-
тонав, он скинул цепочку совсем. Терять уже было
нечего.

Переступивший порог майор (тот самый, что
отвозил задержанных в наркологию) с неприязнью
оглядел вьющиеся повсюду стружки, верстак, ру-
банок в упавшей плетью руке хозяина. Потом прикрыл за собой дверь и сунул Руслану какой-то про-
долговатый сверток:

— На, держи!

На всякий случай Руслан попятился:

— Что это?..

— Гвоздодер, — не размыкая зубов, пояснил милиционер. — Значит, так... Вчера тебя никто не задерживал. И в наркологии ты сегодня не был. Понял?

— П-понял... — машинально повторил Руслан, но тут же запнулся. — Т-то есть как это — не был?..

Майор злобно крякнул и еще раз оглядел раскиданные в изобилии улики.

— Объясняю, — процедил он. — Проверка из прокуратуры. Выявляют трудоголиков среди сотрудников МВД. Установка была — не больше пятнадцати задержаний в сутки. А ты у нас шестнадцатый получаешься... Короче, строгай дальше, но чтобы про вчерашнее — никому ни слова!..

ДЕЛО ПРОШЛОЕ

Что больше кошку гладишь, то больше она горб дерет.

В. И. Даль

Рослый сероглазый майор КГБ (впоследствии мы с женой используем его портрет в повести «Когда отступают ангелы») указал мне с улыбкой на стул:

— Присаживайтесь, Евгений Юрьевич, присаживайтесь...

Я присел. В голове кувыркалась бог весть откуда выпавшая цитата: «Когда частный пристав говорит: «Садитесь», — стоять как-то, знаете, неловко...»

Вызова я боялся давно. Шел восемьдесят четвертый год, первый сборник фантастических произведений супругов Лукиных был недавно зарублен с таким треском, что щепки летели аж до Питера. Во внутренней рецензии, поступившей в Нижне-Волжское книжное издательство (рецензент — Александр Казанцев), авторы убиенной рукописи величались выкормышами журнала «Америка» и сравнивались почему-то с невозвращенцем Андреем Тарковским. Теперь-то, конечно, лестно, но тогда...

Видный волгоградский деятель культуры, выступая в библиотеке им. Горького, поклялся, например, по гроб жизни бороться с творческим дуэтом Лукиных, посмевших влепить в рассказ «Не верь глазам своим» злобную карикатуру на вождя мирового пролетариата Владимира Ильича Ленина. (Бред какой-то! Там о Ленине вообще ни слова не было!) Другой, еще более известный деятель, по слухам, уже составлял черный список, в котором мы с женой занимали вторую и третью строчку — сразу после президента клуба любителей фантастики Завгороднего. Того самого, о котором на недавнем бюро обкома было сказано так: «...и прикидывающийся выходцем из рабочего класса Борис Завгородний». Куда уж там Шипилову...

Да о чем говорить, если буквально на днях картину Владика Коваля «Фантасты Лукины» распоряжением того же обкома сняли со скандалом в день открытия персональной выставки художника. Короче, второй месяц многострадальное наше семейство с наивным ужасом ожидало ареста, обыска и спешно рассовывало по знакомым самопальную, а то и вовсе забугорную литературу.

То есть чувства, с которыми я опускался на краешек любезно предложенного мне стула, вы представляете...

Тем временем майор приступил к работе. Как и положено, утратив ко мне всякий интерес, он достал из выдвижного ящика некий отпечатанный на машинке текст и углубился в чтение. Уже можно было увязывать узелок — и «по городу с вещами». Неведомое мне произведение располагалось на оборотной стороне листа с символикой «Волгоградской правды». Дело в том, что, работая в наборном цехе, я частенько приворовывал подобные бланки, на изнанке которых мы с женой, собственно, и творили.

«Нарушение типографского режима», — кажется, так это в ту пору называлось. Вроде бы даже статья за подобные проделки была предусмотрена...

Майор неспешно, с удовольствием (как мне почудилось) прочел все до конца, один раз даже хмыкнул одобрительно и поднял на меня серые, исполненные понимания глаза.

— Ваша работа? — участливо спросил он, протягивая бумагу через стол.

Я принял ее трепетной рукой, взглянул обреченно — и слегка оторопел. Да, работа была моя, но... Во-первых, предложенный вниманию текст не имел никакого отношения к подрывному жанру фантастики, во-вторых, не имел он отношения и к соавторству... Совершенно невинная юмореска, написанная просто так, мимоходом... Хотя что я буду ее пересказывать! Проще уж привести целиком.

БРАТЬЯ МОИ МЕНЬШИЕ

Говорят, что каждое животное чем-то напоминает своего хозяина. Святые слова! У меня вот за последние два года сменилось шесть котов...

Первый жрал в три горла и все силы тратил на разврат. После того недоразумения с соседской болонкой его, разумеется, пришибли, но где-то еще два месяца дворовые кошки приносили котят только его масти.

Второй был мрачной скотиной с бандитскими наклонностями. Он вырвал глаз колли с первого этажа и располосовал ногу народному депутату. Этого застрелил милиционер.

Третий все воровал. То есть не то чтобы только съестное, а вообще все, включая деньги и сигареты. Впрочем, с ним мы жили довольно мирно: вечером я выпускал его в форточку, а утром он обычно что-нибудь приносил — большей частью всякую ерунду. Что с ним сталось — не знаю. Очевидно, сорвался с карниза.

Четвертый был наркоман. То есть дня не мог прожить без валерьянки. Однажды меня полмесяца не было дома — так он взломал аптечку и слопал весь мышьяк, как будто для него доставали!

Пятый не давал спать соседям. Вылезет, гад, на дровину для просушки белья — и орет. Ну и дождался — плеснули кипятком с верхнего этажа.

Теперь вот завел шестого. Ну, этот, кажется, хуже всех. Забьется в угол и смотрит на меня с ужасом целыми днями. Я терплю-терплю, но как-нибудь не выдержу — возьму за ноги да и хрястну об угол... Тоже мне укор совести нашелся!

        Е. НУЛИК (мой тогдашний псевдоним).

* * *

Вот, собственно, и весь текст. Вид у меня, надо полагать, был самый ошалелый. Нет, правда... В чем криминал-то? Что милиционер кота застрелил?.. Ой, там же еще про народного депутата!..

— Понимаете... — со вздохом сказал майор, забирая бумагу. — Как-то больно обаятельно они у вас получаются... Вроде бы тратите на каждого две-три строчки, а котики — прямо как живые. Особенно последний...

Крыша у меня после этих его слов не поехала лишь потому, что такого выражения тогда в природе не было. Не добралось оно еще до Волгограда... Зато пробки у меня перегорели вмиг.

— Н-ну... — выдавил я с натужной улыбкой. — Стараемся... Персонажи ведь... Каждого хочется... порельефнее... поярче...

Затем меня осенило, что майор умышленно морочит мне голову, явно собираясь чем-то в дальнейшем огорошить. С подходцем, видать, колет... Как Лапшин у Юрия Германа. Комплиментов вон успел наплести... Ох, не коты его интересуют... Нет, не коты...

— Любите их небось?.. — улыбнулся майор.

— Д-да... — сипло ответил я, плохо уже соображая, что говорю. — Л-люблю... Котов люблю... собак... вообще животных...

— Хм... Собак?.. — Он недоверчиво качнул головой, бросив меня ненароком (Ну да, ненароком! Жди!) в холодный пот. Снова выдвинул ящик и выложил на стол стопу рукописей с торчащими из нее закладками, причем на верхнем листе этой кипы я тут же углядел штамп Нижне-Волжского книжного издательства, правда, не чернильный — просто черный. Видимо, ксерокопия...

— Да нет... — с сожалением проговорил майор, разнимая рукопись на первой закладке. — С собаками у вас не то чтобы натянутые отношения, но... Вот, послушайте. Рассказ «Строительный». Самое начало... «У ног его, задрав встревоженные морды, сидели дворняжки Верный и Рубин...» — Майор поджал губы и, досадливо покряхтев, стукнул кончиками пальцев по неугодившей строчке. — Ну вот не вижу я, хоть убей, этих ваших дворняжек! Ну сидели у ног, ну морды у них встревоженные... Но как-то не сочувствуешь им, не сопереживаешь... Вы согласны со мной?

Я смог лишь мелко покивать в ответ, отчего зубы мои слегка задребезжали. Ох, что-то серьезное он нам шить собрался! Уж больно издалека заходит...

— Далее! — Майор перебросил еще пару страниц. — «Вдалеке завыли собаки. Генподрядчик вздрогнул...» Вы же их здесь явно делаете предвестниками несчастья, вроде ворон... Ну разве так можно?.. Или вот в рассказе «Монумент»... Сами послушайте, как ваш герой о них отзывается: «Собак тоже развели... Никогда столько собак в городе не было...»

— Он отрицательный... — прохрипел я. — Он отрицательный персонаж...

— Допустим, — согласился майор. — Но давайте сравним. Давайте посмотрим, как вы описываете кошек... Рассказ «Пробуждение». Так... Вот он у вас запрокинул голову... Ага!.. «Что-то падало с огромной высоты многоэтажного дома — что-то маленькое, пушистое, живое...» Чувствуете разницу в отношении? И далее... «То ли она не удержалась на ледяной кромке крыши, то ли ее выбросил из окна лестничной площадки какой-то мерзавец...»

Пока он читал, я успел с судорожным вздохом скосить глаз в сторону полного синевы незарешеченного окна. Неужто все, а? Неужто допрыгались?..

Но тут цитата кончилась, и я поспешил отвести взгляд от синевы за окном. Майор смотрел на меня с усмешкой.

— И слово-то ведь какое выбрали!.. — посетовал он. — Мерзавец — надо же! Раз выбросил из окна кошку — значит уже и мерзавец... — Майор вновь собрал кипу листов воедино и устремил на меня загадочно мерцающие серые глаза.

— Что вы от меня хотите?.. — сипло сказал я.

Нет, вру. Ничего я не сказал. Это надо было сойти с ума, чтобы задать подобный вопрос. На него ведь и ответить могли. Короче, все, на что я отважился, это оттянуть пальцами ворот свитера и произвести горлом некое вопросительное сипение.

— Я хочу всего-навсего дать вам добрый совет, — сухо сказал майор. — Прекращайте вы эту вашу кошачью пропаганду...

Сначала я подумал, что недослышал. Точнее — переслышал, что, впрочем, тоже неудивительно, если учесть мое состояние. Возможно, что слово «кошачью» майор не произносил вообще, возможно, оно само собой возникло в моем вконец замороченном мозгу. Не решаясь переспросить, я сидел в предобморочной тишине, как сейчас помню, держа руки на коленях. На глубокий внешний вырез окна вспорхнул воробей, повертелся, потом скосил глаз в кабинет — и, истерически чирикнув, опрометью ушел в синеву. Майор неспешно выравнивал кипу машинописных листов. Приведя ее в идеальный порядок, полюбовался — и спрятал в стол. Потом снова поднял голову.

— Скажите... — мягко осведомился он. — А вот эта ваша юмореска про котов... Она что, полностью соответствует действительности?

— Это... насчет моего морального облика? — спросил я в тоске.

— Нет-нет. Я о количестве животных. Неужели и впрямь шесть штук за два года?..

— Н-ну... около того...

— А собачку завести желание не возникало?

— У нас квартира на шестом этаже... — виновато ответил я. — Да и выгуливать некогда...

Майор сочувственно покивал.

— Скажите, — снова заехал он издалека, — а вы никогда не задавали себе такой вопрос: почему это русские люди в большинстве своем любят собак больше, чем кошек?

— Советские, — машинально поправил я. Придурок!

— Что?

— Советские, — повторил я, поскольку деваться уже было некуда. Слово, знаете ли, не воробей. Воробью — что? Чирикнул — и в синеву... Я запоздало ужаснулся и принялся выпутываться: — Понимаете, до революции дело обстояло несколько иначе... Русский мужик считал собаку нечистым животным и в избу не пускал. А вот кошка жила в избе... Я ничего не придумываю — так в словаре Даля...

Майор посмотрел на меня благосклонно.

— Да, — сказал он. — Я оговорился умышленно... То есть история вопроса вам знакома?

— Какого вопроса?.. — переспросил я, холодея.

— Ну, не скромничайте, Евгений Юрьевич, не скромничайте. — Майор прищурился и процитировал — на этот раз наизусть: — «Покажите мне хоть одного человека, который умер бы на могиле своей собаки...»

И вот тут я, братцы вы мои, окоченел. Фразу эту я придумал и занес в записную книжку всего две недели назад. Идиоты! Боже, какие мы идиоты!.. Надо же — литературу прячем... Да куда ты и что от них спрячешь! Насквозь видят...

— Вы что же, думаете, только тот писатель выполняет социальный заказ, кто воспевает строительство БАМа? — Майор усмехнулся, и, как мне показалось, зловеще. — Не-ет... Тут все, поверьте, куда сложнее и тоньше!.. А ну-ка вспомните: когда вы услышали в первый раз, что собака — друг человека?

— Н-не помню... В первом классе, наверное...

— Вот видите! Вы это знали еще в первом классе. Собака — верный, преданный друг. Кошка — предатель. А человек, не любящий собак... Кстати, кто у нас в стране прежде всего не любит собак?

— Не знаю, — тупо отозвался я. По хребту ползли мурашки.

Майор крякнул и взглянул с упреком. Видимо, ждал большей сообразительности.

— Те, кто сидел в лагерях, — явно испытывая за меня неловкость, пояснил он. — Ну и шпионы, разумеется... Как только о каком-нибудь персонаже становится известно, что он боится собак, читатель тут же настораживается. Он чувствует нутром, что перед ним потенциальный враг... И чтобы выработать у народа такой стереотип, потребовались многие годы и жертвы... Вспомните «Золотой ключик»! Ведь Алексей Толстой написал эту сказочку отнюдь не для собственного удовольствия. К вашему сведению, это был социальный заказ на уровне ЦК партии: противопоставить образ положительного пуделя Артемона отрицательному коту Базилио.

— Да, но... Там же еще у него полицейские бульдоги... — робко заикнулся я, малость приходя в себя. Или наоборот. Не знаю.

— Верно, — сказал майор. — Бульдоги. Именно бульдоги. Есть у них в мордах что-то кошачье, вы не находите?.. Или взять того же Булгакова! Вы, видимо, полагаете, что роман «Мастер и Маргарита» так долго запрещали публиковать, потому что там действуют Иешуа и Воланд? Нет. Не печатали, потому что Бегемот! Кот Бегемот... Представь его нам Михаил Афанасьевич в образе пса — и никаких бы проблем не возникло.

— То есть как это? — позволил я себе возмутиться. — А остальное? Там же сатиры полно...

— А остального бы не было, — отечески ласково объяснил майор. — Остальное Булгаков как истинный художник просто вынужден был бы переделать... Кто-то из великих (Рембрандит, если не ошибаюсь) сказал однажды: «Если я изменю цвет шарфа, мне придется переписать всю картину». Вы улавливаете вообще, о чем я говорю?

И я вновь потряс головой: то ли утвердительно, то ли не очень.

— Проще всего с мультфильмами, — задумчиво продолжал майор. — Творческие коллективы вообще легче контролировать, нежели авторов-одиночек... Если обратили внимание, все наши мультики только и делают, что прославляют собак и очерняют кошек. «Голубой щенок» смотрели? Снят по нашим разработкам. Вот только с цветом главного героя перемудрили. Кое-кто из числа взрослых зрителей даже заподозрил, что это скрытая пропаганда гомосексуализма...

— А «Кот в сапогах»?

Майор несколько опечалился и со вздохом развел руками.

— Классикам мы не указ, — с сожалением признал он.

— То есть вы нам предлагаете... — Договорить я так и не отважился. Да и что бы я стал договаривать?

— Я предлагаю вам понять... — Майор слегка повысил голос, — что простой советский человек по многим причинам отождествляет себя именно с собакой, а не с кошкой. Он знает свое место, он предан хозяину, готов самоотверженно за него умереть, готов всю жизнь просидеть на цепи...

«Не поддакивать! — стискивая зубы, мысленно твердил я себе. — Только не поддакивать! Лепит контру, а сам только и ждет, когда кивну...»

— Да вы расслабьтесь, — успокоил майор. — Вас никто не провоцирует.

Перекривив физию в диковатой улыбке, я сделал вид, что расслабился.

— Поговаривают, у вас нелады с издательством, рукопись вернули?.. — как бы между прочим осведомился он.

Ну вот... Кажется, предисловие кончилось и разговор пошел всерьез. С тупой обреченностью я ждал следующей фразы.

— Тогда еще один совет... — с безмятежной улыбкой продолжал майор. — Будете задумывать следующую повесть — найдите там местечко для какой-нибудь, знаете, симпатичной псины. Лохматой, беспородной... Причем чтобы не шавка была, а покрупней, посерьезней... Уверен, у вас получится... Всего доброго. Привет супруге. Творческих вам успехов.

Нет, не желал бы я увидеть свою физиономию в тот момент. Тут представить-то пытаешься — и то неловко...

— Ну?.. Что?.. — с замиранием спросила жена.

Я рассказал. Она не поверила. И ее можно понять, история была и впрямь невероятна. Какие собаки? Какие кошки? Тут вон того и гляди в

диссиденты запишут, а ему, видишь ли, псину подавай! Беспородную, но симпатичную...

Поскольку версия о собственной невменяемо-
сти сильно меня обижала, мы попробовали зайти
с другого конца и заподозрили в тихом помеша-
тельстве самого майора. В словаре иностранных
слов 1888 года издания нашелся даже приличный
случаю термин. «Галеомахия, греч. Преследование
кошек из ненависти к ним». Но даже подкреплен-
ная термином догадка эта выглядела весьма сомнительно, а дальнейшее развитие событий опроверг-
ло ее начисто. Насколько нам известно, сероглазый
майор еще лет семь благополучно «сидел на куль-
туре» и был отправлен в отставку сразу после путча. А КГБ не та организация, чтобы семь лет дер-
жать в своих рядах тихо помешанного.

Гораздо логичнее было предположить, что тема
разговора вообще не имела значения. Майор мог
беседовать со мной о спичечных этикетках, о па-
русной оснастке испанских галионов — о чем угодно. Важен был сам факт вызова. Пригласили, по-
болтали — да и отпустили на первый раз с миром.
Иди, мол, и больше не греши...

Да, но грешить-то — хотелось. Ой как хотелось... Мы уже вошли во вкус писанины, а это,
братцы вы мои, покруче наркомании. То есть имело смысл прикинуться глупенькими и, не поняв
очевидного намека, принять совет майора буквально. Пес тебе нужен? Крупный? Лохматый?.. Сейчас сделаем.

И сделали. Честно сказать, повесть «Когда отступают ангелы» была нами написана исключительно ради положительного образа Мухтара. И вот тут-то и началось самое загадочное. Нижне-Волжское книжное издательство, столь лихо потопившее наш первый сборник, с удивительной расторопностью включило рукопись в план, хотя по составу (если, конечно, не считать новой повести) она не слишком-то отличалась от предыдущей, с треском зарубленной.

Получалось, майор не шутил и не морочил мне голову. Мало того, спустя несколько лет мы чуть ли не с суеверным страхом обнаружили вдруг, что из всего нами написанного повесть «Когда отступают ангелы» — наиболее лояльное произведение. Слышались в нем твердая поступь рабочего класса, шелест алых знамен и бой курантов. А первым кирпичиком был именно образ лохматого симпатичного Мухтара.

Меня до сих пор тревожит эта загадка. Очень бы хотелось встретить майора и поговорить начистоту, но такая встреча, к сожалению, маловероятна. По слухам, он сейчас охраняет банк где-то в Иркутске, а нынешних виртуозов щита и меча лучше ни о чем не спрашивать. Секреты предшественников, насколько я понимаю, утрачены ими напрочь.

И вот еще что непонятно: если наша госбезопасность и впрямь работала на столь высоком уровне, что и Фрейду не снился, то как же это они, гады, Родину-то проспали, а?

ИСТОРИЯ ОДНОЙ ПОДДЕЛКИ, ИЛИ ПОДДЕЛКА ОДНОЙ ИСТОРИИ

ВСТУПЛЕНИЕ

Тот факт, что история всегда пишется задним числом, в доказательствах не нуждается. Прошлое творится настоящим. Чем дальше от нас война, тем больше ее участников и, следовательно, свидетельств о ней.

Приведем один из великого множества примеров: выдающийся русский историк С. М. Соловьев утверждал в конце прошлого века, что эстонцам совершенно неизвестно искусство песни. Утверждение, мягко говоря, ошарашивающее. Эстонские хоры славятся ныне повсюду. Остается предположить, что древняя музыкальная культура Эстонии была создана совсем недавно и за короткое время.

Впрочем, пример явно неудачный, поскольку само существование выдающегося историка С. М. Соловьева вызывает сильные сомнения, и очередное переиздание его сочинений — первый к тому повод.

Немаловажно и другое. Как заметил однажды самородок из Калуги К. Э. Циолковский (личность скорее всего также сфабрикованная), науку продвигают вперед не маститые ученые, а полуграмотные самоучки. С этим трудно не согласиться. Действительно, давно известно, что забвение какой-либо научной дисциплины неминуемо ведет к выдающимся открытиям в этой области. Скажем, П. П. Глобе для того, чтобы обнаружить незримую планету Приап, достаточно было пренебречь астрономией.

Итак, имея все необходимые для этого данные, попробуем и мы предположить или хотя бы заподозрить, в какой именно период времени была создана задним числом наша великая история.

1. КАК ЭТО ДЕЛАЕТСЯ

Вымысел, именуемый историей, принято считать истиной лишь в тех случаях, когда он находит отзвук в сердце народном. И какая нам, в сущности, разница, что в момент утопления княжны в Волге Стенька Разин, согласно свидетельствам современников, зимовал на реке Урал! Какая нам разница, что Вещий Олег вряд ли додумался наступить на череп коня босиком!

Всякое историческое событие состоит из лишенного смысла ядра и нескольких смысловых оболочек. Собственно, ядро (то есть само событие) и не должно иметь смысла, иначе отклика в сердцах просто не возникнет. Смысловые же оболочки призваны привнести в очевидную несуразицу легкий оттенок причинности и предназначены в основном для маловеров.

Возьмем в качестве примера подвиг Ивана Сусанина. Несомненно, что безымянные авторы, стараясь придать событию напряженность и драматизм, сознательно действовали в ущерб достоверности. Они прекрасно понимали, что критически настроенный обыватель в любом случае задаст вопрос: а как вообще стало известно об этом подвиге, если из леса никто не вышел? Поэтому вокруг ядра была сформирована оболочка в виде жаркой полемики между двумя вымышленными лицами (выдающимися русскими историками С. М. Соловьевым и Н. И. Костомаровым), призванная надежно заморочить головы усомнившимся.

Н. И. Костомаров, решительно отрицая саму возможность подвига, указывал, что зять Сусанина Богдан Собинин попросил вознаграждения за смерть тестя лишь через семь лет после оной и даже не мог точно указать, где именно совершилось злодеяние. Понятно, что, ознакомившись с такими аргументами, критикан-обыватель начинал чувствовать себя полным дураком, терял уверенность и становился легкой добычей С. М. Соловьева, который блистательно опровергал по всем позициям Н. И. Костомарова, хотя и признавал, что никаких поляков в тот период в Костромском уезде не было и быть не могло.

Любая попытка придать видимость смысла самому событию обречена на провал в принципе. Так, по первоначальному замыслу авторов данного подвига, предполагалось, что Сусанин поведет поляков на Москву, но в процессе работы обнаружилась неувязка, ибо поляки, согласно сюжету, дорогу на Москву уже и сами знали. Пришлось срочно менять маршрут и вести врагов в менее известную им Кострому, предварительно поместив туда в качестве весьма сомнительной приманки еще не избранного в цари Михаила Романова. В итоге все эти ненужные сложности отклика в народном сердце так и не нашли. Большинство нашего поэтически настроенного населения по-прежнему предпочитает, вопреки учебникам, именно Московский вариант — как наиболее эффектный.

По данному принципу построены все события русской истории без исключения, и это наводит на мысль, что изготовлены они одним и тем же коллективом авторов.

2. ПРЕДШЕСТВЕННИКИ

Мысль о том, что отраженное в документах прошлое не имеет отношения к происходившему в действительности, не нова. Многие исследователи в разное время делились с публикой сомнениями относительно реальности того или иного исторического лица. Чаще всего споры возникали вокруг представителей изящной словесности, и чем гениальнее был объект исследования, тем больше по его поводу возникало сомнений. Гомер, Шекспир, Вийон — список можно продолжить.

В отдельных случаях сомнения перерастали в уверенность. Например, очевидна подделка некоторых трудов И. С. Баркова (и в какой-то степени самой личности автора: неизвестные мистификаторы не смогли даже договориться, Семенович он или же Степанович). Скандальная поэма «Лука Мудищев» выполнена талантливо, но ужасающе небрежно: выдержана в стиле начала прошлого столетия, в то время как Барков, по легенде, жил в середине позапрошлого. Поневоле пришлось объявить создателя поэмы лже-Барковым, что, конечно же, вполне справедливо.

Вообще все литературные мистификации делятся на частично раскрытые («Слово о полку Игореве», Оссиан, «Гузла», «Повести Белкина», Черубина де Габриак) и не раскрытые вовсе (примеров — бесчисленное множество). Что значит «частично раскрытые»? Только то, что исследователи, усомнившиеся в подлинности данных произведений и авторов, являются частью смысловой оболочки, то есть тоже суть чей-то вымысел. Поэтому вопрос Понтия Пилата: «Что есть истина?» — отнюдь не кажется нам головоломным. Истина в данном случае — то, что не удалось скрыть.

Поначалу сомнения касались лишь отдельных исторических лиц. Первым ученым, заподозрившим, что сфальсифицирована вся история в целом, был революционер Н. А. Морозов, член исполкома «Народной воли», участник покушений на Александра II, просидевший свыше двадцати лет в Петропавловской и Шлиссельбургской крепостях, впоследствии — почетный член АН СССР. Биография выдержана, как видим, в героических, чтобы не сказать — приключенческих тонах, что также наводит на определенные подозрения.

Но Н. А. Морозов (независимо от того, существовал ли он на самом деле) усомнился далеко не во всей, а лишь в древней истории, объявив, например, Элладу позднейшей подделкой рыцарей-крестоносцев, которые якобы добыли мрамор, возвели Акрополь и т. д.

Нынешние последователи великого шлиссельбуржца недалеко ушли от своего легендарного учителя. Все они по-прежнему в один голос утверждают, что историю можно считать достоверной лишь с момента возникновения книгопечатания. Раньше, мол, каждый писал, что хотел, а печатный станок с этим произволом покончил. То есть, по их мнению, растиражированное вранье перестает быть таковым и автоматически становится истиной. Утверждение, прямо скажем, сомнительное. Именно с помощью печатного станка можно подделать все на свете, в том числе и дату его изобретения. Беспощадно расправляясь с историей Древнего Мира, морозовцы по непонятным причинам современную историю — щадят. То ли им не хватает логики, то ли отваги.

3. МЕТОДЫ

Сразу оговоримся: мы не собираемся опровергать Н. А. Морозова — напротив, мы намерены творчески развить учение мифического узника двух крепостей.

Излюбленный прием ученых морозовского толка — сличение генеалогий и биографий. Если два жизнеописания совпадают по нескольким пунктам, то, стало быть, это одна и та же биография, только сдвинутая по временной шкале на несколько десятилетий, а то и веков.

Попробуем же применить этот метод, распространив его на историю новую и новейшую.

Среди любителей мистики и всяческой эзотерики пользуется популярностью следующая хронологическая таблица, полная умышленных неточностей и наверняка знакомая читателю:

Наполеон родился в 1760 г.
Гитлер родился в 1889 г.
Разница — 129 лет.
Наполеон пришел к власти в 1804 г.
Гитлер пришел к власти в 1933 г.
Разница — 129 лет.
Наполеон напал на Россию в 1812 г.
Гитлер напал на Россию в 1941 г.
Разница — 129 лет.
Наполеон проиграл войну в 1916 г.
Гитлер проиграл войну в 1945 г.
Разница — 129 лет.
Оба пришли к власти в 44 года. Оба напали на Россию в 52 года. Оба проиграли войну в 56 лет.

Даже если забыть о том, что год рождения Наполеона указан неверно (о более мелких подтасовках умолчим), таблица все равно производит сильное впечатление. Мало того, она неопровержимо свидетельствует, что биография Наполеона — это биография Гитлера, сдвинутая в прошлое на 129 лет. Иными словами, образ Наполеона Бонапарта — это облагороженный и романтизированный образ Адольфа Гитлера.

Далее. Если мы сравним действия обоих завоевателей на территории России, мы неизбежно придем к выводу, что кампания 1812 года — не что иное, как усеченный вариант Великой Отечественной войны.

И это еще не все. Исследуя Петровскую эпоху, историки отмечают, что поход Карла XII на Россию предвосхищает в подробностях вторжение Бонапарта. Да и немудрено, особенно если учесть, что Карл XII был столь же бесцеремонно списан с Наполеона, как Наполеон — с Гитлера!

Итак, мы почти уже нащупали первую интересующую нас дату. События войны 1812 года не могли быть зафиксированы раньше начала Великой Отечественной, поскольку их просто не с чего было списывать.

4. ЗА ЧТО ВОЮЕМ

Грандиозные завоевания, якобы происходившие в давнем прошлом, порождены разнузданным поэтическим воображением, и поэтому рассматривать их мы не будем. Обратимся к недавним и современным войнам, отметив одну характерную особенность: и страна-победительница, и страна, потерпевшая поражение, в итоге всегда сохраняют довоенные очертания. Правда, иногда для вящего правдоподобия победитель делает вид, будто аннексирует часть земли, якобы захваченную противником во время прошлой войны (наверняка вымышленной). На самом деле аннексируемые земли и раньше принадлежали победителю.

Как это все объяснить? Да очень просто. Суть в том, что войны ведутся вовсе не за передел территории, как принято думать, а за передел истории. Франции, например, пришлось выдержать тяжелейшую войну и оккупацию, прежде чем Германия согласилась признать Наполеона историческим лицом. И то лишь в обмен на Бисмарка.

В Европе принято, что любая уважающая себя страна должна иметь славное прошлое. Но, начиная его создавать, запоздало спохватившееся государство сталкивается с противодействием соседей, в историю которых оно неминуемо при этом вторгается. Вполне вероятно, Великой Отечественной войны удалось бы избежать, не объяви мы во всеуслышание, будто русские войска во время царствования Елизаветы Петровны не только захватили Пруссию, но еще и взяли Берлин. Само собой разумеется, что такого оскорбления гитлеровская Германия просто не могла снести.

Сами масштабы Великой Отечественной войны подсказывают, что велась она не за отдельные исторические события, но за всю нашу историю в целом. То есть мы уже вплотную подошли к ответу на поставленный нами вопрос. История государства Российского, начиная с Рюрика, была создана (в общих чертах) непосредственно перед

Великой Отечественной и явилась ее причиной. Доработка и уточнение исторических событий продолжались во время войны, а также в первые послевоенные годы.

5. АВТОРЫ И ИСПОЛНИТЕЛИ

Не беремся точно указать дату возникновения грандиозного замысла, но дата приступа к делу — очевидна. Это 1937 год. Начало сталинских репрессий. Проводились они, как известно, под предлогом усиления классовой борьбы, истинной же подоплекой принято считать сложности экономического характера. С помощью калькулятора нетрудно, однако, убедиться, что количество репрессированных значительно превышало нужды народного хозяйства.

Где же использовался этот огромный избыток рабочих рук и умных голов? Большей частью на строительстве исторических памятников. Именно тогда, перед войной, были возведены непревзойденные шедевры древнерусского зодчества, призванные доказать превосходство наших предков перед народами Европы, созданы многочисленные свитки летописей, разработана генеалогия Великих Князей Московских и трехсотлетняя история дома Романовых.

Конечно, не обходилось и без накладок. Далеко не все репрессированные работали добросовестно. Кое-какие из храмов даже пришлось взорвать — якобы по идеологическим причинам. В исторические документы вкрадывались досадные неточности, часто допущенные умышленно. Иногда составители документов опасно развлекались, изобретая забавные имена правителям и героям. Академик Фоменко совершенно справедливо заметил, что Батый — это искаженное «батя», то есть «отец». Странно, но вторая столь же непритязательная шутка безымянного ЗК-летописца ускользнула от внимания академика. Батый и Мамай — это ведь явная супружеская пара!

Но, несмотря на все эти промахи, несмотря на неряшливый стиль произведений Достоевского и графа Толстого, созданных второпях коллективом авторов, на явную несостыкованность некоторых исторических событий, работа была проделана громадная. Ценой неимоверных лишений и бесчисленных жертв наш народ не только сотворил историю, но и отстоял ее затем в жестокой войне, хотя многие солдаты даже не подозревали, что они защищают скорее свое прошлое, нежели настоящее и будущее.

Теперь становится понятно, почему Сталина, за личностью которого тоже, кстати, стояла целая группа авторов, называли гением всех времен и народов. Известно, что после войны планировалась очередная волна репрессий, и, если бы не распад головной творческой группы (1953 г.), наша история наверняка стала бы еще более древней и величественной.

ЗАКЛЮЧЕНИЕ

Данная работа не претендует на полноту изложения, она лишь скромно указывает возможное направление исследований.

Предвидим два недоуменных вопроса и отвечаем на них заранее.

Первый: каким образом некоторым откровенно незначительным в политическом отношении странам (Македонии или, скажем, Греции) удалось отхватить столь роскошный послужной список? Ответ очевиден: конечно, на историю Древнего мира точили зубы многие ведущие государства Европы. Но, будучи не в силах присвоить ее военным путем, они пришли к обычному в таких случаях компромиссу: не мне — значит никому. Было решено отдать древнее прошлое, образно выражаясь, в пользу нищих (греков, евреев, египтян и пр.). Греки приняли подарок с полным равнодушием, а вот евреи имели глупость отнестись к нему всерьез и возомнили себя богоизбранным народом, за что пользуются заслуженной неприязнью во всех странах, дорого заплативших за славу своих предков.

И второй вопрос: если главная движущая сила политики — стремление к переделу прошлого, то чем был вызван распад Советского Союза? Исключительно желанием малых народностей переписать историю по-своему, чем они, собственно, теперь и занимаются. Для того, чтобы в этом убедиться, достаточно пролистать школьный учебник, изданный недавно, ну хотя бы в Кишиневе.

Многие, возможно, ужаснутся, осознав, что наше прошлое целиком и полностью фальсифицировано. Честно сказать, повода для ужаса мы здесь не видим. Уж если ужасаться чему-нибудь, то скорее тому, что фальсифицировано наше настоящее.

МАНИФЕСТ ПАРТИИ НАЦИОНАЛ-ЛИНГВИСТОВ

Нет, господа! России предстоит,
Соединив прошедшее с грядущим,
Создать, коль смею выразиться, вид,
Который называется присущим
Всем временам; и, став на свой гранит,
Имущим, так сказать, и неимущим
Открыть родник взаимного труда.
Надеюсь, вам понятно, господа?

Граф Алексей Константинович Толстой

1. Коренное отличие партии национал-лингвистов от всех остальных партий заключается в том, что она не намерена проводить в жизнь никаких конкретных политических или экономических программ. Построение какого-либо общества в условиях России — дело глубоко безнадежное, и наша история служит неопровержимым тому свидетельством. В свое время мы, как явствует из трудов Сергея Михайловича Соловьева, не смогли достроить феодализм; попытки построения капитализма кончились Октябрьской революцией; крах стро-

ительства коммунизма произошел на наших глазах. Историки утверждают также, что Древняя Русь каким-то образом миновала рабовладельческий период, из чего мы имеем право вывести заключение, что и эта формация была нами простонапросто недостроена. Чем окончится вновь начатое построение капитализма, догадаться несложно.

2. Поэтому задачу свою партия национал-лингвистов видит в создании условий, при которых в России можно будет хоть что-нибудь ДОСТРОИТЬ ДО КОНЦА, осуществив таким образом давнюю мечту Федора Михайловича Достоевского.

3. Для этого необходимо выяснить, что же мешало нашим предкам (а впоследствии и нам самим) учесть ошибки прошлого и вместо бесконечных разрушительных перестроек завершить строительство хоть какой-нибудь общественной, пусть плохонькой, но формации. Ссылки на трудное географическое положение и непомерные размеры государства неубедительны. Так, попытки построения феодализма одинаково безуспешно предпринимались и в Днепровских степях, и в лесах Ростово-Суздальского княжества. Что же касается необъятных просторов родной страны, то было время, когда Московская Русь съеживалась на века до размеров нынешней области. Поэтому не стоит кивать на географию. Истинную причину партия национал-лингвистов видит только в одном — в нашем русском менталитете.

4. Мысль Владимира Ивановича Даля о том, что национальность человека определяется языком, на котором этот человек думает, партия национал-лингвистов полагает краеугольным камнем своей платформы. Для удобства расчетов партия ставит знак равенства между русским языком и русским менталитетом.

5. Проиллюстрируем это положение следующим примером. Изучая английский, мы сталкиваемся с модальными глаголами. В русском же мы имеем дело с модальными словами («должен», «рад», «готов», «обязан»). Вполне естественно, что русскому человеку свойственно долги не возвращать, поскольку слово «должен» глаголом не является и, стало быть, действия не подразумевает.

6. Великая нация пишет на стенах. Чтобы убедиться в этом, достаточно заглянуть хотя бы в американскую подземку. Стены Восточной Европы неопровержимо свидетельствуют, что русские — это именно великая нация. По мнению национал-лингвистов, все города, исписанные преимущественно русскими словами, должны (см. предыдущий раздел) принадлежать России.

7. Русский язык есть единственно достоверный источник сведений о нашем прошлом. Национал-лингвисту не нужно прорываться к закрытым архивам и ворошить груды статистических данных (которые, кстати, весьма легко подделать). К примеру, чтобы выяснить, на чьей стороне выступала основная масса казачества в гражданской войне 1918—1920 годов, достаточно вспомнить, что «белоказак» пишется слитно, а «красный казак» — раздельно. Попробуйте произнести «красноказак», и вы почувствуете сами, насколько это противно артикуляции.

8. Русский язык есть единственно достоверный источник сведений о нашем настоящем. Если национал-лингвист замечает, что первое склонение существительных вновь обрело в устной речи звательный падеж, он (национал-лингвист) обязан сделать из этого выводы о повышенном внимании к существительным женского рода («Мам!», «Теть!», «Маш!») или же хотя бы косящим под женский род («Дядь!», «Борь!», «Саш!»).

9. Русский язык есть единственно достоверный источник сведений о нашем будущем. Подслушав в уличном разговоре слова «Пошли к Витьку!» и ответ «А вот до хрена там!» (в значении — «Не пойду!»), национал-лингвист не должен возмущаться неправильностью или нелогичностью формулировки. Не исключено, что это логика завтрашнего дня.

10. Бороться с языком (или, скажем, за чистоту языка) бесполезно. Приблизительно в 1965 году была объявлена беспощадная война выражению «Кто крайний?». Были подключены пресса, радио, телевидение, школа. Тщетно. «Кто крайний?» играючи вытеснило из очередей рекомендованную форму «Кто последний?» вопреки возмущениям педагогов и насмешкам сатириков. Создается впечатление, что язык сам выбирает пути развития и становиться на его дороге просто неразумно.

11. Мысля на современном русском языке, нам никогда ничего не достроить, поскольку русские глаголы совершенного вида в настоящем времени употреблены быть не могут. В настоящем времени можно лишь ДЕЛАТЬ что-то (несовершенный вид). СДЕЛАТЬ (совершенный) можно лишь в прошедшем и в будущем временах. Однако будущее никогда не наступит в силу того, что оно будущее, а о прошедшем речь пойдет ниже.

Возьмем для сравнения тот же английский. Четыре формы настоящего времени глагола. И среди них НАСТОЯЩЕЕ СОВЕРШЕННОЕ. Будь мы англоязычны, мы бы давно уже что-нибудь построили.

12. Мысля на современном русском языке, нам никогда не учесть ошибок прошлого, потому что русские глаголы прошедшего времени — это даже и не глаголы вовсе. Это бывшие краткие страдательные причастия. Они обозначали не действие, а качество. Они не спрягаются, но подобно именам изменяются по родам («я отпал», «я отпала», «я отпало»). Хорошо хоть не склоняются — и на том спасибо! Иными словами, прошлое для нас не процесс, а скорее картина, которую весьма легко сменить. Только что оно было беспросветно-мрачным, и вдруг — глядь, а оно уже лучезарно-светлое! Или наоборот.

13. Русский менталитет возник во всей своей полноте вместе с современным русским языком, что совершенно естественно (см. раздел 4). Наши предки, мысля на древнерусском, представляли (в отличие от нас!) свое прошлое именно процессом, причем весьма сложным, поскольку древнерусский язык (в отличие от современного) имел четыре формы прошедшего времени глагола. Не вдаваясь в подробности, приведем пример. Такой простенький древнерусский оборот, как «писали бяхомъ», на современный русский приходится переводить следующей громоздкой конструкцией: «мы, мужчины, в количестве не менее трех человек, перед тем, как натворить еще что-то в прошлом, — писали».

14. Установить точную дату возникновения современного русского языка (а стало быть, и русского менталитета) дело весьма сложное. Ограничимся осторожным утверждением, что это произошло где-то между грозным царем и крутым протопопом. Именно тогда наш язык (а стало быть, и мышление) упрощается до предела. Мы теряем добрую половину склонений и все формы прошедшего времени, довольствуясь жалкими огрызками перфекта, которые, как было сказано выше (см. раздел 12), и глаголами-то не являлись.

Любопытно, что именно с этого момента русская история обретает странную цикличность: каждая первая четверть века знаменуется гражданской войной и вторжением интервентов. Объяснить эту странность партия пока не берется. Заметим лишь, что единственное исключение (прошлый век) ничего не опровергает, поскольку в данном случае вторжение (1812 г.) и попытка гражданской войны (1825 г.) просто не совпали по фазе.

15. Кстати, о гражданских и прочих войнах. Замечено, что в русском языке пропасть между витиевато сложной литературной речью и предельно упрощенной речью нелитературной особенно глубока. Думается, что именно в этом кроется одна из причин зверства отечественной цензуры, которая, заметим, всегда в итоге терпела поражение. Скажем, до войн с Наполеоном слово «черт» считалось безусловно неприличным и на письме обозначалось точками. А малое время спустя (у того же Николая Васильевича Гоголя, к примеру) оно уже красуется в первозданном виде без каких бы то ни было точек. Подобных примеров можно привести множество, и изобилие их наводит на мысль, что ненормативная лексика (как и вся устная речь вообще) прокладывает себе дорогу с помощью войн и гражданских смут. Отсюда недалеко до вывода, что всякая революция есть результат напряженности между двумя стилистическими пластами. Иными словами, борясь за чистоту языка, ты приближаешь революцию.

16. Итак, мысля на современном русском, нам не учесть ошибок прошлого и ничего не построить в настоящем. Где же выход? Вновь вернуться к древнерусскому языку с его четырьмя формами прошедшего времени глагола? Во-первых, это нереально, а во-вторых, чревато гражданской смутой (см. предыдущий раздел). Кроме того, мы не иудеи. Только они могли воскресить древнееврейский и сделать его разговорным, а затем и государственным языком. И потом это ничего не даст. Разрыв между настоящим и будущим временами существовал еще в древнерусском, что, собственно, и помешало князьям Рюрикова рода завершить строительство феодализма в Киевской Руси. И наконец, это была бы попытка плыть против течения, поскольку известно, что язык имеет тенденцию не к усложнению, а к упрощению (см. раздел 14).

17. И все же выход есть. Поскольку именно глагол мешает успешному построению в России чего бы то ни было, его просто-напросто следует упразднить. Поэтому, если партия национал-лингвистов волею случая придет к власти, первым ее декретом будет «ДЕКРЕТ ОБ ОТМЕНЕ ГЛАГОЛОВ».

18. Да, но как же без глаголов-то? Какая же это жизнь без глаголов? Ответ: самая что ни на есть нормальная. С какого потолка, интересно, утверждение, что глаголы в нашей повседневности необходимы? Да они в русской речи вообще не нужны. К чему они? Зачем? Какая от них польза? Да никакой. Без них даже удобнее. И вот вам лучшее тому доказательство: вам ведь и невдомек, что в данном разделе нет ни единого глагола!

19. Да, но как же изящная словесность? «Глаголом жги сердца людей...» Тоже не аргумент. Афанасий Фет, например, вполне мог жечь сердца, не прибегая к глаголам:

> Шепот, робкое дыханье,
> Трели соловья,
> Серебро и колыханье
> Сонного ручья, и т. д.

А если кто не может работать на уровне Фета, то это уже его проблемы.

20. Учение национал-лингвистов всесильно, потому что не противоречит устремлениям русского языка. Он и сам начинает помаленьку освобождаться от глаголов. Так, глагол «быть» (!) уже не употребляется нами в настоящем (!) времени. При письме мы стыдливо ставим на его место тире («Столяров — писатель», «кошка — хищник»), но в устной речи тире не поставишь. Понятия волшебным образом переливаются одно в другое, не требуя глагола-связки. Именно поэтому русский человек гениален.

21. Американец ни за что не додумается развести бензин водой, потому что между слова-

ми «бензин» и «вода» у него стоит глагол, мешаю-
щий этим понятиям слиться воедино. У нас же между ними даже и тире нету, поскольку мыслим мы
все-таки устно, а не письменно. Становится понятно, почему все гениальные изобретения, включая
паровоз и велосипед, были сделаны именно в России. Могут возразить: «А почему же тогда все эти
изобретения были внедрены не у нас, а за
рубежом?» Человеку, задавшему такой вопрос, мы
рекомендуем еще раз внимательно перечитать
предыдущие разделы данного «Манифеста».

22. И все же, когда декрет об отмене глаголов всту-
пит в силу, граждане России (интеллигенция, в част-
ности) некоторое время волей-неволей будут ощу-
щать неудобство и некое зияние в устной речи.
Поэтому, чтобы обеспечить плавный переход к сча-
стливому безглагольному существованию, партия национал-лингвистов намерена обнародовать и
провести в жизнь «ДЕКРЕТ О ЗАМЕНЕ ГЛАГО-
ЛА МЕЖДОМЕТИЕМ».

23. Действительно, междометие нисколько не
хуже, а подчас даже и лучше глагола выражает
исконно русские действия. Вспомним незабвенное
блоковское «трах-тарарах-тах-тах-тах-тах!». Мало
того, междометие выгодно отличается от глагола
емкостью и мгновенностью исполнения («шлеп!»,
«щелк!», «бултых!», и т. д.). А то, что большинство
междометий произошло именно от глаголов, не

имеет ровно никакого значения. Дети за родителей не отвечают.

24. Некоторых, возможно, смутит, что многие российские междометия решительно нецензурны. Чего стоят, скажем, одни только речения типа «......!» и «....!». Думается, однако, что не стоит по этому поводу издавать отдельный декрет. Полная отмена цензуры — единственный пункт, по которому национал-лингвисты полностью согласны с нынешними строителями капитализма.

25. Национал-лингвисты внимательны к своему богатому ошибками прошлому. Самого пристального изучения заслуживает тот факт, что все безглагольные лозунги наших предшественников в большинстве своем выполнялись («Руки прочь от Вьетнама!», «Все — на коммунистический субботник!»). Или хотя бы соответствовали действительности («Партия — наш рулевой»). Стоило затесаться в лозунг хотя бы одному глаголу («Решения такого-то Пленума — выполним!»), как все тут же шло прахом.

26. Могут возразить: а как же глагол «даешь»? Тоже ведь срабатывал безотказно. Но и это, увы, не возражение. Глагол «даешь» в процессе гражданской войны настолько обкатался, что и сам превратился в междометие. Формы «даю» и «дает» уже не имеют к нему никакого отношения. То же касается и самого известного российского глагола, навечно застывшего в одной-единственной форме.

27. Слив таким образом воедино в мышлении россиян прошлое с настоящим, а настоящее с будущим и уничтожив пропасть между нормативной лексикой и лексикой ненормативной, партия национал-лингвистов создаст условия для окончательного построения чего бы то ни было на территории нашей страны.

РУССКОЯЗЫЧНЫЕ!
......!
......!
И ПОБЕДА — ЗА НАМИ!

ПОСЛЕДНЕЕ СЛОВО АВТОРА

Я пишу фантастику, потому что ничего другого в России не напишешь. Я пишу фантастику, потому что, как выразился Ф. М. Достоевский: «В России истина почти всегда имеет характер вполне фантастический». Мы привыкли к фантастике, мы в ней живем.

Вот вам история, подозрительно похожая на правду. Якобы американцы по наивности часто принимали произведения советских авторов за утопические и антиутопические романы. "Ах, как здорово придумано! — якобы восклицали они в полном восторге. — Куда там Оруэллу! А какая прекрасная проработка деталей!" Им и в голову не приходило, что детали эти не вымышлены, а просто-напросто взяты из жизни. Из нашей с вами жизни.

Казалось бы, что такое социалистический реализм, как не пиршество фантазии! Чего стоит, например, один из наиболее распространенных сюжетных ходов: главная героиня, передовик производства, расстается с любимым человеком только по той причине, что он постоянно не выполняет план. Но господа! Вот вам подлинный случай: муж и жена. Оба коммунисты. Он учится в Высшей партийной школе, специализируясь на антирелигиозной пропаганде. Затем вдруг подает заявление о выходе из партии, поскольку в процессе обучения имел неосторожность уверовать в Бога. И что же супруга? Она немедля разводится с мужем и сама отправляет его в психушку. Случай, повторяю, подлинный. Стало быть, дело не в социалистическом реализме — дело в самой реальности.

Когда-то во всех наших бедах принято было винить татаро-монгольское иго. Теперь принято сваливать все на советскую власть. Однако следует признать, что и до октября 1917 года Россия была страной вполне фантастической.

Общеизвестный пример: развитие индустрии влечет за собой ломку феодальных отношений. Крестьян сгоняют с земли, и они становятся пролетариями. Это закон для любой страны. Кроме России. Петр Первый, создавая отечественную промышленность, начинает с того, что уравнивает крестьян с холопами, то есть закрепощает их окончательно — причем на добрых полтора столетия. Села приписываются к фабрикам. Крепостной рабочий класс! Да такое ни одному фантасту в голову не влетит.

А как вам нравится, что всякое целенаправленное действие у нас неминуемо приводит либо к нулевому результату, либо к результату катастрофическому? Лучший тому пример — борьба Горбачева с пьянством. Меры, помнится, были приняты самые напрашивающиеся: повысить цены на спиртное, сократить производство алкогольной продукции, строжайше карать за самогоноварение и т. д. Долго потом поминали Президенту вырубленные виноградники и задавленных в очереди старушек. Но главное опять-таки не в этом. Главное в том, что после Указа народ стал пить больше!

Случая еще не было, чтобы, начав укреплять дисциплину, мы бы не добились полного ее развала. Это ли не фантастика?

И напротив: действия парадоксальные, заставляющие подчас усомниться в нормальности правителя, вели, как правило, к успеху. С момента воцарения первого Романова наши самодержцы неустанно боролись с таким исконным отхожим промыслом, как речной разбой, и делали это, кстати, весьма разумно: слали карательные экспедиции, строили укрепления, усиливали охрану судов. В итоге, что ни век — то какой-нибудь Стенька, не говоря уже о бесчисленных атаманах помельче. Но вот пришел овеянный анекдотами Павел Первый и уничтожил речной разбой единым росчерком пера, издав указ о том, что разбоя на реках России больше нет и что всякий клеветник, выдающий себя за ограбленного, подлежит наказанию (судно конфискуется в казну, а владелец его обдирается кнутом и обезноздренный ссылается в Сибирь). Можно сколько угодно спорить о вменяемости Павла, но факт остается фактом: после этого дикого указа разбоя на русских реках не стало.

А нынешние шахтеры! Требуя выплаты заработанных денег, они выходят на рельсы и наносят ущерб не тем, кто зажилил их зарплату, но ни в чем не повинным железнодорожникам, а за компанию и пассажирам. Самое же фантастичное заключается в том, что, действуя таким немыслимым образом, шахтеры в итоге добиваются своего: зарплату им теперь выдают быстрее, чем кому бы то ни было. Разве что только парламентариям...

Кстати, Павел Первый на месте Ельцина справился бы с шахтерами играючи. Он бы просто перестал выплачивать жалованье железнодорожникам, пока движение не будет возобновлено. Прекрасный принцип — наказывать наказанных. В России он неизменно приводил к успеху. Это ли не фантастика?

Да Господи Боже мой! Семьдесят с лишним лет, не считаясь с жертвами, строить утопию, чтобы в итоге сломать ее за каких-нибудь три-четыре года... Вы вдумайтесь, вдумайтесь!..

И вот теперь, когда ко мне подходит собрат по перу — человек, родившийся и выросший в совершенно фантастической стране, с детства напичканный фантастическими догмами, свято убежденный, что бред, в котором он живет, это и есть реальность... Так вот когда он подходит ко мне и спрашивает, не надоела ли мне фантастика и не собираюсь ли я взяться за серьезное жизненное произведение, — посоветуйте, ради Бога: что мне ответить этому фантастическому существу?

СОДЕРЖАНИЕ

«Издательство АСТ»

Наши электронные адреса:
WWW.AST.RU E-mail: astpub@aha.ru

Фирменные магазины в Москве:

Ул. Каретный ряд, д. 5/10. Тел. 299-65-84
(Станция метро "Маяковская")

Ул. Арбат, д. 12. Тел. 291-61-01
(Станции метро "Смоленская", "Арбатская")

Ул. Татарская, д. 14. Тел. 959-20-95
(Станция метро "Павелецкая"-кольцевая)

Звездный бульв., д.21, 1-й этаж. Тел. 232-19-05
(Станции метро "Алексеевская", "ВДНХ")

Б. Факельный пер., д. 3. Тел. 911-21-07
(Станция метро "Таганская")

Ул. Луганская, д. 7. Тел. 322-28-22
(Станция метро "Кантемировская")

Ул. 2-я Владимирская, д. 52. Тел. 306-18-98
(Станция метро "Перово")

**В городах Сибири, Дальнего Востока, Казахстана
и Средней Азии нашим представителем является
ООО "Топ-книга" (Новосибирск)**

*Оптовые поставки в города Сибири, Дальнего Востока,
Казахстана и Средней Азии*

Тел. (3832) 36-10-28, e-mail: office@top-kniga.ru
WWW и интернет-магазин: www.top-kniga.ru
"Книга – почтой": 630117, Новосибирск, а/я 560

Розничная продажа в Новосибирске:

"Сибирский дом книги" (Красный проспект, 153)

"Книжная ярмарка" (метро "Гагаринская", подземный переход)

"Книжная долина" (ул. Ильича, 6)

"Лига" (ул. Кирова, 80)

"Книжный мир" (проспект Маркса, 51)

Представительства "Топ-книги":

В Барнауле (3852) 41-39-72, e-mail: sasha@barrt.ru

В Томске (3822) 22-30-43, e-mail: root@ateney.tsk.ru

В Кемерово (3842) 28-77-44, e-mail: top@relay.kuzbass.net

В Новокузнецке (3842) 55-14-21, e-mail: nuk@nvkz.kuzbass.net

Литературно-художественное издание

Лукин Евгений

Алая аура протопарторга

Художественный редактор О.Н. Адаскина
Компьютерный дизайн: А.С. Сергеев
Технический редактор О.В. Панкрашина

Подписано в печать 09.12.99.
Формат 84×108^1/$_{32}$. Усл. печ. л. 21,00.
Тираж 11 000 экз. Заказ № 3944.

Налоговая льгота – общероссийский классификатор продукции
ОК-00-93, том 2; 953000 – книги, брошюры

Гигиенический сертификат
№ 77.ЦС.01.952.П.01659.Т.98 от 01.09.98 г.

ООО «Фирма «Издательство АСТ»
ЛР № 066236 от 22.12.98.
366720, РФ, Республика Ингушетия,
г.Назрань, ул.Московская, 13а
Наши электронные адреса:
WWW.AST.RU
E-mail: astpub@aha.ru

Отпечатано с готовых диапозитивов
на Книжной фабрике № 1 Госкомпечати России
144003, г. Электросталь Московской обл., ул. Тевосяна, 25.